1967 to/à **1992**

Jeux du Canada Games

The Official Retrospective
of the Canada Games

*Une rétrospective officielle
sur les Jeux du Canada*

Published by E.S.P. Marketing
Produced under the authority
of the Canada Games Council

Publié par E.S.P. Marketing
Produit sous l'autorité du
Conseil des Jeux du Canada

Copyright 1992 E.S.P. Marketing & Communications. All rights reserved. No part of this work may be reproduced or used – in any form or by any means – without the prior written permission of the Canada Games Council and E.S.P. Marketing & Communications.

Canadian Cataloguing in Publication Data MacCabe, Eddie, 1927
Jeux du Canada : une rétrospective officielle sur les Jeux du Canada : 1967 à 1992 – Canada Games: the Official Retrospective of the Canada Games: 1967 to 1992
Text in English and French
ISBN 0-919035-17-5 (deluxe ed.)
ISBN 0-919035-18-3 (bound)
ISBN 0-919035-16-7 (pbk.)

1. Canada Games – History. I.Canada Games Council. II.Title.
III.Title: Canada Games.

GV722.5.C35M33 1992 796'.0971 C92-090534-XE
Printed in Canada

Publisher: Canada Games Council/E.S.P. Marketing & Communications

Author: Eddie MacCabe

Translation: J.P. Charbonneau

Design: Spencer Francey Peters

Photography: National Archives of Canada, Industry, Science and Technology Canada, City of Saint John, Fitness and Amateur Sport, Canada Games Council, Owen Fitzgerald Photography, Ltd., Sydney, Nova Scotia.

Acknowledgements: The many Friends of the Games, Canadian Sport and Fitness Marketing Inc., Federal-Provincial/Territorial Governments, The Saskatoon Jeux Canada Games Foundation, and our generous sponsors.

The Sponsors

Les commanditaires

Droits d'auteur 1992 E.S.P. Marketing & Communications. Toute reproduction ou adaptation d'un extrait quelconque de ce livre par quelque procédé que ce soit n'est permise sans avoir obtenu, au préalable, l'autorisation du Conseil des Jeux du Canada et E.S.P. Marketing & Communications.

Données de catalogue avant publication (Canada)
MacCabe, Eddie, 1927
Jeux du Canada : une rétrospective officielle sur les Jeux du Canada : 1967 à 1992 – Canada Games: the Official Retrospective of the Canada Games: 1967 to 1992

Texte en français et en anglais.
ISBN 0-919035-17-5 (éd. de luxe)
ISBN 0-919035-18-3 (relié)
ISBN 0-919035-16-7 (br.)

1. Canada Games – History. I.Canada Games Council. II.Title.
III.Title: Canada Games.

GV722.5.C35M33 1992 796'.0971 C92-090534-XF

Édition : Conseil des Jeux du Canada/E.S.P. Marketing & Communications

Auteur: Eddie MacCabe

Traduction : J.P. Charbonneau

Conception graphique : Spencer Francey Peters

Photographie : Archives nationales du Canada, Industrie, Sciences et Technologie Canada, Ville de Saint-Jean, Condition physique et Sport amateur, Conseil des Jeux du Canada, Owen Fitzgerald Photography, Ltd., Sydney, (N.-É).

Remerciements : Les nombreux Amis des Jeux, Le marketing canadien du sport et de la condition physique inc., les gouvernements fédéral,provinciaux/territoriaux, La fondation Jeux Canada Games de Saskatoon, et nos généreux commanditaires.

Imperial International Canada provides support to the Canada Games through Tundra's customized line of sport bags and packs and through our selection of functional Sierra Sport jackets.

Imperial International Canada was very pleased to be an official merchandise supplier to the 1991 Canada Winter Games on Prince Edward Island and is a supplier of official Canada Games merchandise for the 1993 Canada Games in Kamloops, British Columbia.

Canada Post Corporation is a major Canadian Company, providing communications, advertising and physical distribution services to customers in Canada and around the world.

Canada Post Corporation has been a proud sponsor of the Canada Games since 1989. Canada Post Corporation continues to meet the needs of customers today while looking ahead to tomorrow's opportunities.

Fitness and Amateur Sport (FAS) operates primarily by providing financial contributions and policy leadership to national sport and fitness-oriented organizations in Canada through the activities of its three major program directorates, Fitness Canada, Sport Canada and International Relations and Major Games. FAS has been a strong contributor to the Canada Games program since its inception in 1967.

In 1991, the Canada Games Council was incorporated as a non-profit organization after many years as a loosely organized volunteer body. Its mandate is to provide leadership to all Canada Games partners to ensure the ongoing growth and prosperity of the Canada Games movement. In this 25th Anniversary year, the Council salutes the many committed individuals who have volunteered their time so that thousands of athletes could achieve their dreams.

TUNDRA®

MAIL⇒POSTE

Canada Post Corporation / Société canadienne des postes

Government of Canada
Fitness and Amateur Sport

Gouvernement du Canada
Condition physique et Sport amateur

Imperial International Canada appuie les Jeux du Canada en proposant aux athlètes et officiels une série personnalisée de sacs de sport et de sacs à dos Tundra, de même que notre choix de blousons fonctionnels Sierra Sport.

Imperial International Canada se réjouit d'avoir été un des fournisseurs officiels de marchandises aux Jeux d'hiver du Canada de 1991 dans l'Île-du-Prince-Édouard, et d'être fournisseur de marchandise officielle pour les Jeux d'été du Canada de 1993 à Kamloops, en Colombie-Britannique.

La Société canadienne des postes est une entreprise canadienne importante qui répond aux besoins des clients du Canada et de l'étranger en matière de communication, de publicité et de distribution.

La Société canadienne des postes s'associe aux Jeux du Canada à titre de commanditaire majeur depuis 1989. La Société canadienne des postes répond aux besoins de sa clientèle tout en ayant le regard tourné vers l'avenir afin de profiter des perspectives d'affaires qui s'offrent à elle.

Dans le cadre des activités de trois grandes directions de programme, soit Condition physique Canada, Sport Canada, et Relations internationales et Jeux principaux, Condition physique et Sport amateur remplit ses fonctions en versant des contributions financières et en assurant une direction de principe à des organismes nationaux de sport et de condition physique au Canada. Le Gouvernement du Canada continue son rôle de partenaire clé du développement des Jeux du Canada.

Le Conseil des Jeux du Canada était incorporé en 1991 en tant qu'organisme à but non lucratif, après avoir été pendant plusieurs années une organisation bénévole sans structure définie. Il a pour mandat d'offrir du leadership à tous les partenaires des Jeux du Canada, pour assurer la prospérité et le développement permanent du mouvement des Jeux du Canada. En ce 25e anniversaire des Jeux, le Conseil rend hommage à toutes ces personnes engagées qui ont donné bénévolement de leur temps, pour que des milliers de jeunes athlètes puissent réaliser leur rêve.

The Right Honourable Brian Mulroney
Prime Minister of Canada

Très honorable Brian Mulroney
Premier ministre du Canada

CANADA

I am pleased to extend my best wishes to all those associated with the Canada Games Council on the occasion of the 25th anniversary of the Canada Games.

Since our centennial year, the Canada Games have become synonymous with athletic excellence and friendly competition. The true spirit of the Canada Games is reflected in the enthusiasm and good will with which young Canadians come together to compete, to learn from each other, and to share in the camaraderie and sense of fair play that make participation in these Games such a unique experience.

Emphasis on community involvement has also been vital to the success of the Canada Games. Volunteers from all walks of life have given generously of their time to prepare their communities for this great showcase of Canadian sport.

The Canada Games are about the fulfillment of dreams, and the development of outstanding young athletes. As we celebrate the 125th anniversary of Confederation, the Games exemplify the many values that we share as Canadians.

I join with all Canadians in wishing the Canada Games Council continued success.

Brian Mulroney

En ce 25e anniversaire des Jeux du Canada, je suis heureux d'offrir mes meilleurs voeux à tous ceux et celles qui sont associés à l'action du Conseil des Jeux du Canada.

Depuis l'année du Centenaire de la Confédération, les Jeux du Canada sont devenus synonymes d'excellence sportive et de concurrence amicale. L'esprit qui les anime se manifeste par l'enthousiasme et la bonne volonté avec lesquels de jeunes Canadiens et Canadiennes se rencontrent pour se mesurer les uns aux autres, pour apprendre les uns des autres et pour partager l'atmosphère de camaraderie et de franc-jeu qui en fait une expérience si unique.

Le succès des Jeux du Canada s'explique aussi par un profond engagement communautaire. Des bénévoles de tous les milieux donnent généreusement de leurs temps pour préparer leurs communautés à cette grande manifestation sportive canadienne.

Parce qu'ils permettent la réalisation de grands rêves et l'épanouissement de jeunes athlétes prometteurs, les Jeux du Canada illustrent à merveille les nombreuses valeurs que nous partageons et que nous célébrons en ce 125e anniversaire de la Confédération.

Au nom de tous les Canadiens et Canadiennes, je souhaite encore beaucoup de succès au Conseil des Jeux du Canada.

Since their inception in 1967, the Canada Games have been about people. From the visionary administrators to the eager young athletes; from the generous volunteers to the supportive corporate sector; from the dedicated coaches and officials to the steadfast government partners. These are the people of the Canada Games who have come together every two years since the very first Games in Quebec City twenty-five years ago. To use the theme of the 1993 Canada Games in Kamloops, British Columbia, the people of the Canada Games "Believe in Dreams" and have worked unselfishly to achieve them.

As the Games celebrate their 25th Anniversary, we look back with fondness on our past and with confidence to our future. The next twenty-five years will be even more successful thanks to the commitment and dedication of the people who have built the Canada Games movement. Finally, a special thanks to this project's corporate and public partners, without whose support this effort would not have been possible.

John C. (Jack) Pelech

Chairman/Président

Depuis leur inauguration en 1967, les Jeux du Canada ont toujours été l'affaire du peuple canadien, à partir des organisateurs visionnaires et des administrateurs jusqu'aux jeunes athlètes, des bénévoles généreux et enthousiastes jusqu'au secteur privé toujours à l'appui, des entraîneurs et officiels dévoués jusqu'aux solides partenaires gouvernementaux. Ce sont là les partenaires des Jeux du Canada, qui se sont réunis tous les deux ans depuis les tout premiers Jeux d'hiver du Canada il y a 25 ans dans la ville de Québec. Comme le veut le thème des Jeux d'hiver du Canada de 1995 à Grande Prairie en Alberta, les responsables des Jeux ont «Imaginé» la tenue d'événements d'envergure et ont travaillé de façon désintéressée à leur réussite.

Au moment où les Jeux célèbrent leur 25e anniversaire, nous contemplons le passé avec nostalgie et affection, tout en regardant l'avenir avec confiance. Enfin, nous remercions de façon particulière nos partenaires des secteurs public et privé, sans l'appui desquels ce projet anniversaire serait impossible.

Sport plays an important role in Canada developing our cultural identity, our sense of pride and a reassurance of the many diverse ways we come together as Canadians. Personal strength and integrity, and an adherence to fair play are the universal values Canadians want to see reflected in amateur sport.

The Canada Games are by far the single ongoing program which best illustrates these values. Not only do these Games attract young athletes from all parts of Canada, they also draw together an impressive selection of talent from Canada's pool of sport administrators, coaches and officials.

Canada Games continue to be one of Canada's greatest national sporting traditions. On behalf of the Government of Canada and the provincial and territorial governments, it is indeed a pleasure to extend our sincere best wishes to the Canada Games as they celebrate their 25th Anniversary.

The Honourable/L'honorable
Pierre H. Cadieux

Minister of State, Fitness and Amateur Sport, Government of Canada/ Ministre d'État, Condition physique et Sport amateur, Gouvernement du Canada

The Honourable/L'honorable
Carol Carson, M.L.A.

Minister of Community Services (Saskatchewan)/ Ministre des Services communautaires (Saskatchewan)

Au Canada, le sport joue un rôle de tout premier plan. Il sert à cristalliser notre identité culturelle, à cultiver notre sens de la fierté et à resserrer les liens qui nous unissent. Pour les Canadiens et Canadiennes, la force de caractère, l'honnêteté, de même que le respect de l'esprit sportif sont les valeurs universelles que le sport amateur doit véhiculer.

Les Jeux du Canada sont de loin la plus importante manifestation sportive régulière qui représente le mieux ces valeurs. Non seulement ces Jeux attirent-ils des jeunes athlètes de tous les coins du Canada, mais ils rassemblent aussi une sélection impressionnante de spécialistes canadiens dans les domaines de l'entraînement, de l'arbitrage et de l'administration du sport.

Les Jeux du Canada figurent toujours parmi les plus merveilleuses traditions sportives au pays. Au nom du Gouvernement du Canada, des gouvernements provinciaux et territoriaux, c'est avec grand plaisir que nous offrons aux amis des Jeux du Canada nos meilleurs voeux à l'occasion de ce 25ième anniversaire.

Stamp Design/Motif : Tania Craan
Quantity/Tirage : 15,000,000

On October 21, 1992 Canada Post Corporation issued two commemorative stamps to mark the 25th anniversary of the Order of Canada and to honour its first recipient, the late Right Honourable Roland Michener (1900-1991). Michener was born in Lacombe, Alberta and throughout his life jogged, played tennis and followed a healthy lifestyle, vowing never to become a sedentary person. On February 22, 1971 Michener closed the 2nd Canada Winter Games by saying:

"We came together as rivals, but now we have a pervading feeling of being Canadians. We are one family."

Roland Michener attended three Canada Games and became a role model at the start of the fitness boom. His service to Canada as a Member of Parliament, Speaker of the House of Commons, High Commissioner and Governor General were exemplary.

Roland Michener Commemorative Stamp
Timbre commémoratif consacré à Roland Michener

La Société canadienne des postes a émis, le 21 octobre 1992, deux timbres commémoratifs consacrés au 25ᵉ anniversaire de l'Ordre du Canada et à son premier récipiendaire, Roland Michener. Natif de Lacombe, en Alberta, l'ancien gouverneur général vécut de 1900 à 1991. Amateur de jogging et de tennis et partisan d'un mode de vie sain, il s'était promis de toujours rester actif. Le 22 février 1971, Michener, présidant la clôture des deuxièmes Jeux d'hiver du Canada déclara :

«Nous sommes venus ici en tant que rivaux, mais nous avons maintenant le sentiment d'être des Canadiens, des membres d'une même famille.»

Roland Michener a assisté trois fois aux Jeux du Canada et est devenu un modèle lorsque débuta l'engouement pour le conditionnement physique. C'est de façon exemplaire qu'il s'est acquitté des fonctions de député fédéral, de haut commissaire et de gouverneur général.

The Roland Michener Canada Games Award

Le Prix Roland-Michener des Jeux du Canada

On January 23, 1992, The Right Honourable Brian Mulroney, announced at the official opening of the Canada Games Council offices, the creation of the Roland Michener Canada Games Award. The Award will be presented every two years to young Canada Games participants who exemplify leadership, cooperation and effort, characteristics that Mr. Michener lived by and will be remembered for.

Le 23 janvier 1992, le Premier ministre Brian Mulroney a annoncé, lors de l'ouverture officielle des nouveaux bureaux du Conseil des Jeux du Canada, la création du Prix Roland-Michener des Jeux du Canada. Tous les deux ans, le prix sera décerné à des jeunes participants aux Jeux du Canada qui se seront distingués par leur leadership, leur coopération et leurs efforts, autant de qualités qu'on associe à l'oeuvre du regretté Roland Michener.

Prix · Award

Table of Contents
Table des matières

1967 - 1992

"One cannot stress too strongly the importance of encouraging the juniors. It is from these that material for future Olympic Games must come."

Norton Crowe, 1924

«On ne saurait trop souligner l'importance d'encourager les jeunes athlètes. C'est avec ce matériel qu'on façonnera les futurs Olympiens.»

Norton Crowe, 1924

A bout 50 years ago it was little more than a forlorn dream, a half-formed notion, an idealistic vision.

Just 25 years ago it was a beginning, but still not much more than a good idea supported more by hope and enthusiasm than by substance.

Now it is a glorious Canadian tradition, well structured and appropriately financed, unquestionably a linchpin of all Canada's ambitious sports plans and programs, well established, well protected and growing in stature and lore with each biennial extravaganza.

We're talking about the Canada Games, an interprovincial and territorial sports festival staged every two years, winter and summer games in turn. This year marks 25 years since those bold and adventurous first steps were taken at the Winter Games in Quebec City in 1967.

Introduction

À l'origine, il y a une cinquantaine d'années, il ne s'agissait que d'un rêve éphémère, un vague projet, un concept idéaliste.

Vingt-cinq ans plus tard, le rêve d'antan était devenu réalité, mais ce n'était encore qu'un concept plausible, plus riche d'espoir et d'enthousiasme que de substance.

Aujourd'hui, c'est devenu une fière tradition canadienne, bien structurée et adéquatement subventionnée, indiscutablement la pierre d'angle de tous les plans et ambitieux programmes sportifs du Canada, bien ancrée, protégée et croissant en importance avec chaque spectacle biennal.

Bien sûr, ce sont des Jeux du Canada dont il est question ici, ce festival sportif interprovincial et territorial présenté tous les deux ans, en alternance entre jeux d'hiver et jeux d'été. Il y a 25 ans cette année que ces courageux premiers pas ont été pris, avec les Jeux d'hiver du Canada de 1967, année du Centenaire de la Confédération, dans l'historique Vieille Capitale qu'est la ville de Québec.

Depuis lors, plus de 75 000 Canadiens ont joué un rôle actif en qualité de bénévoles dans la présentation de ces Jeux . Plus de 30 000 athlètes et entraîneurs y ont participé, tandis que des centaines de milliers d'athlètes ont participé aux épreuves de sélection menant

Since that time, more than 75,000 Canadians have been directly involved as volunteers in staging the Games and about 30,000 athletes and coaches have participated, with hundreds of thousands of athletes involved in the selection process leading to the Games. Without those volunteers contributing talent and countless hours of effort, and setting the very flavour of each installment of the Games, the whole grand plan would have long since collapsed.

Among those volunteers were the leaders at each of the 13 host sites. They had to make major commitments, turning over whole blocks of their lives to Canada, and doing it with creativity, imagination and inspiration along with expertise in organization and planning, accounting, communications and all the qualities required in these enormous undertakings.

In The Beginning

But the idea came first.

The thought occurs that a number of persons must have entertained the notion over the years, but passed it by as an impossible dream. The first hard evidence of the idea came in 1924 at the old Fort Garry Hotel in Winnipeg at the annual meeting of the Amateur Athletic Union of Canada.

Norton Crowe was the honourary secretary of the AAU of C and he was retiring from the post after 19 years of service. That was an Olympic year and, in his farewell remarks, he noted that for the first time since 1904, Canada had not won an Olympic medal in track and field.

A fine amateur athlete in his youth in Toronto, Crowe had been for so many years a national and international executive of such substance and service, a trophy had been put up in his name to be awarded annually to Canada's top amateur male athlete. He also was inducted into the Amateur Athletic Union of Canada Hall of Fame.

So when Norton Crowe was making his farewell address, his listeners expected some expression of significant thoughts, and they were not surprised when he lamented Canada's performance at the 1924 Olympics.

He suggested an all-British Empire Games be set up, and then he said:

"Another event I would like to see in the future would be what might be styled Canadian Olympic Games at some central point when all seasonable sport could be conducted in the same week. The assistance of federal funds would make this possible."

À l'origine

Le tout a commencé par une idée.

La première preuve tangible du concept a été fournie en 1924 à l'ancien hôtel Fort Garry de Winnipeg, lors de l'assemblée annuelle de l'Amateur Athletic Union of Canada.

Norton Crowe était alors secrétaire honoraire de l'A.A.U.C., abandonnant cette année-là le poste qu'il occupait avec distinction depuis 19 ans déjà. C'était une année olympique et, dans son mot d'adieu, Crowe a noté que, pour la première fois depuis 1904, le Canada n'avait remporté aucune médaille en athlétisme.

Superbe athlète au cours de sa jeunesse à Toronto, Crowe avait rendu tant de précieux services aux organisations nationales et internationales au cours des ans qu'il avait laissé son nom à un trophée qui, chaque année, devait être remis au meilleur athlète masculin du Canada. Il avait également été nommé membre du Temple de la renommée de l'Amateur Athletic Union of Canada.

Ainsi, au moment où Norton Crowe prononçait ses adieux, son auditoire s'attendait à entendre l'expression de quelques idées bien réfléchies. Ainsi personne n'a été surpris de l'entendre déplorer la piètre performance du Canada aux Jeux olympiques de 1924.

aux Jeux. Il y a belle lurette que ce projet grandiose se serait écroulé, n'eût été l'expertise, le dévouement et les innombrables heures de travail que les bénévoles ont consacrés à leur organisation, donnant ainsi à chaque édition des Jeux une touche bien personnelle.

Au nombre de ces bénévoles, on compte les âmes dirigeantes de chacun des 13 comités organisateurs. Il leur a fallu prendre des engagements majeurs, consacrant aux Jeux, et de ce fait au pays même, plusieurs années de leur vie. Ils l'ont fait avec créativité, imagination et inspiration.

Et c'est ainsi qu'il en arrive à proposer la création de Jeux pour l'ensemble de l'Empire britannique, pour ensuite ajouter :

«Il serait souhaitable également qu'on crée à l'avenir un genre de Jeux olympiques canadiens, qui se dérouleraient dans un lieu central et où toutes les compétitions des sports saisonniers pourraient avoir lieu au cours d'une même semaine. Ce genre d'événement serait possible avec une contribution financière du gouvernement fédéral.»

Ces deux projets furent l'objet de résolutions qui furent adoptées, et les Jeux de l'Empire britannique faisaient

Both of those thoughts were put into resolutions and passed and the British Empire Games made their debut in 1930 in Hamilton, Ontario, just months after the death of Mr. Crowe. However, the idea of an all Canadian competition seemed to suffer total abandonment for the longest time, forgotten for decades.

About Other Concerns

The Great Depression descended upon the land, and World War II followed immediately to command the attention of all the country. With the whole country preoccupied in other

Canada Winter Games Launched
Premiers Jeux du Canada
Lac Beauport, Québec, Sept. 1966

Sports Directors from across Canada meet with Host Society representatives to officially launch the first Canadian Winter Games. Les dirigeants sportifs des provinces et territoires se rassemblent pour annoncer les premiers Jeux d'hiver canadiens. From left/dans l'ordre habituel : Jacques Van Pelt, NWT/T.N.O.; Graham Snow, Nfld./T.N.; Dr. Dave Boswell, P.E.I./Î.-P.-É.; Dr. Hugh Noble, N.S./N.-É.; Tim Leishman, Ont.; Georges Labrecque, host society/comité organisateur; Roly McLenahan, N.B./N.-B.; Yves Bélanger, host society/comité organisateur; Al Miller, Man.; Dr. Emmett Smith, Alta.; Glen Tuck, Sask.; Jim Panton, B.C./C.-B.; Claude Lacasse, Qué.

leurs débuts en 1930, quelques mois à peine après le décès de Norton Crowe. Cependant, le concept d'une compétition sportive essentiellement canadienne semblait avoir sombré dans l'oubli, pour y rester pendant plusieurs décennies.

Autres préoccupations

Le pays sombra d'abord dans la «Grande dépression», puis l'attention générale se porta ensuite sur la Deuxième guerre mondiale pendant les six années qui suivirent. Trente années s'écoulèrent sans qu'on ait le désir ou les fonds nécessaires pour songer à organiser des Jeux. Bien sûr, il y eut des

Olympiques en 1932 et ensuite 1936, mais les athlètes canadiens durent se débrouiller en grande partie sans assistance gouvernementale.

En fait, l'idée à l'époque, dans certains milieux sportifs et dans l'esprit de plusieurs rédacteurs sportifs, voulait que «le sport et la politique n'aillent pas de pair.» Cependant, les visionnaires et les sportifs avertis de l'époque considéraient le sport et les Jeux comme un trésor national et une source de fierté nationale pouvant servir de ferment de compréhension entre les régions éloignées d'un si vaste pays, sans oublier la recherche d'un plus haut niveau de santé et de condition physique au Canada.

C'est dans cet esprit qu'une fois le Deuxième conflit terminé, un petit groupe de sportifs se réunirent à Ottawa pour y former une organisation qui prit le nom de Conseil des sports.

Ils se consacrèrent totalement à la tâche pendant plus de 10 ans, adoptant des résolutions et préparant des mémoires qu'ils s'efforcèrent de présenter aux députés et aux membres du cabinet fédéral.

En 1959, le Conseil réussissait à convaincre le Premier ministre John Diefenbaker de rendre visite aux athlètes canadiens aux Jeux panaméricains qui se tenaient à Chicago, ce qui fut interprété

comme une reconnaissance de l'importance du sport amateur. Le Conseil avait accusé un certain progrès.

Parmi les membres du Conseil des sports qui ouvrait de nouveaux horizons pour le mouvement sportif, on notait des personnalités canadiennes telles James Worrall, Ken Farmer, le lieutenant-colonel Jack Davies, Melville Rogers, Lee Gault, Dorothy Forsyth, Cecil Power, Bud Clark et d'autres encore, alors que des gens de la trempe du sénateur Hartland Molson et Sidney Dawes surent faire valoir leurs arguments devant le Conseil des ministres.

directions, there was neither the money nor the inclination to pursue any ideas of games for nigh onto the next 30 years. There were Olympic Games, of course, in 1932 and 1936 but Canadian athletes who participated were not helped by federal funds. They were largely on their own.

There was in fact, in some sports and among many writers, a long-established mindset that "politics and sports don't mix." But the visionaries of the time, the long-headed sportsmen, could see sports and games as a national treasure, as an avenue to national pride, as a better understanding among far-flung regions of a vast country, as a better level of national fitness and health.

As a consequence, after World War II, a small group of sportsmen met in Ottawa and formed under the name of the National Sports Advisory Council.

They laboured mightily with scant reward for their efforts for more than 10 years, drafting resolutions and preparing briefs and contriving to present them to members of parliament and cabinet ministers.

In 1959 they managed a small coup by arranging for Prime Minister John

flambeau   torch
Roly McLenahan

Une inspiration du Pays de Galles

En 1959, Jack Davies accompagna un petit contingent d'athlètes et officiels canadiens à des Jeux qui avaient été organisés au Pays de Galles. Ils furent impressionnés par le spectacle grandiose offert par ce petit pays.

Davies fit rapport au Conseil des sports, dont il était alors le vice-président, et qui impressionna le président Melville Rogers. Ancien Olympien, champion de patinage artistique et résidant d'Ottawa, Rogers réussit à présenter les opinions du Conseil au ministre de la Santé et du Bien-être social, Waldo Monteith. Après s'être dépensé pendant toutes ces années, le Conseil consultatif avait vraiment l'impression d'avoir progressé.

C'est dans cette optique que les membres du Conseil furent agréablement surpris, en juin 1959, lorsque le prince Philip fit les manchettes suite à une allocution qu'il prononçait devant l'Association médicale canadienne à London, en Ontario et où il souligna le «piètre état de santé des Canadiens», affirmant que :

«Tout compte fait, il est évident que la condition physique des Canadiens laisse grandement à désirer…»

Le prince Philip aborda également «la question de prestige national dans le

The Roly McLenahan Torch is the Games official hand-held torch which was given by the Interprovincial Sport and Recreation Council to the Canada Games Council in memory of Roly McLenahan who was a builder of the Canada Games and passed away just before the Saint John Games in 1985.

Le flambeau Roly McLenahan est la torche officielle des Jeux, qui fut présentée par le Conseil interprovincial du sport et des loisirs au Conseil des Jeux du Canada en souvenir de Roly McLenahan. Ce personnage fut un des bâtisseurs des Jeux du Canada. Il devait malheureusement décéder quelques mois avant les Jeux de Saint-Jean en 1985.

Diefenbaker to visit Canadian athletes in Chicago at the Pan-American Games. That was viewed as a significant recognition of amateur sports. They were gaining.

Among those in that Sports Advisory group who were breaking trail for the whole sports movement were such leading Canadian figures as James Worrall, Ken Farmer, Lieut. Col. Jack Davies, Melville Rogers, Lee Gault, Dorothy Forsyth, Cecil Power, Bud Clark and others, and instrumental in bringing their pleas to the attention of cabinet ministers were such as Senator Hartland Molson and Sidney Dawes.

Inspiration from Wales

In 1959, Jack Davies took a small party of Canadian athletes and officials to the newly organized Welsh Games. They were tremendously impressed by the show staged by such a small country as Wales.

Davies made a full report to the National Sports Advisory Council, of which he was then vice-president, and the president, Melville Rogers, took up the banner. Melville Rogers, former Canadian figure skating champion and Olympian, and a resident of Ottawa, was a most elegant gentleman of the old school, tall and spare and silver-haired, persuasive and persistent but always courteous and proper.

He managed to present the Advisory Council's views to Health and Welfare Minister Waldo Monteith, and after so many years of struggle, the Advisory Council finally had the scent of something real in the wind.

In that light, they were delighted in June of 1959 when Prince Philip stepped to the fore in a speech he made to the Canadian Medical Association in London, Ontario. He made mention of the "sub-health" among Canadians and he went on to say:

"There is evidence that despite everything, people in Canada are not as fit as they might be…"

Prince Philip alluded to "the question of national prestige in sports and games," and in that context he said:

"Some scheme therefore, which exists to encourage participation in all sports and recreations, for all ages and sections of the community, is absolutely essential to any modern community with a high standard of living."

His remarks made front pages across the country and helped bring the need for action to an even tighter focus. Because here was a visitor from abroad,

---

sport et les jeux» et, dans cet ordre d'idées, ajoutait :

«Par conséquent, toute initiative en vue d'encourager la participation aux sports et aux loisirs, par tous les groupes d'âge et secteurs de la population, est absolument essentielle dans toute collectivité moderne jouissant d'un haut standard de vie.»

Ses commentaires se répandirent à travers tout le pays et devaient contribuer à mettre en lumière un réel besoin d'action.

Voici qu'un visiteur de l'étranger, le duc d'Édimbourg lui-même, pointait du doigt une grande faiblesse et un sujet de gêne nationale.

De toute évidence, les années d'attente, de recherche et de désappointements en arrivaient à un moment crucial.

La percée

À l'occasion de l'ouverture du nouvel immeuble du Temple de la renommée du hockey, sur le terrain de l'Exposition nationale canadienne de Toronto en 1961, le Premier ministre Diefenbaker devait amorcer le mouvement qui devait apporter tant de changements majeurs dans l'administration du sport amateur au Canada.

Le Premier ministre Diefenbaker se disait convaincu qu'il était impossible d'atteindre un niveau souhaitable de condition physique et de sport amateur au pays sans l'appui financier du gouvernement fédéral; aussi se montra-t-il disposé à recommander au gouvernement une subvention annuelle de 5 millions de dollars à ce chapitre.

Voilà, en somme, la réponse que les dirigeants sportifs attendaient depuis si longtemps. L'annonce d'un apport majeur de fonds fédéraux au sport amateur créait un précédent qui allait ouvrir toutes grandes les portes du développement sportif au Canada.

La promesse d'une aide financière par le Premier ministre devait se traduire par le Bill C-131, qui allait fournir des fonds aux athlètes canadiens aux niveaux national et international. Cette nouvelle source de financement allait, par ailleurs, donner au Conseil des sports le feu vert lui permettant d'aller de l'avant avec son projet d'organisation de compétition sportive nationale. C'est ainsi que le Conseil put se réunir en janvier 1962 à Ottawa et décider que les Jeux du Canada se tiendraient en deux temps : jeux d'hiver suivis de jeux d'été.

the Duke of Edinburgh no less, putting his finger on a major shortcoming and a national embarrassment.

Clearly, the years of preamble and study and procrastination were being pushed to a head.

The Breakthrough

At the opening of the new Hockey Hall of Fame building at the Canadian National Exhibition in Toronto in 1961, Prime Minister Diefenbaker announced the breakthrough that led to so many dramatic changes in the administration of amateur sports in Canada.

Prime Minister Diefenbaker said that he had been convinced that Canadian fitness and amateur sport could not improve without financial help from the federal government, and that he was recommending to the government a grant of $5 million a year for that purpose.

There, indeed, was the breakthrough these amateur leaders had been seeking for so long. The announcement of significant federal funds for amateur sports was a first in Canada, and opened the gates to a floodtide of development.

The Prime Minister's promise of funds translated into Bill C-131, which would provide money for national teams and Canadian athletes at the national and international level. The funds also provided the green light to the Sports Advisory Council to move ahead with their plans for national competition and in January of 1962, the Council met in Ottawa and concluded that the Canada Games should be held in two parts, winter and summer.

Inaugural to Quebec

Andre Marceau, a member of the National Advisory Council on Fitness and Amateur sport, a lawyer and an active sportsman in Quebec City, suggested that his city likely would be interested in undertaking this first huge venture, the Canada Winter Games. Council concurred, and while the motion to award the Games to Quebec passed without fanfare or notice, it turned out to be, unquestionably, the key to success.

At about the same time, the government formed a very large committee of 30 persons from across the country to oversee the spending of the money provided by Bill C-131. On that group they pinned the title of National Advisory Council on Fitness and Amateur Sport, and so the original council, to avoid confusion, changed its name to the Canadian Amateur Sports Federation.

Unity through sport   l'Unité par le sport

Inauguration à Québec

Me André Marceau, membre du Conseil consultatif national de la condition physique et du sport amateur et ardent sportsman de Québec, laissa entendre que sa ville serait sans doute intéressée à entreprendre cette grandiose et nouvelle aventure qu'étaient les Jeux du Canada. Le Conseil accepta sa proposition et, bien que la motion visant à accorder les Jeux à la ville de Québec fut adoptée sans fanfare ou grande publicité, elle fut sans aucun doute la clé du succès. À peu près vers la même époque, le gouvernement créa un vaste comité regroupant 30 personnes de tous les coins du pays pour administrer les fonds rendus disponibles grâce au Bill C-131.

Il donna à ce nouvel organisme le nom de Conseil consultatif national de la condition physique et du sport amateur. Pour éviter toute confusion, l'ancien Conseil des Sports prit le nom de Fédération canadienne du sport amateur.

Entre temps, les fervents du sport à Québec étaient rapidement passés à l'action. En mars 1963, Marceau convoqua un groupe de sportifs bien connus pour former la Corporation des premiers Jeux d'hiver du Canada.

Georges Labrecque fut nommé président, Marceau accepta la vice-présidence, Paul Geoffrion fut élu secrétaire et Yves Potvin trésorier, alors que onze autres personnes devenaient membres actifs. Labrecque, tout en s'occupant d'aider une douzaine de clubs sportifs, s'occupait de sport et de publicité auprès d'organisations amateurs et d'une brasserie.

Même s'il connaissait bien le domaine du sport amateur, il avait une bien faible idée du fardeau qui l'attendait. Il nous confiait tout récemment :

«C'était un début et tout était à faire. Il n'y avait rien, absolument rien en place. Il n'existait aucun précédent, aucune ligne directrice pour nous guider. Certains milieux d'Ottawa craignaient que les Jeux du Canada échouent et ils exigeaient la coopération de chacune des provinces avant d'avancer le financement nécessaire. Il n'existait alors aucun mécanisme pour communiquer avec tous les premiers ministres provinciaux, mais il était important de les rencontrer et de les convaincre que nous avions besoin de leur assistance; que c'était important pour tous les citoyens du pays et que nous étions capables de réussir…

«Je ne connaissais qu'une seule façon d'y parvenir, et c'était de faire le tour du pays en cognant aux portes. J'ai commencé par Terre-Neuve. Joey Smallwood m'a accueilli chaudement et m'a donné sur-le-champ l'assurance de sa coopéra-

In the meantime, the enthusiasts in Quebec City were off and running. In March, 1963, Marceau called in a group of prominent sportsmen to set up the Corporation of the First Canada Winter Games.

Georges Labrecque was named the first president, Marceau was the vice president, Paul Geoffrion as secretary, Yves Potvin as treasurer, and 11 other men as members at large. Labrecque was working in sports and promotions with amateur organizations and a brewery and was involved with a dozen or more sports groups. He was quite familiar with the amateur sports terrain but even so, he

little realized the staggering dimensions of the burden he was assuming, and recently recalled:

"That was just a beginning. It was all new. There was nothing in place, nothing at all. There were no guidelines on how to do it, no precedents. And, there was some fear in Ottawa that the Canada Games would not succeed and

they wanted the assurances of cooperation from every province before they would agree to provide funds. There was no organization in place then to connect us to all the premiers across the country but it was very important that we meet them and convince them that we needed them, that it was important for everyone in the country, and we could do it.

"So, there was only one way I knew of selling something like that. I just went across the country, knocking on doors.

"First I went to Newfoundland and talked to Joey Smallwood. He was wonderful, agreed at once.

"Then I saw Premier Robichaud in New Brunswick, and he was very enthusiastic. Robert Stanfield in Nova Scotia helped a lot and Premier Campbell in P.E.I. was helpful, so things were going very well. But we had to be very careful, and be very well prepared, because if even one premier turned us down and didn't agree to full cooperation, it would

tion. J'ai ensuite rencontré le premier ministre Robichaud du Nouveau-Brunswick, qui s'est montré très enthousiaste. Robert Stanfield de la Nouvelle-Écosse m'a beaucoup aidé, tout comme le premier ministre Campbell de l'Île-du-Prince-Édouard, et tout semblait aller à merveille. Il fallait cependant y aller avec soin et être bien préparés, car le refus de coopération d'un seul premier ministre aurait fait échouer le tout. Je me souviens de la tiédeur de l'accueil du premier ministre Ernest Manning de l'Alberta. Il n'était pas très intéressé au sport, je crois, et j'ai eu beaucoup de difficulté à obtenir son consentement. Le premier ministre Bennett de la Colombie-

Britannique, quant à lui, n'était vraiment pas intéressé au sport lui non plus, et il nous a créé beaucoup d'ennuis. Par ailleurs, tous les fonctionnaires du ministère du Sport dans chacune des provinces nous ont reçus cordialement. Ils nous ont accordé leur entière coopération et se sont dépassés pour nous accommoder.»

«C'est un des plus beaux aspects du sport, nous dit Labrecque avec enthousi-

asme. Lorsqu'il est question de sport, la rencontre et la discussion sont faciles. Peu importe les divergences d'opinions, on est toujours prêts à discuter. C'est donc encourageant et réconfortant. De toute façon, j'ai obtenu le consentement de toutes les provinces et c'est à ce moment qu'on s'est rendu compte, pour la première fois, que les Jeux du Canada étaient maintenant quelque chose de concret. Toutes nos craintes s'étaient

dissipées. Si un seul premier ministre avait refusé, c'en eût été fait des Jeux du Canada.»

Une nouvelle interprétation

Il fallait maintenant s'attaquer à une autre question épineuse et en venir à bout. La Loi de 1961 sur la santé et le sport amateur stipulait, en termes généraux, que les fonds fédéraux devaient servir à «encourager, promouvoir et développer la condition physique et le sport amateur», mais la loi ne disait rien de précis sur ce qu'on ne pouvait pas faire. Dans la plus stricte interprétation de la loi, cela voulait dire qu'on pouvait utiliser les fonds pour les frais d'exploita-

have been all over. We would have been finished. We were told from Ottawa we had to get cooperation from every premier, to sign an agreement with every province, right across the country, or there was no deal.

"I remember I didn't get a very good reception from Premier Ernest Manning, in Alberta. He wasn't interested in sports, I don't think, and that one was difficult, but they finally agreed.

"Premier Bennett in British Columbia was another who wasn't really interested in sports, and he created a lot of extra work for us.

"But the people in the departments of sports, every one of them in every province, were more than cordial, very cooperative, just plain super.

"That's what's beautiful about sports," Labrecque went on, warming to his topic.

"In sports, we can get together and talk. It doesn't matter if we all have the same opinion, we talk. So it's perfect, and it's beautiful. Anyway I spoke to every province and got them all and then, for the first time, we knew. The Games were on. That was a big, big relief to all of us, because if just one had said no, there would be no Canada Games."

A New Interpretation

Then another thorny issue had to be tackled and pinned to the mat. The Fitness and Amateur Sport Act of 1960 set out, in general terms, how the federal money could be applied to "encourage, promote and develop fitness and amateur sport." But the Act was not specific in what could not be done. As a consequence, in its strictest interpretation, it was seen to permit funds to be used for operating expenses of these municipal and regional affairs, but to forbid the use of federal money for capital expenditures.

It was too late to attempt to cause a more liberal interpretation of the Act to benefit the first Winter Games in Quebec, but the leaders in the amateur sport movement in Canada realized that without money for capital expenses, only the major centres would be capable of hosting the Games in the future.

That, of course, flew in the face of the developing philosophy of the Canada Games. Rooted deep in the Games idea was the thought that they should be staged in the smaller cities and regions around the country, and leave behind a rich legacy of sports facilities and people trained in how to run the facilities and

tion des projets municipaux et régionaux, mais qu'il était interdit d'utiliser le financement fédéral aux fins de dépenses d'immobilisations.

Il était alors trop tard pour trouver une interprétation plus large de la loi, pour permettre que les fonds fédéraux soient appliqués aux premiers Jeux d'hiver à Québec. Aussi les dirigeants du sport amateur au Canada se sont vite rendu compte que, si l'on ne disposait pas de fonds pour les immobilisations, seuls les grands centres urbains seraient en mesure d'accueillir les Jeux à l'avenir.

Il s'agissait donc d'une situation contraire à l'esprit des Jeux du Canada.

La philosophie bien ancrée des Jeux voulait qu'ils puissent être présentés dans les plus petites des municipalités et régions du pays, de manière à laisser derrière eux un riche héritage d'installations sportives et de bénévoles bien formés en matière de gestion de ces installations et des programmes appropriés, afin d'en tirer le plus grand avantage possible.

Il fallait absolument que cette question soit réglée, pour que les Jeux deviennent un programme permanent.

«Nous en étions conscients, dit Labrecque, et nous savions qu'il faudrait se débattre pour obtenir un changement. Il était impossible de remédier à temps à

cette carence de la loi mais, fort heureusement, la Ville de Québec disposait de nombreuses installations de sports d'hiver permettant d'y présenter les Jeux.»

Un comité formé de Georges Labrecque, de Québec, du Dr Hugh Noble, vice-président de la Société des Jeux d'été du Canada de 1969 à Halifax, et de Sid Oland, également de Halifax, fut créé dans le but d'expliquer aux autorités d'Ottawa l'urgente nécessité d'une interprétation plus souple de la loi, de façon à permettre l'utilisation du financement fédéral pour le coût des immobilisations, de même que pour les frais d'exploitation.

«C'est une démarche que nous considérions essentielle, nous a confié le Dr Noble, rejoint à Halifax. L'entière coopération des trois paliers de gouvernement était essentielle à tous points de vues.»

Une solution fut éventuellement trouvée grâce à une nouvelle interprétation de l'alinéa 5 de la loi.

Dans un mémoire officiel qu'il présentait au cabinet en novembre 1967, Allan MacEachen, ministre de la Santé et du Bien-être, après une évaluation des premiers Jeux d'hiver du Canada à Québec, recommandait, entre autres, que :

appropriate programs to wring the most benefit from them.

Without a change in that restrictive view of the Act, that vital piece of the whole Canada Games concept would have been immediately flattened.

"We saw that," Labrecque said, "and we knew we had to fight and get it changed. It couldn't be changed in time to help us, but we were very fortunate in that Quebec City had a lot of winter facilities anyway, and we could put on the Games."

It was absolutely paramount to have the issue clarified if the Games were to become a continuing program.

A committee was struck including Georges Labrecque, of Quebec and Dr. Hugh Noble, of Halifax, vice-president of the Canada Games Corporation preparing to stage the 1969 Summer Games, and Sid Oland, also a member of the Halifax group. The committee's task was to familiarize the powers in Ottawa with the absolute necessity of a more liberal interpretation of the Act to allow federal money to be used for capital costs as well as operating expenses.

"We saw it was a key, very essential," Dr. Noble said recently from Halifax. "It was essential to have the complete co-operation of three levels of government,

The Centennial Cup is awarded to the Province or Territory showing the greatest improvement in its final standing from the previous Canada Games, with the comparison being made on a winter-to-winter and summer-to-summer basis.

**The Centennial Cup
La Coupe du Centenaire**

Ce trophée est décerné à la province/territoire dont le classement final s'est le plus amélioré depuis les Jeux précédents, la comparaison étant établie de Jeux d'hiver à Jeux d'hiver et de Jeux d'été à Jeux d'été.

«…le Gouvernement du Canada prenne à sa charge les frais d'exploitation nets de la présentation des Jeux;

«le Gouvernement du Canada contribue, sur une base de partage, aux coûts d'immobilisations rattachés aux Jeux, selon une formule de partage qui fera l'objet de négociations entre les gouvernements fédéral, provincial et municipal en cause.»

Cette recommandation fut acceptée comme interprétation plus large de la loi et point ne fut besoin d'amender le texte même de la loi; en fait, aucun amendement n'a été apporté à la loi depuis son adoption.

Une formule de partage

Un contrat fut signé au sujet des coûts d'immobilisations des Jeux d'été de 1969 à Halifax, en vertu duquel les trois paliers de gouvernement, soit le fédéral, la province de la Nouvelle-Écosse et les municipalités d'Halifax et de Dartmouth, s'engageaient à partager les coûts d'immobilisations. Cette formule de partage en trois parts égales est restée relativement intacte depuis et a servi de modèle depuis les Jeux de 1969. En outre, le gouvernement fédéral a pris à sa charge les frais d'exploitation des Jeux.

Toutefois, l'importance et les coûts des Jeux ayant augmenté avec le temps,

il devint nécessaire de reconsidérer les aspects financiers et de modifier l'entente sans limites fixes, en vertu de laquelle le gouvernement fédéral payait tous les frais d'exploitation, y compris les frais de transport des athlètes.

Ainsi, à partir des Jeux de Kamloops en 1993, un nouvel accord stipulera que le fédéral paiera 52 p,cent des frais d'exploitation, les autres 48 p,cent étant partagés entre la province hôte et le Comité organisateur des Jeux. De plus, les coûts d'immobilisations seront fixés à 2 millions $ par partenaire, toujours selon la formule établie pour les Jeux d'Halifax/Dartmouth. Le gouvernement

fédéral continuera de payer les frais de transport de tous les athlètes.

Grâce à la formule établie pour Halifax en 1969, et du fait que le fédéral acceptait de payer sa part des coûts d'immobilisations, un autre obstacle venait d'être franchi. Dans un même temps, c'est toute la philosophie des Jeux du Canada qui changeait.

Il y a également lieu de noter que le processus a évolué au cours des ans, au gré de besoins changeants et des coûts à la hausse. Et puis, les Jeux étant une institution en évolution, il faudra poursuivre le processus de perfectionnement au cours des prochaines années.

federal, provincial and municipal, in all these matters."

Eventually a way was found by re-working the interpretation of section 5 of the Act.

Health and Welfare Minister Allan MacEachen, in an official Memorandum to the Cabinet in November 1967, after an assessment of the first Canada Winter Games in Quebec, recommended in part:

"The Government of Canada bear the net operational costs of staging the Games;

"The government of Canada contribute, on a sharing basis, to capital costs related to these Games, the sharing formula to be negotiated between the Federal, Provincial and Municipal Governments involved."

That was seen as a more liberal interpretation of the Act and there was no need to alter, in any way, the wording of the legislation, and in fact, the Act has been untouched since its passing.

A Sharing Formula

For the Games in Halifax, a contract was signed pertaining to capital costs, in which the three levels of government, federal, provincial and the municipal authorities in Halifax and Dartmouth as the third unit, shared the capital

expenditures. That formula of equal third contributions has remained relatively intact for all Canada Games and has been applied as a model since those 1969 Games. In addition to that, the federal government has taken care of the operating costs of the Games.

But as the Games grew, in stature and cost, it became necessary to take another look at the financial breakdown and modify the open-ended agreement by which the federal government paid all operating costs, including transportation of the athletes.

So beginning with the 1993 Games in Kamloops, B.C., a new bargain will be in

The Games are

Par ailleurs, dès les débuts à Halifax, une formule visant à encourager une participation massive des provinces et des territoires devait être mise au point. Autrement, les provinces à forte population telles que l'Ontario, le Québec et la Colombie-Britannique engloutiraient les espoirs et les aspirations des équipes des provinces à faible population, les décourageant au lieu de les stimuler.

Il fallait donc concevoir un système de points axé davantage sur la participation, quelque chose dépassant la simple remise de médailles, bien que cette dernière reconnaissance soit également un aspect important du système.

Le système en question fut donc l'objet de discussions dans les bureaux d'Ottawa, de Montréal et de Québec, et entre le président John Hunnius de la Fédération canadienne des sports, son vice-président Maurice Allen, et André Marceau, un des parrains des Jeux du Canada de Québec. Ils décidèrent d'un système de points, soit 10 points pour une victoire, 9 points pour une deuxième place, 8 pour une troisième place, 7 pour une quatrième place, et ainsi de suite, jusqu'à un demi-point pour une douzième place. Ce système de pointage assurait à chaque participant ou participante au moins un demi-point, person-

nellement ou pour son équipe, avec le résultat que les provinces et territoires étaient encouragés à déléguer des équipes complètes pour chaque compétition inscrite au programme des Jeux.

Toujours en voie d'amélioration

Il fut plus difficile de préparer un jeu pratique de règlements touchant la sélection des athlètes.

Elles font toujours l'objet de modifications, d'un sport à l'autre, en vue de les raffiner et les perfectionner pour répondre aux nouvelles exigences.

Les Jeux sont la porte ouvrant sur l'excellence et les organisations sportives

force in which the Federal Government will pay 52% of operating costs with the remaining 48% being divided between the host province and the host Games Society. In addition, capital expenses are set at $2 million per partner, and again on that one-third formula pattern which had been established for the Halifax-Dartmouth Games. The Federal government will continue to cover travel costs for all participants.

With that pattern set in Halifax in 1969, and with the federal government sharing in capital expenditures, another barrier had been shunted aside, but all the while, a whole philosophy for Canada Games was still being hammered out.

Then too, it should be noted that the whole process has evolved over the years according to changing demands and new costs, and as the Games are a live and dynamic institution, the honing and fine tuning and refining will have to continue over the next 25 years, and 25 after that.

Also, back in those early years in Halifax it was seen that a formula to encourage mass participation by all provinces and territories would have to be contrived. Otherwise, provinces with heavier populations, such as Ontario, Quebec and British Columbia, might very well overwhelm the hopes and aspirations of teams from some smaller provinces and promote discouragement instead of hope.

As a consequence, a system of scoring had to be devised to offer recognition just for participation, something more extensive than the awarding of medals, although that, too, was a vital part of the plan.

The problem was kicked around for weeks in offices in Ottawa, Montreal and Quebec, and in cars driving between the cities, among John Hunnius, president of the Canadian Amateur Sports Federation, his vice president Maurice Allen, and one of the original godfathers of the games in Quebec, Andre Marceau.

The best solutions always seem so simple… after the fact. And so it was in this instance.

They went for a points system, 10 points for a win, nine for a second, eight for a third, seven for a fourth and so on, down to one half point for a 12th spot. In that system, every participant was assured of at least a half point for his or her team, and that, in turn, encouraged provinces and territories to bring full teams to the Games for every event.

the gateway to *excellence* Les Jeux sont la porte ouvrant sur *l'excellence*

nationales doivent continuer à respecter leur engagement envers le développement d'athlètes d'élite. Le Conseil des Jeux du Canada reconnaît cet objectif, mais il lui faut également respecter son principe original, qui est la pleine participation de toutes les provinces et des deux territoires.

C'est ainsi qu'on a rassemblé toutes les composantes de ce projet grandiose.

Compte tenu qu'un des aspects de l'héritage principal des Jeux consiste à laisser après l'événement plusieurs installations nouvelles ou améliorées, on s'attendait à un processus de soumissions très animé entre les villes canadiennes intéressées.

De prime abord, l'idée d'accueillir les Jeux du Canada pouvait sembler intimidante; en fait, les premiers Jeux d'été du Canada ont été offerts à la ville de Vancouver, qui devait décliner l'invitation.

Les Jeux, ayant grandi en importance, devaient faire l'objet d'un processus d'appel d'offres officiel. Notons que ce processus a été raffiné avec le temps. À l'origine, il n'y avait pas de format officiel pour les appels d'offres, ce qui donna lieu à plusieurs situations intéressantes, notamment au moment de la soumission de la ville de St-Jean, de Terre-Neuve, pour les Jeux d'été du Canada de 1977. La ville de Saint-Jean au Nouveau-Brunswick était également en lice et, en fait de préparation et de travail d'organisation, tout le monde se rendait compte qu'elle possédait une forte avance.

Le comité de Saint-Jean au Nouveau-Brunswick était à l'oeuvre depuis quelques années et avait accueilli avec beaucoup d'égards certains fonctionnaires d'Ottawa. On était prêt et on ne manquait pas de confiance.

D'autre part, la capitale de Terre-Neuve faisait preuve d'hésitation dans la course. L'échéancier pour les appels d'offres des Jeux de 1977 avait été fixé à la fin de janvier 1974, et le comité local n'avait presque pas bougé encore.

À ce moment précis, les officiels gouvernementaux et sportifs étaient loin d'être convaincus que la ville de St-Jean (Terre-Neuve) puisse être prête à s'engager. C'est alors qu'un événement imprévu se produisit. Dorothy Wyatt fut élue maire en novembre 1973 et l'attitude de la capitale terre-neuvienne passa rapidement de passive à agressive.

Rejointe à sa résidence de St-Jean, Madame Wyatt, empruntant un ton modeste, rappelle tout de même :

«Vous savez, j'ai été la première femme élue au Conseil municipal de St-Jean, non seulement conseillère mais Maire, et beaucoup de gens avaient cer-

Still Being Refined

T he rules for the selection of athletes proved more difficult to squeeze into a neat package. To this day, they are still being modified from sport to sport, honed and refined and tuned to conform to new demands. The Games are the gateway to excellence and national sports associations must keep in focus their commitment to developing elite athletes. The Canada Games Council recognizes that goal, but also must maintain a balance with the precept in their original philosophy which stresses the urgency of full participation from all provinces and territories.

So, piece by piece, the whole grand scheme has been put together.

Also, since one of the most attractive legacies of the Games was to be a wealth of new or upgraded facilities, it was anticipated that bidding for them among Canadian centres would be a most spirited exercise. At first blush, the idea of hosting a Canada Games might well have been a little intimidating and, in fact, the first Summer Games were suggested to Vancouver, and they declined.

As the Games grew, there was a need to fix a formal bidding process, and those procedures were established as the program evolved. In the beginning however, there was no firm bidding format, and that led to some interesting situations.

As an example, we can go back to the bid by St. John's, Newfoundland for the Canada Summer Games of 1977. Saint John, New Brunswick also was in the hunt and in the matter of early spadework and preparations, it was common knowledge that the New Brunswick city was far ahead. They had been hard at it for a couple of years, they had hosted, and in handsome fashion, some of the officials from Ottawa. They were confident and they were ready.

On the other hand, it seemed St. John's, Newfoundland was being dragged reluctantly to the feast. Coming up to the deadline for bidding, which was the end of January, 1974, for the '77 Games, they had done precious little.

Government and sports officials, to that point, had not been convinced that St. John's was prepared to make the major commitment required. But then something different happened in St. John's, Newfoundland. They elected Dorothy Wyatt as mayor in November, '73, and the Newfoundland position changed immediately from passive to aggressive.

taines difficultés au départ à accepter cette tournure des événements. Il a fallu convaincre ces messieurs de voter pour moi et je vous assure que cela m'a procuré beaucoup de moments agréables. Il a fallu leur tordre le bras, sans qu'ils s'en aperçoivent. Par la suite, mes arguments furent acceptés et tout s'est bien terminé.

«Les gens de Terre-Neuve semblaient heureux de notre réussite. Ce que je souhaitais dorénavant, c'est qu'on accorde les Jeux d'hiver à Terre-Neuve!»

Le jour après son élection, Dorothy s'envolait vers Ottawa en compagnie de son époux.

The Canada Games Flag
Le Drapeau des Jeux du Canada

In order to stress team spirit and to encourage maximum participation in the Games, the current Host Society presents the Games Flag to the Province/Territory aggregating the largest number of points from all the events.

Afin de renforcer l'esprit d'équipe et d'encourager la plus grande participation possible, la Société des Jeux remettra le Drapeau des Jeux à la province/territoire qui, à l'issue de toutes les épreuves, totalisera le plus grand nombre de points dans toutes les épreuves.

Allo! Y'a quelqu'un?

«J e me suis rendue à Ottawa pour voir si nous avions encore une petite chance. C'était la meilleure façon de découvrir ce qu'il y avait à faire. À ce moment-là, j'avais entendu dire qu'il nous restait encore une mince chance et je me suis immédiatement mise au travail». L'expert-conseil Ted Peterson de Sport Canada était encore à son bureau le soir de l'arrivée de Dorothy et Don Wyatt à Ottawa. Ils brûlaient de rencontrer quelqu'un, n'importe qui, qui pourrait les orienter et leur conseiller qui rencontrer.

Peterson s'est rappelé plus tard qu'il était seul dans l'édifice ce soir-là. Ayant

Talking recently from her Newfoundland home, Mrs. Wyatt was becomingly modest about her role, but she did say:

"You know, I was the first woman ever elected to council in St. John's, and it was not only to council, but as mayor and, you know, that was not particularly accepted at first by many of them. I had to convince the men to vote and I can tell you, there was a bit of fun to accomplish that. You had to twist arms without letting them know you were doing it. Eventually, though, they all agreed, and everything turned out very well.

"It was good for us, very good, and everyone in Newfoundland was happy we did it. Now I'd like to see the Winter Games come here."

The day after her election, Dorothy and her husband Don flew to Ottawa:

Anybody Home?

"I went up there to find out whether we still had a chance and what was the best way to go about doing what we had to do. Up there, I heard we still had a chance, and I went to work."

Sport Canada Consultant Ted Peterson was working late at his office on the night Dorothy and Don Wyatt arrived in Ottawa, and they were walking about looking for someone, anyone, to tell them where they should go and whom they should see. Peterson later recalled that he was the only one in the building at the time, he heard a noise, looked up and saw two strangers.

Peterson asked them if he could help and Mrs. Wyatt, nothing if not direct, came right to the point:

"I'm the mayor-elect of St. John's, Newfoundland," she said. "Tell me how to get the Canada Summer Games."

For almost three hours, Ted Peterson explained the bidding procedure to her, answered their questions and generally, put her in the picture. Armed with her new knowledge, Dorothy Wyatt returned to Newfoundland the next day. And went to work.

She started a petition, carried it with her everywhere she went, and got 102,000 names out of a total Newfoundland population in 1974 of 541,000.

She organized a bid committee and in just about three weeks, working around the clock, the committee gained the enthusiastic support of the provincial government, and they put period to the final draft of their submission. That amount of work in that span of time is, in itself, a Games record.

entendu du bruit dans la pièce, il tourna la tête pour apercevoir deux étrangers. Peterson leur demanda comment il pouvait leur être utile et Madame Wyatt, passant directement au sujet, comme toujours, lui annonça :

«Je viens d'être élue maire de St-Jean et j'aimerais qu'on m'explique comment obtenir les Jeux d'été du Canada.»

Ted Peterson mit près de trois heures à lui expliquer le processus d'appel d'offres. Il répondit à toutes leurs questions et donna une assez bonne idée de la situation. Armée de son nouveau bagage de connaissances, Dorothy revint à Terre-Neuve le jour suivant… et se mit immédiatement à l'oeuvre.

Elle prépara une pétition qui l'accompagnait partout et, douze mois plus tard, avait recueilli la signature de quelque 102 000 des 541 000 résidants que la province comptait alors.

Elle mit sur pied un comité de la soumission et, en l'espace de trois semaines, travaillant 24 heures sur 24, le comité s'était mérité l'appui enthousiaste du gouvernement provincial et avait mis le point final au texte de sa soumission. Cet effort colossal, en si peu de temps est, en soi, un autre record des Jeux.

Au printemps de 1974, soit le 16 mars, les délégations provinciales se rendaient à Ottawa pour y entendre la décision du ministre. Les gens de Saint-Jean (N.-B.) y étaient en force et avaient réservé un vaste salon au Château Laurier pour y célébrer leur victoire.

Les gens de Terre-Neuve, quant à eux, n'avaient qu'une seule petite pièce : la chambre d'hôtel de Dorothy Wyatt.

À la surprise des deux camps, le ministre de la Santé et du Bien-être annonçait finalement qu'il octroyait les Jeux à Terre-Neuve.

Les délégués du Nouveau-Brunswick revenaient chez eux encore abasourdis.

Quelques années plus tard, cependant, leurs efforts furent récompensés lorsqu'on leur accorda les Jeux d'été de 1985.

Après les Jeux de 1977 à Terre-Neuve, un cycle officiel fut établi en vertu duquel les provinces qui n'ont pas eu l'ocassion de présenter les Jeux pourraient les présenter à tour de rôle, à l'intérieur d'un processus et de directives bien précis.

Notons qu'une autre composante essentielle du plan d'ensemble a vu le jour à Halifax, alors qu'on préparait les Jeux de 1969. Le sénateur Finlay MacDonald avait été choisi pour remplacer le président du Comité organisateur des Jeux.

In the Spring of 1974, March 16, they headed to Ottawa for the minister's decision. Saint John, N.B. was there in force, and had rented a spacious suite in the Chateau Laurier for their celebrations.

The Newfoundlanders had one room, Dorothy Wyatt's.

Both sides were completely stunned when Health and Welfare Minister Marc Lalonde made the announcement sending the Games to Newfoundland.

The disconsolate bidders from New Brunswick packed up their campaign and left empty-handed. However, just a few years later, they could take solace that their efforts had not gone unnoticed. They won the bidding for the Games in 1985.

Bidding for Games generates strong feelings and the process requires firm structure and hard guidelines. Those requirements were met by setting in place a formal bidding process and a pre-determined cycle for the Games, beginning after the 1977 Games in Newfoundland and giving priority to those provinces that had not yet hosted the Games.

Another vital piece in fitting together the national plan which has proved so efficient was found in Halifax preparatory to the 1969 Games. Finlay MacDonald, now Senator MacDonald, was recruited as a replacement for the president of the corporation steering the Games.

His first meetings with other members of the group brought home the realization that the whole scheme was going to be a very tight fit financially.

They were in fact, facing a deficit at that point, and it was immediately apparent that they would need help from the private sector to get home and dry and avoid a financial bath.

Senator MacDonald conceived the idea of Friends of the Games, a loose association of companies and individuals who would contribute money, services and time. He called on an old chum, C. Peter McColough, president of Xerox, for "some help with a little printing."

Peter McColough responded enthusiastically and provided tons of equipment, all free. Printing problems? Solved.

Three representatives from the Longines Wittnauer Company, one from Montreal, one from New York and one from Switzerland, showed up with more than $150,000 worth of timekeeping equipment. Again, no charge.

Car dealers, banks, newspapers and insurance companies pitched in and while there are a number of estimates on the value of goods and services donated, it is

Both sides were completely stunned... À la surprise des deux camps...

Après ses premières réunions avec les membres du Comité, on en vint à réaliser qu'il serait très difficile d'organiser un événement d'une telle envergure avec des moyens financiers si restreints.

En fait, à l'époque, un déficit s'annonçait et il était évident que l'assistance financière du secteur privé serait nécessaire pour réussir. Le sénateur MacDonald conçut alors l'idée de former les Amis des Jeux, un groupe de compagnies et de particuliers prêts à contribuer financièrement ou en fournissant de leur temps ou des services. Il demanda à un vieux copain, C.Peter McColough, président de Xerox, de «l'aider un peu dans le domaine de l'impression». McColough répondit à l'appel avec enthousiasme, fournissant gratuitement des tonnes d'équipement. Le problème de l'impression était réglé.

Trois représentants de la compagnie Longines Wittnauer, l'un de Montréal, l'autre de New-York et le troisième de Suisse, s'amenèrent à Halifax avec de l'équipement de chronométrage d'une valeur de 150 000 $, offert gratuitement, il va sans dire. Des concessionnaires d'automobiles, des banques, des journaux et des compagnies d'assurance y allèrent de leurs propres contributions et, bien qu'on ait fourni plusieurs estimations sur la valeur des biens et services fournis gratuitement, on s'entend sur le chiffre conservateur de 300 000 $. À la fermeture des livres, une fois les factures payées, on se retrouva avec un surplus de 16 000 $.

À Québec également, grâce à un appui financier de dernière minute des autorités provinciales et municipales, le groupe formé en société privée avait réussi à éviter un léger déficit et avait même accusé un léger «surplus de quelques milliers de dollars.» Les comités organisateurs des Jeux avaient ainsi trouvé une importante source de revenus et, ce faisant, cette ressource devenait un rouage essentiel du programme.

Il fallait aussi, inévitablement, que ces comités soient réglementés. Les activités des comités organisateurs sont régies par le Conseil des Jeux du Canada, qui agit également comme ressource pour les comités. Puis, selon les circonstances, les comités doivent présenter un rapport au Conseil au terme des Jeux.

Les Jeux ont maintenant été présentés dans chacune des dix provinces. Cette vaste organisation, qui exerce son activité d'un littoral à l'autre, exige la présence d'un organisme central chargé de tout contrôler, de protéger le concept des Jeux et d'offrir des conseils.

agreed that a conservative number would be something more than $300,000. The Games ended with a surplus of $16,000, all the bills paid and the books closed.

Quebec, too, with their legal status as a private corporation of leading citizens, and with last minute aid from provincial and municipal authorities, had escaped a small loss and had what they called "a surplus of a few thousand." The Games societies had tapped into an impressive source and in so doing, had become a necessary part of the fabric.

Inescapably, the societies had to be regulated too. The activities of each host society are monitored by the Canada Games Council and the Council also acts as a resource for the societies as they go along. Then, according to circumstances, there is a deadline after each Games for the societies to make their final reports to the Council before declaring the job done.

All of this organization, with business being done from coast to coast – and the Games have been staged in all 10 provinces – required a central group to control everything, safeguard the whole concept of the Canada Games, and give direction.

At The Helm

T hat is the Canada Games Council. It is the governing body, the wheelhouse for the whole ship.

Right from the beginning, the chairman, appointed by the Minister from the National Advisory Council on Fitness and Amateur Sport sat at the top. Then came the secretary, appointed by the Fitness and Amateur Sport Department after consultation with the Council. The National Advisory Council had 3 additional members and the Canadian Amateur Sport Federation had 3 representatives. The federal government had

À la barre

C' est là que le Conseil des Jeux du Canada entre en jeu. Ce Conseil est l'âme dirigeante des Jeux, la cabine de pilotage du navire.

À l'origine, son président, nommé par le Ministre et sélectionné parmi les membres du Conseil consultatif de la condition physique et du sport amateur, était le chef suprême du Conseil. Venait ensuite le secrétaire, nommé par Condition physique et Sport amateur Canada après consultation du Conseil. Le Conseil consultatif national comptait trois membres additionnels, alors que la Fédération canadienne du sport amateur comptait trois représentants. Le fédéral comptait trois membres, alors que les provinces y comptaient deux représentants.

Telle fut la structure officielle du corps dirigeant au cours des premières années, jusqu'à ce qu'on apporte tout récemment des changements fondamentaux, une fois le Conseil incorporé comme société à but non lucratif.

Le projet d'incorporation fut initié en 1987 par Otto Jelinek, alors ministre du Sport amateur, et ses homologues provinciaux et territoriaux, et prit définitivement forme en 1991. Grâce à cette nouvelle structure, les dirigeants ont une plus grande latitude dans leur recherche d'une participation financière accrue du secteur privé, en vue d'alléger le fardeau financier croissant des gouvernements fédéral et provinciaux. Ils pouvaient dorénavant consacrer tout leur temps et toutes leurs énergies à la promotion des Jeux.

L'importance et le coût des Jeux du Canada n'ayant cessé de croître au cours des 25 premières années, de nouveaux concepts de gestion et de nouvelles règles sont devenus nécessaires pour faire face à ces nouvelles réalités.

La formation même du Conseil des Jeux a changé puisque la nouvelle structure exige, depuis 1991, la présence de trois représentants fédéraux et trois représentants des gouvernements provinciaux et territoriaux qui font maintenant partie du Conseil.

En outre, on compte deux représentants des fédérations sportives nationales, quatre membres à titre individuel, un président du conseil d'administration et un président directeur général.

three members and the provinces had two members.

That was the formal structure of the governing body in the earlier years, but recently, that too, underwent a fundamental change with the Council becoming incorporated as a legal entity. The move to incorporation was sparked in 1987 by then Minister Otto Jelinek and his provincial/territorial counterparts after many years of discussion, and came to pass in 1991. Under the new structure, the leaders of the movement see more opportunity to increase the level of private sector involvement to help ease the growing burden on federal and provincial governments, and to provide a full time capacity to promote the Games on an ongoing basis.

As the Canada Games program has grown, and the advances in competition and costs have been phenomenal over the first 25 years, new forms of administration and new rules have become necessary to deal with the new realities.

The makeup of the Council itself has been changed, as of 1991, with the new lineup calling for three federal government representatives and three persons from the provincial and territorial governments. In addition, there are two representatives from national sports organizations, four members at large, one chairman, and one president and chief executive officer.

In June of 1991, Council Chairman Jack Pelech announced the appointment of the Council's first full-time staff member. He is Lane MacAdam, the president and CEO, with a particularly strong background in sports administration. He took a bachelor of commerce degree in sports administration from Laurentian University in 1983 and also that year, he was the captain and fullback of the Laurentian soccer team that won the Canadian inter-university championship.

MacAdam had served as a policy advisor since 1984 in the Fitness and Amateur Sport Branch before accepting the newly created position at the Canada Games Council.

Jack Pelech has been chairman of the Council since 1971. He has been the steady, knowing pilot through all the tumultuous years. A Hamilton, Ont., lawyer, he served on the Board for the 1969 Canada Games in Halifax-Dartmouth, and was appointed chairman in 1971. For 21 of the Games' 25 years then, his friendly but persuasive touch has guided the ship.

His name will live on, too, in Canada Games lore, in the Jack Pelech Award.

En juin 1991, le président Jack Pelech annonçait la nomination du premier membre à temps plein du Conseil. Il s'agit, en l'occurrence, du président directeur général Lane MacAdam, qui possède une riche expérience dans la gestion sportive. Il complétait en 1983 son baccalauréat en commerce, avec spécialisation en gestion sportive, à l'Université Laurentienne de Sudbury. Cette même année, il était capitaine et défenseur de l'équipe de soccer qui a remporté le Championnat interuniversitaire canadien.

Précisons que MacAdam occupait, depuis 1984, le poste de conseiller ministériel à Condition physique et Sport amateur Canada, avant d'accepter cette nouvelle fonction créée au Conseil des Jeux du Canada.

Jack Pelech est président du Conseil depuis 1971. Il en a été le pilote au long de ses années tumultueuses. Avocat de Hamilton (Ontario), il a fait partie du conseil d'administration des Jeux du Canada de 1969 à Halifax-Dartmouth, avant d'être nommé président du Conseil en 1971. Il a su guider son équipage d'une main assurée au cours de 21 des 25 années d'existence des Jeux.

The Jack Pelech Award
Le Prix Jack Pelech

It was established in 1985 by the Interprovincial Sport and Recreation Council, to be awarded at every Games to the province or territory whose athletes, coaches, managers and mission staff best combine competitive performance, sportsmanship and the spirit of fair play, cooperation and friendship.

Le prix a été créé en 1985 par le Conseil interprovincial des sports et du loisir, pour être remis après chacun des Jeux à la province ou au territoire dont les athlètes, entraîneurs, gérants et membres de mission ont su combiner excellence en compétition, camaraderie, coopération et esprit sportif.

Jack Pelech has been a man of sports through all his years. He was a prominent high school athlete in Hamilton and continued as a valued member of the basketball and football teams at McMaster University where he earned a BA. He went on to study law at Osgoode Hall, but all the while he continued to play basketball and coached at St.Michael's College in Toronto and at the Hamilton Institute of Technology and at McMaster University.

Called to the Bar in 1959, he is now a senior partner with the law firm of Pelech, Otto and Powell. He has been a long-term member on the Boards of Directors of the Catholic Youth Organization and the YMCA, a former member of the National Advisory Council on Fitness and Amateur Sport, a member of the Board of ParticipAction since 1978, and has lent a hand to a variety of national and civic organizations through the years.

He is a member of the McMaster University Sport Hall of Fame and was named the City of Hamilton's Most Distinguished Citizen in 1987.

Profile

Jack Pelech

Bio

Another significant change in the whole complexion of the Games is the inclusion, for the first time in medal events, of athletes with disabilities. They will compete in three medal events in Kamloops as integral parts of their provincial teams, in wheelchair track, blind track and blind swimming, and bring a whole new dimension to the pageantry and competition, and to the family of Canada Games athletes.

So the Canada Games, rooted in fertile soil and cultivated and nurtured and directed, have grown and evolved year by year to become a linchpin of all Canadian amateur sports programs.

The growing continues, and so does the direction given them. The recent overhaul of the Council and the financial formula have put it on a more solid footing for continued and balanced growth, making sure that the spectacular blossom on this robust plant does not explode beyond the stem's capacity to nourish it.

The Canada Games have been, are now, and promise to be increasingly so in the future, the heart and the engine for the whole vast array of Canadian amateur sports programs.

Jack Pelech a toujours été mêlé de près au milieu sportif. Athlète de haut calibre au niveau secondaire à Hamilton, il fut par la suite membre des équipes de football et de basketball à l'Université McMaster où il obtint son baccalauréat. Tout en poursuivant ses études de droit à Osgoode Hall, il n'en continua pas moins de jouer au basketball et d'agir comme entraîneur.

Reçu au Barreau en 1959, le sport continua d'occuper quand même une place importante dans sa vie. C'est ainsi qu'il fut membre pendant plusieurs années à la fois du Conseil consultatif national sur la condition physique et le sport amateur et est membre du conseil d'administration de PARTICIPaction depuis 1978.

Malgré ses obligations de partenaire principal de l'étude légale Pelech, Otto et Powell de Hamilton, il a su guider avec fermeté la marche des Jeux du Canada. C'est ainsi que l'Université McMaster reconnaissait son importante contribution à l'institution, à la communauté et à son pays en le nommant en 1987 à son Temple de la renommée. La même année, il était nommé Citoyen le plus distingué de Hamilton.

Et son nom sera perpétué tout au long de l'histoire des Jeux du Canada, avec la présentation du Prix Jack-Pelech.

Un autre jalon dans l'histoire des Jeux est l'inclusion pour la toute première fois, dans les compétitions sujettes à médailles, d'athlètes ayant un handicap. Ils se livreront compétition à Kamloops dans trois événements à médailles, en tant que membres de plein droit de leurs équipes provinciales, soit l'athlétisme en fauteuil roulant, l'athlétisme et la natation pour athlètes aveugles. Ils apporteront ainsi une nouvelle dimension au spectacle et à la compétition, ainsi qu'à la grande famille des athlètes canadiens.

C'est ainsi que les Jeux du Canada, ayant germé en sol fertile, ont pris de l'envergure et de la vigueur au cours des ans pour devenir la pierre angulaire de tous les grands programmes sportifs du Canada.

Cette croissance se poursuit grâce à une sage orientation. La récente restructuration du Conseil des Jeux du Canada et les nouvelles dispositions financières ont placé les Jeux sur des bases plus solides, en vue de leur assurer une croissance permanente et équilibrée.

PREMIERS
JEUX
D'HIVER
CANADIENS

FIRST
CANADIAN
WINTER
GAMES

1967

Quebec City (Quebec)

Ville de Québec, Québec

February 11 – 19 février, 1967

T he first Canada Winter Games succeeded because the Quebec City people at the helm for this maiden voyage absolutely insisted that they must.

Events which could have been calamities were transformed into triumphs, adversities were converted into adventures, and a special joie de vivre attended these Games and eventually infected the whole enterprise… the officials, the

Quebec City
Ville de Québec

S i les premiers Jeux d'hiver du Canada à Québec ont connu le succès, c'est que les responsables de cette nouvelle aventure sportive y ont fourni des efforts surhumains.

Les événements qui auraient pu être désastreux se transformèrent en triomphes, les revers possibles devinrent des aventures, et une véritable joie de vivre s'empara graduellement de toute la population. L'inimitable Bonhomme Carnaval, qui sait si bien animer le Carnaval annuel, prit les choses en mains.

thousands of athletes and visitors, and the party-humoured burghers of the city and district.

Bonhomme Carnaval, the irrepressible bon vivant of Quebec's annual winter spectacular, took control.

The weather was abominable, bitterly cold and accompanied by a savage blizzard. So, in a spirit of Canadian "can do", they improvised, and took it on.

And it started right out of the gate.

On that Saturday morning, Feb 11, 1967, the temperature hovered around seven degrees Celsius and it was raining. Then one of our famous Canadian cold fronts swept in, and by early evening the mercury had dropped 40 degrees to minus 33.

But thousands of people bundled up and came out, assembling in front of the historic old Chateau Frontenac in Place d'Armes, and they played and romped and sang and tried to ignore the brutal discomfort. It was reported at the time that the scene contained an almost eerie quality but a distinct Canadian flavour with these thousands of celebrants cavorting under a gathering cloud of their own breath in the still night.

Castle of Icicles

T hen led by the brass band of the famous Royal 22nd Regiment, the storied Van Doos, they marched down past the remains of the Ice Palace, the centrepiece of the Carnaval d'Hiver, and just that morning it had been dripping with melt. Now, when they marched past, it was a million icicles, immobilized in mid-drip, and the crowd stared appreciatively at nature's handiwork and moved on up to Dufferin street in front of the Quebec Legislature where a platform had been erected for the grand opening of the Games.

The always stirring parade of athletes was next, the Ontario team first and, as the host province, the Quebec team last. For the first time in our history, athletes from the 10 provinces and two territories had been brought together for sports competition. And some athletes, choosing style over practicality, wore running shoes, and as the evening wore on they jigged and danced and bounced in bunches to try to encourage circulation in numbing feet. The teams from the Yukon and Northwest Territories were the eye-catchers of the parade, clad in fringed Eskimo style garments with parkas of bright red.

froid [-33°C] cold...

Le temps était abominable. Il faisait un froid sibérien, accompagné d'un blizzard qui ne semblait pas vouloir démordre. Mais, comme «Québec sait faire», les intempéries devinrent une source d'improvisation.

Il pleuvait en ce samedi matin, 11 février 1967, et la température oscillait près des 7° C. Puis, un de nos fameux fronts froids s'installa dans la région. Le soir venu, la température avait chuté de 40 degrés à -33° C.

Cela n'empêcha pas des milliers de gens de s'emmitoufler et de s'assembler devant l'historique Château Frontenac sur la Place d'Armes. Tout le monde sautillait et chantait, se moquant du froid glacial. Il régnait une atmosphère presque féérique, à saveur canadienne, alors que ces milliers de gens s'émoustillaient dans ce décor sur lequel planait le nuage de leur souffle glacé.

Palais de glaçons

P uis, marchant derrière la musique de l'historique 22e Régiment, la foule longea ce qui restait du Palais de glace, le centre d'attraction du Carnaval d'hiver, qui fondait littéralement le matin même. Il n'était plus maintenant qu'un amoncellement de glaçons. La foule ne se lassait pas de contempler ce chef-d'oeuvre de la nature, mais poursuivit son chemin jusqu'à la rue Dufferin en face de l'Assemblée législative du Québec, où une plate-forme avait été érigée pour la cérémonie d'ouverture des Jeux.

Puis vint le défilé des athlètes, le contingent de l'Ontario en tête et celui du Québec, province hôte, fermant la marche. Pour la première fois dans l'histoire du pays, des athlètes des dix provinces et des deux territoires se trouvaient réunis

001 JOURS AVANT LES JEUX
DAYS BEFORE THE GAMES

Prime Minister Lester Pearson, Quebec Premier Daniel Johnson, Cardinal Leger and dignitaries from across the country assembled on the wooden platform and punctually at eight o'clock, Georges Labrecque, president of the Games Corporation, stepped to the microphone and welcomed Canadians from across the country.

Unity Through Sport

The Games motto, "Unity through Sport", had been conceived at one of the Quebec Corporation meetings and to this day, Labrecque is unable to put a name to the creator of the motto:

"We were having a meeting and everyone was talking and someone shouted 'unity through sport`, and we all agreed, and that was it."

So in his opening remarks, he said: "When we chose the motto, "Unity Through Sport", we had in mind to strengthen mutual understanding and friendship, and to bring closer the amateur athletes and the 20 million members of our Canadian family."

The crowd cheered, and the cheers grew to a roar in the winter night as Marilyn Malenfant, the Games torchbearer, emerged from the legislative building and started the 150-metre run towards the ladder up to the receptacle which would hold the flame for the duration of the Games.

The 20 year-old torch-bearer, daughter of Ray Malenfant who had played for the Montreal Junior Canadiens and then the Quebec Aces in the old Quebec Senior Hockey League, was a member of Quebec's synchronized swim team and she had rehearsed this role well. But still, there were uncertainties.

"In sports there are no barriers and no limitations due to faith, race or culture. Therefore, we are confident that the unity of our country will be underlined once more within this great land of ours during the First Canadian Winter Games."

Georges Labrecque

«Dans le monde du sport, il n'y a pas de barrière, il n'y a pas de restrictions basées sur la foi, la race ou la culture. C'est pourquoi nous demeurons confiants que la réputation dont jouissent les Canadiens à l'échelle internationale comme peuple pacifique et uni sera de nouveau mise en valeur au sein même de notre pays, durant les premiers Jeux d'hiver canadiens.»

Georges Labrecque

pour une compétition sportive. Plusieurs athlètes, ayant opté pour le style plutôt que pour le côté pratique, portaient des espadrilles et on les vit sautiller, individuellement ou en groupe, pour stimuler la circulation dans leurs pieds engourdis. Les équipes du Yukon et des Territoires du Nord-Ouest, revêtus de leurs parkas rouges frangés style esquimau, étaient les vedettes du défilé.

Le Premier ministre Lester Pearson, le Premier ministre Daniel Johnson du Québec, le Cardinal Léger et d'autres dignitaires venus de partout au pays étaient assemblés sur la plate-forme. Puis, à 20 heures précises, le président Georges Labrecque du Comité organisateur s'avança vers le micro pour souhaiter la bienvenue aux Canadiens de tous les coins du pays.

L'unité par le sport

La devise des Jeux, «L'unité par le sport», avait été conçue lors d'une réunion du Comité organisateur et, jusqu'à ce jour, Labrecque ne sait à qui en attribuer le mérite.

«La réunion était en cours, tout le monde parlait en même temps et l'un des membres proposa ‹L'unité par le sport›. Tous les membres se dirent d'accord et c'en fut fait.»

Voilà pourquoi il déclarait, dans son allocution d'ouverture :

«En choisissant la devise ‹L'unité par le sport› notre idée est de raffermir l'amitié et la compréhension mutuelles et de rapprocher les athlètes amateurs ainsi que les 20 millions de membres de la grande famille canadienne.»

La foule l'acclama et les cris de joie fusèrent dans le froid de la nuit lorsque Marilyn Malenfant, porte-flambeau des Jeux, sortit de l'édifice de l'Assemblée pour entreprendre la course de 150 mètres menant à l'escalier vers le réceptacle où danserait la flamme pour la durée des Jeux.

Georges Labrecque
President/Président

Twice during rehearsals, the ladder had slipped and collapsed on her. In addition, she was carrying a torch with which she was expected to light the big Games flame on the platform, and that receptacle had been frantically fashioned at the last minute. On the day of the opening, Gerry Beaudry, assistant general manager of the Games, was told that there was no torch. The man who had been trying to make the torch had not been able to come up with anything, and Beaudry and his confreres were sliding into a light panic. Labrecque recalled:

"Last minute! No torch! How could we open the Games without a torch. We knew we would do something, somehow. But what?"

Beaudry was assistant to Games General Manager Guy Rousseau, who had played for the Montreal Canadiens in the National Hockey League, and with Labrecque, they scrounged all over Quebec City looking for someone who could contrive some sort of makeshift torch. Down to last resorts, they made one themselves:

"We got five of those grenades they use for markers on the streets, and tied them together with a big wick, and it was very crude, but it worked."

And the ladder didn't collapse. And the homemade torch worked. Marilyn stood on the platform and recited the athletes' pledge in French and English.

Then gingerly she approached the wooden stepladder which had let her down on two previous occasions, mounted with apparent calm and touched her

NO *torch*!?

La jeune porte-flambeau de 20 ans, fille de Ray Malenfant, ancienne étoile du Canadien junior de Montréal et des As de Québec de l'ancienne Ligue senior de hockey du Québec, était membre de l'équipe de nage synchronisée du Québec. Elle avait bien répété son rôle, mais certaines inquiétudes subsistaient.

En deux occasions au cours des répétitions, l'escalier avait glissé pour s'écraser sur Marilyn. De plus, elle portait un flambeau qui devait servir à allumer la grosse flamme sur la plate-forme, et le réceptacle était une confection de dernière heure. Le jour même de l'ouverture, on annonça à

Gerry Beaudry, directeur général adjoint des Jeux, qu'il n'y avait pas de flambeau. La personne chargée de confectionner une torche n'avait rien trouvé. Beaudry et ses collègues étaient au bord de la panique. Labrecque se rappelle encore :

«Pas de flambeau... à la toute dernière minute. Comment ouvrir les Jeux sans flambeau? Il fallait absolument faire quelque chose. Mais quoi?»

Beaudry était l'adjoint de Guy Rousseau, directeur général des Jeux, qui avait déjà joué pour les Canadiens de Montréal. Accompagné de Labrecque, ils parcoururent la ville dans l'espoir de

trouver quelqu'un qui pourrait façonner un flambeau. En fin de compte, ils se fièrent à leurs propres moyens :

«Nous avons relié avec une grosse mèche cinq grenades qu'on utilise comme signaux dans les rues. C'était rudimentaire, mais le tour était joué.»

Après avoir récité le serment de l'athlète en français et en anglais, Marilyn s'approcha avec précaution de l'escalier qui l'avait trahie en deux occasions, le gravit dans un calme apparent et approcha la flamme du réceptacle. La mèche reliant les grenades s'enflamma et, pour la toute

PAS *de flambeau*!?

torch to the receptacle, the road grenades caught and the Canada Games flame lit the frosty night for the first time. Before that flame was extinguished, Marilyn Malenfant was to win three gold medals.

She climbed down the ladder to join the array of dignitaries and officials on the platform, and cheers and song continued until a spectacular display of fireworks brought a brief hush to the hardy people who were little aware that they were witnessing a unique piece of Canadiana and the beginning of a glorious tradition.

After the fireworks, the merry celebrants dispersed hurriedly to homes and

première fois, la flamme des Jeux du Canada éclairait la nuit froide. Avant que la flamme ne s'éteigne, Marilyn Malenfant allait remporter trois médailles d'or.

Les cris et chants de joie se poursuivirent jusqu'à ce qu'un grandiose feu d'artifice ne vienne créer un silence temporaire parmi les hardis spectateurs, qui ne se doutaient guère qu'ils vivaient un moment historique dans l'histoire du Canada et le début d'une fière tradition.

Les feux d'artifice décrivaient chacun des 13 sports inscrits au programme des Jeux : on y voyait des patineurs, des tireurs d'élite et des lutteurs, des skieurs, et joueurs de hockey et de basketball,

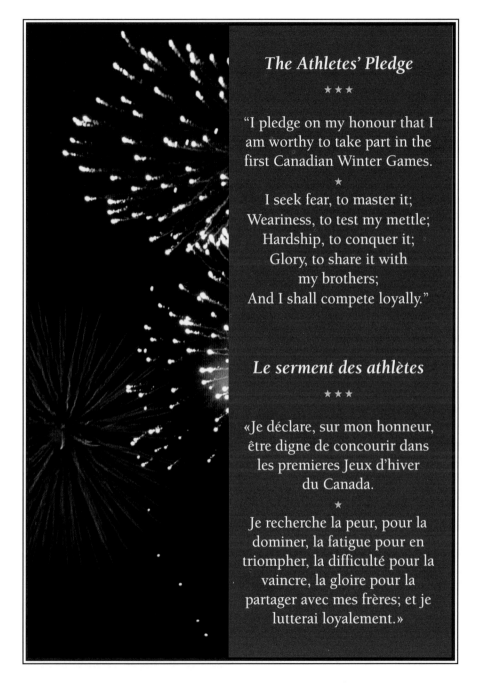

The Athletes' Pledge

★ ★ ★

"I pledge on my honour that I am worthy to take part in the first Canadian Winter Games.

★

I seek fear, to master it; Weariness, to test my mettle; Hardship, to conquer it; Glory, to share it with my brothers; And I shall compete loyally."

Le serment des athlètes

★ ★ ★

«Je déclare, sur mon honneur, être digne de concourir dans les premieres Jeux d'hiver du Canada.

★

Je recherche la peur, pour la dominer, la fatigue pour en triompher, la difficulté pour la vaincre, la gloire pour la partager avec mes frères; et je lutterai loyalement.»

other nearby havens of warmth and sustenance, to thaw out and prepare for tomorrow.

"...So Cold"

"T he thing I remember most," Marilyn Malenfant said just a few months ago, "is cold. Very cold. I was wearing the white blazer and the Quebec blue skirt of the team uniform, and it was so-o-o cold. But we all had to wear the uniforms because there was a reception in the Chateau after the Games opening.

"But I remember I was so thrilled to be up on the platform, with Prime Minister

explosant tour à tour dans le firmament de Québec. La foule s'exclamait à chaque explosion et, la dernière étincelle s'étant éteinte, tous se dispersèrent rapidement pour rentrer chez eux ou dans des lieux bien chauffés propres aux réjouissances, pour se dégourdir et se préparer pour le lendemain.

«...mais, quel froid!»

"C e dont je me souviens le plus, nous confiait Marilyn Malenfant il y a quelques mois, c'est du froid. Un froid à vous geler sur place. Je portais le blazer blanc et la jupe bleue de l'équipe du

Pearson and Cardinal Leger and all the others, and looking out at all the athletes. It was really a high point in my life. And then we (the synchronized swim team) went on to win and that was very emotional too, because we had been together for years and we were breaking up then. I still have that picture of me up on the platform with Cardinal Leger behind me, and Prime Minister Pearson. It was really a great part of my life."

The Games were on.

Andre Marceau, the young Quebec lawyer, now a judge, who had lured the Games to his bailiwick in the first place, had another concern.

He was worried that the athletes would see the whole affair as something of a frolic, at the expense of serious competition.

As it turned out, he needn't have worried. The competitive instincts of young Canadian athletes, the pride in themselves and their teams and their roots, spurred them to maximum effort day after day.

But there was to be yet another wild swipe from the gods of winter, and the Games people had to fight through a blizzard that paralysed the whole area. On Tuesday night, the fourth day of the Games, the north winds brought a torrent of snow, 76 centimetres of it, burying every vehicle in Quebec.

Fortunately, the athletes had been billeted according to their sport, and not by team, so that most of them were in reasonable proximity to their competition sites. For example, all the women's basketball teams were bunked out in Ste-Foy at the Hotel Bonne Entente. The storm prevented the hotel's kitchen staff from getting to work so the young athletes pitched in, and 67 basketball players from across the country made breakfast and served it to all the hotel guests, and themselves.

But the athletes were virtually cut off from Games headquarters and all of them wanted to know the state of the Games.

The phones in Beaudry's office went nonstop, but there had to be something more.

Long before dawn, Beaudry was in his office trying to keep his cumbersome load in balance, and he said:

"I knew I had to find some way to keep all the athletes informed."

Beaudry had a contact at a major French language radio station, so he called and explained his predicament. The station agreed to broadcast bulletins to the athletes every 15 minutes, in French and English, which they had never done before. Then he called all the motels and hotels where the athletes were staying, and alerted them to follow direc-

"it really was a **great part** of my life."

«ce fut un des **grands moments** de ma vie.»

Québec et je claquais des dents. Nous étions obligés de porter l'uniforme, parce qu'il y avait une réception au Château après la cérémonie d'ouverture.

«J'étais si fière de me trouver en compagnie de tous ces dignitaires, contemplant les athlètes du haut de la plate-forme. Ce fut un événement marquant de ma vie. Et puis, nous (l'équipe de nage synchronisée) avons remporté la victoire et ce fut un moment des plus émouvants. Ce fut ma dernière compétition. Je pratiquais cette discipline depuis 12 ans, à raison de six jours par semaine. J'ai toujours à l'esprit cette image d'être là sur la plateforme avec le Premier ministre Pearson,

et le Cardinal Léger derrière moi. Oui, ce fut un des grands moments de ma vie.»

Enfin, les Jeux étaient en branle.

Le jeune avocat André Marceau de Québec, maintenant juge, qui avait réussi à amener les Jeux dans la Vieille Capitale, avait un autre souci. Il craignait que les athlètes considèrent l'événement comme un genre d'escapade, et non comme une compétition sérieuse.

En rétrospective, il n'avait aucune raison de s'inquiéter. L'instinct compétitif des jeunes athlètes canadiens, leur fierté personnelle et celle qu'ils ont pour leur équipe et leurs racines les ont poussés naturellement à donner le meilleur d'eux-mêmes.

Mais les dieux de l'hiver n'avaient pas dit leur dernier mot et les responsables des Jeux durent traverser un blizzard qui paralysa toute la région. Le mardi soir, quatrième jour des Jeux, les vents du nord déversèrent une avalanche de neige, 76 centimètres plus précisément, enterrant sous un épais linceul blanc tous les véhicules de la région.

Heureusement, les athlètes étaient hébergés en fonction de leur sport, et non par équipe, de sorte que la majorité d'entre eux se trouvaient à proximité de leur lieu de compétition. Ainsi, par exemple, toutes les équipes féminines de basketball étaient logées à l'hôtel Bonne

Entente de Québec. La tempête ayant empêché le personnel de la cuisine de se rendre au travail, 67 joueuses de basketball de tous les coins du pays relevèrent leurs manches et préparèrent le petit déjeuner pour les invités de l'hôtel, avant de se servir elles-mêmes.

Mais les athlètes se trouvaient virtuellement coupés du quartier général des Jeux et tous voulaient savoir où ils en étaient. Les téléphones sonnaient sans interruption dans le bureau de Beaudry, mais il fallait davantage.

Dès l'aube, Beaudry était déjà à son bureau, faisant de son mieux dans la plus difficile des situations.

tions from the radio. In less than a day, before the ploughs had even made much of a dent, the program was back on track and on time.

The competitions didn't skip a beat and straight off, the athletes from the Territories let it be known they were not down from the high north as tourists. Two Inuvik skiers, Janet Tourrangeau and Anita Allen, won gold and silver respectively in cross-country skiing. Anita and her sister Roseanne also competed four years later in the Winter Games in Saskatoon and along with two more Inuvik skiers, Sharon and Shirley Firth, they dominated women's cross country skiing.

Alberta and Manitoba battled for speedskating honours and 19-year-old Doreen McCannell, a physical education student at the University of Manitoba took four gold. Paul Enoch, skating for Alberta, won three gold medals and

Toller Cranston, who was to go on to fame and glory on the world stage of figure skating, made his big-time debut with a gold for Quebec.

Another Canadian Olympian who moved into the national spotlight for the

first time was Ontario gymnast Teresa McDonnell who went on to compete in the Olympics in 1968, 1972 and 1976. All told, 1,800 athletes competed, and nobody went away empty-handed.

As for finances, the federal government contributed $714,000 for operating expenses; the Quebec Provincial government spent more than $700,000 in capital expenditures, mostly upgrading facilities and the roads leading to them at Mont Ste-Anne.

76cm

«Il faut absolument trouver une façon de renseigner les athlètes», se dit-il.

Un copain de Beaudry était annonceur à la radio. Sa station accepta de diffuser des bulletins aux athlètes à toutes les 15 minutes, en français comme en anglais, ce qui était un précédent. Il appela ensuite tous les hôtels et motels où les athlètes étaient logés, les mettant au courant de ce service inédit. En moins d'un jour, avant même que les charrues ne se soient mises à l'oeuvre, le programme des compétitions était de nouveau sur la bonne voie.

Les athlètes des Territoires ne perdirent pas de temps à démontrer qu'ils

ne s'étaient pas rendus du Grand Nord à Québec comme simples touristes. Deux skieuses d'Inuvik, Janet Tourrangeau et Anita Allen, remportèrent l'or et l'argent en ski de fond. Anita et sa soeur Roseanne devaient également participer aux Jeux d'hiver de Saskatoon quatre ans plus tard

et, avec deux autres skieuses d'Inuvik, les soeurs Sharon et Shirley Firth, elles dominèrent le ski de fond chez les femmes.

L'Alberta et le Manitoba se disputèrent les honneurs au patinage de vitesse et Doreen McCannell, âgée de 19 ans, étudiante en éducation physique à l'Université du Manitoba, s'empara de

quatre médailles d'or. Le patineur Paul Enoch de l'Alberta se voyait couronné de trois médailles d'or, tandis que Toller Cranston, qui devait se tailler une renommée mondiale en patinage artistique, remportait un premier triomphe avec une médaille d'or pour le Québec.

Une autre Olympienne canadienne, la gymnaste ontarienne Teresa McDonnell, se mettait en évidence pour une première fois au niveau national, avant de participer aux Olympiques de 1968, 1972 et 1976.

Quebec City and the Games Corporation came up with the remainder of the money. And after paying out an unplanned $15,000 for storm expenses, they had a deficit of $12,000, and the municipal government covered that.

Unqualified Success

Without reservation, the first Canada Winter Games were sensationally successful on all counts. They showed the way.

Without the success in Quebec, it is doubtful if the program would have been continued. Gerry Lahaie, then with Fitness and Amateur Sport in Ottawa, offered the educated opinion:

"If it had been a flop, you couldn't have mustered the energy to keep it going. But it was so successful, each province decided to have its own set of games, and the Arctic Games came out of it as well."

In that context, it should be noted that these first Games were seen by virtually everyone involved as more of a centennial year project than the launching of an ongoing program.

Lou Lefaive was a senior administrator for many years in Amateur Sport and Fitness, and exceedingly well-versed in the whole evolution of amateur sports administration in this country, and he recalled:

"There were funds from the Centennial Commission involved in those Games in Quebec. That is certain. And the Quebec Games were not conceived as part of a continuing program. They were a project for centennial year. The fact that they were so successful certainly caused a look forward and led to a continuing program, but in my own mind, the Quebec Games were originally a centennial project."

Even Georges Labrecque and his confreres in the Quebec Corporation saw their Games as a centennial event at the

Flag Points Points-drapeaux	Total Points
Ontario	129
British Columbia/ Colombie-Britannique	111
Alberta	107
Québec	100

1 9 **6 7**

Sur le plan financier, le gouvernement fédéral contribua 714 000 $ pour les frais de fonctionnement. Pour sa part, le gouvernement provincial du Québec contribua plus de 700 000 $ pour les immobilisations, en grande partie pour la rénovation d'installations et des routes menant au Mont Ste-Anne. La ville de Québec et le Comité organisateur recueillirent le solde et, après un déboursé non prévu de 15 000 $ à cause de la tempête, on enregistra un déficit de 12 000 $ que le gouvernement municipal prit à sa charge.

Un succès à tous points de vue

Les premiers Jeux d'hiver du Canada furent donc un succès à tous points de vue. Ils servirent de modèle pour les Jeux qui devaient suivre.

N'eût été le succès remporté à Québec, on peut se demander si le programme aurait été abandonné. Gerry Lahaie, à l'époque fonctionnaire à Santé et Sport amateur à Ottawa, nous livre son opinion d'expert :

«Si les Jeux de Québec avaient échoué, il aurait été impossible de maintenir l'intérêt pour les poursuivre. Devant le succès remporté, chaque province décida d'organiser ses propres jeux, et les Jeux de l'Arctique furent un autre rejeton des Jeux de Québec.»

Dans cette optique, il y a lieu de noter que la majorité des gens considéraient ces premiers Jeux comme un projet du Centenaire, plutôt que comme lancement d'un programme permanent.

Lou Lefaive, haut fonctionnaire pendant plusieurs années à Santé et Sport amateur, connaît comme nul autre l'évolution de l'administration du sport amateur au Canada. Il nous confie :

«La Commission du Centenaire avait investi des fonds dans les Jeux de Québec. L'événement n'était pas perçu comme composante d'un programme permanent. Il s'agissait d'un projet pour l'année du Centenaire. Leur réussite contribua certainement à leur donner une nouvelle perspective et un caractère de permanence.»

À l'époque, Georges Labrecque et ses confrères du Comité organisateur de Québec entrevoyaient eux aussi les Jeux comme un événement du Centenaire. Mais, s'empressent-ils d'ajouter, si les Jeux n'avaient pas remporté un tel succès, auraient-ils eu une suite à Halifax-Dartmouth, ou ailleurs?

time but, they hasten to add, if they had
not been such a ringing success, would
there have been another chapter in
Halifax-Dartmouth, or anywhere else?

And if the First Canada Summer
Games in Halifax in 1969 had been a
costly and lacklustre experience, would
the authorities have tried to press on?
Not likely.

In fact, Quebec staged the first Winter
Games and Halifax-Dartmouth put on the
first Canada Summer Games, and without
the uncommon dedication of all the leaders at both venues, the world's best
domestic sports program would not be in
existence today.

Et puis, si les premiers Jeux d'été du
Canada à Halifax en 1969 avaient été une
expérience coûteuse et douteuse, les
autorités auraient-elles consenti à poursuivre le programme? Il est permis d'en douter.

En fait, la ville de Québec a présenté
les premiers Jeux d'hiver, et il revint à la
région métropolitaine Halifax-Dartmouth
de présenter les premiers Jeux d'été du
Canada. Sans le dévouement inlassable
des chefs de file aux deux endroits, le
meilleur programme sportif domestique
n'existerait pas aujourd'hui.

1969

Halifax-Dartmouth, Nova Scotia

Halifax-Dartmouth, Nouvelle-Écosse

August 16-24 août, 1969

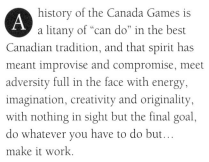

A history of the Canada Games is a litany of "can do" in the best Canadian tradition, and that spirit has meant improvise and compromise, meet adversity full in the face with energy, imagination, creativity and originality, with nothing in sight but the final goal, do whatever you have to do but… make it work.

That creed was never better exemplified than it was in 1969 for the Halifax-

Halifax-Dartmouth

Aucun défi n'est trop grand, aucun obstacle n'est insurmontable lorsque vient le temps de présenter les Jeux du Canada. Au fil des ans, les organisateurs des Jeux ont donné une nouvelle dimension au mot «débrouillardise». Depuis les tout débuts, ils ont su faire preuve d'imagination la plus fertile et de la plus audacieuse créativité.

Les Jeux d'été du Canada de 1969 à Halifax-Dartmouth, en Nouvelle-Écosse, en sont un des exemples les plus «frappants». Habituellement, il faut un site approprié pour les compétitions d'aviron et de canotage. Bien que la région compte de nombreux cours d'eau, aucun ne se

Dartmouth Canada Summer Games. They needed a site for the water sports, paddling and rowing, and while they have plenty of water around Halifax-Dartmouth, not much is suitable for the tiny, fragile craft used in watersports.

There was one spot, Lake Banook, which lies in a natural amphitheatre in the heart of Dartmouth. Perfect!

Except there was an island in the lake, and a projection of land at one end of the lake, which prevented laying out courses of the required length.

The Nova Scotians pondered the problem. Was there any body of water, within reasonable travelling distance, which would serve as well? No.

Well then, their logical minds concluded, the solution is obvious.

Move the island

And so they did. It was a barren piece of land anyway, no trees or picturesque flora. It was a particularly homely spot of land, about 150 metres long and perhaps as wide, but irregular along the sides, with really nothing to recommend it.

So, they drained the lake and had a good look at it and decided that was the way to go. They could have gone the tender route and asked for bids and all, but maritime frugality came into play and they called in four local contractors. Each contractor agreed to do his work for cost, as a contribution to the Games, and the island, and that projection of land, were bulldozed over to the closest shore. By the time the island was moved and the dredging completed, the bill came to about $25,000, instead of the $100,000 expense they had contemplated at first.

These improvisational skills were perhaps best demonstrated in fashioning that water course, but they were evident in a whole range of developments, all along the way.

For example, the recruitment of broadcast executive Finlay MacDonald proved to be a coup, and for a number of reasons. Before MacDonald came on board, the organization seemed to be wobbling a little on the track. The bid for the Games had been won, but the organization required to put on the big show was not in place and, it looked as if they might be facing a deficit.

… their logical minds concluded, **the solution is obvious!**

*… Il n'y avait qu'***une seule solution possible!**

prêtait aux embarcations légères et fragiles des sports aquatiques.

Il fallait donc créer un lieu de compétition et le seul endroit qui semblait convenir aux compétitions était Lake Banook, sis dans un amphithéâtre naturel au coeur même de Dartmouth. Mais il y avait un problème!

Il y avait une île au beau milieu du lac, ainsi qu'une langue de terre avançant dans le lac à partir d'une des extrémités, ce qui nuisait à l'aménagement des couloirs nécessaires pour les courses.

L'île rasée

Il n'y avait qu'une seule solution possible! Faire disparaître ce lieu désolé de 150 mètres carrés environ, qui n'avait rien de bien pittoresque ou attrayant. Une flore inexistante, une île sans aucun arbre.

Après avoir vidé le lac et étudié toutes les solutions de rechange, on se rendit compte qu'il n'y avait pas d'autre solution. Passant outre au processus d'appel d'offres, le comité organisateur confia le travail à quatre entrepreneurs locaux, qui acceptèrent de faire le travail au prix coûtant en guise de contribution aux Jeux. Le lourd équipement se mit à l'oeuvre et l'île fut complètement rasée au coût de

25 000 $, au lieu du 100 000 $ qu'on avait d'abord inscrit au budget.

Ce sens d'improvisation dont on a fait preuve dans la solution de ce premier problème devait se manifester en diverses autres occasions. La nécessité est la mère des inventions, dit-on!

Ainsi, par exemple, le fait de pouvoir recruter les services du radiodiffuseur bien connu Finlay MacDonald fut un coup de maître pour les ouvriers de la première heure, qui possédaient toute la bonne volonté au monde, de l'énergie à revendre, ainsi qu'une multitude de talents, mais qui souffraient de l'absence d'un organisateur né. Leur soumission avait bien été acceptée, mais tout laissait

prévoir un déficit avant que MacDonald n'accepte de prendre la direction du comité organisateur.

Du panache et de l'action

«Il aurait été possible de présenter les Jeux de 1969 à l'intérieur du budget prévu», nous confie MacDonald, aujourd'hui membre du Sénat canadien, «mais nous voulions présenter un spectacle qui aurait un peu plus de panache, un événement qui resterait gravé dans la mémoire des gens, partout au pays…

«Pour commencer, il nous fallait un nombre considérable de tentes pour toutes sortes de raisons. Je les ai trouvées

Panache and excitement!
That was the ticket.

"Oh, I suppose we could have put on the Games within the budget we had," Senator MacDonald said, "but we wanted to do it right… put on the Games with a little panache, some style. Make it a show.

"We needed tents, all kinds of them. I rented them from a company in Hamilton. And then I got the Royal Bank to sponsor us for the tents. So, they had a nice little sign at the entrance to

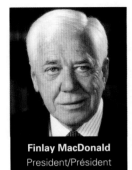

Finlay MacDonald
President/Président

every tent. We had them all over the place, and they didn't cost us a thing.

"That's the way it went. We got goods and services in return for offering recognition, signs and things, to the sponsors. That was the program we called Friends of the Games, and because of all the help they gave us, the Games finished with a small profit."

Some of the panache and excitement that Senator MacDonald wanted for the big show was designed into an opening day party. He had a home on the water on

the Northwest Arm and the party, for everyone involved in the Games, was being held at a big yacht club just across the Arm. Prime Minister Trudeau and his entourage, provincial and municipal officials and many of the community leaders in the Games were to assemble at MacDonald's house for basic sustenance, and then repair to the yacht club for a lobster feed.

Senator MacDonald had arranged to have the admiral's barge pull in at his dock to take the Prime Minister and his party across the Arm to the yacht club. The late Vic Chapman was in charge of security for

the PM and with professional thoroughness, every avenue had been covered.

Vice Admiral J.C. (Scruffy) O'Brien brought the barge into the MacDonald dock, Prime Minister Trudeau leapt aboard with his customary agility, members of his party and his security people boarded after him, and then Senator MacDonald and a few of the dignitaries. It was a big barge. There was lots of room.

"So Scruffy turned around, looked at all the people on the dock and," MacDonald recalled, "he called up: 'Anybody want a lift?' Well, there was a rush and everybody was on board.

chez un fournisseur de Hamilton, en Ontario, et j'ai convaincu les autorités de la Banque Royale de nous les procurer en commandite. On pouvait voir ces tentes partout à Halifax et à Dartmouth au cours des Jeux, affichant le sigle de la Banque Royale… et nous n'avons pas déboursé un seul sou…

«Nous avons suivi la même tactique en ce qui concerne une foule d'autres domaines. Les commanditaires nous ont fourni les produits et services dont nous avions besoin, en retour de crédits publicitaires et de reconnaissance de leur participation. Cette initiative a pris le nom «Amis des Jeux», et cette nouvelle

source de revenus nous a permis, à la toute fin, d'enregistrer un léger profit…»

Le sénateur MacDonald avait réservé un peu de ce panache pour la réception du jour d'ouverture. Cette réception devait se dérouler au Yacht Club de l'autre côté du Northwest Arm, en face de la résidence de MacDonald où le Premier ministre Trudeau et son entourage, les dignitaires provinciaux et municipaux et autres leaders communautaires s'étaient rendus pour se «rafraîchir» un peu avant le festin au homard au Yacht Club.

Des dispositions avaient été prises pour que la vedette de l'amiral vienne accoster au quai de MacDonald, pour prendre à son bord le Premier ministre et

son entourage et les transporter au Yacht Club. Le regretté Vic Chapman, qui devait plus tard être détaché au Palais de Buckingham comme secrétaire de presse, était le préposé à la sécurité au cabinet du Premier ministre et, avec le talent qu'on lui connaissait, il avait vu à tous les détails.

La vedette ayant accosté au quai, Trudeau sauta lestement à bord, suivi de son entourage, des agents de sécurité, du sénateur MacDonald et de quelques dignitaires. Mais il y avait encore beaucoup de place à bord de la vedette.

Voyant tout ce monde encore sur le quai, le vice-amiral O'Brien les invita également à monter à bord. MacDonald

nous explique qu'il s'ensuivit une ruée vers le pont. Plus personne sur le quai. La scène ressemblait à un traversier presque englouti sous le poids de sa cargaison. Pauvre Chapman! Avec toute cette peine qu'il s'était donnée pour assurer la plus grande sécurité possible

La cérémonie d'ouverture se déroula sous un soleil chaud et accueillant et nombreux sont ceux qui croient qu'une intervention divine y était pour quelque chose. En temps ordinaire, la température est imprévisible en Nouvelle-Écosse et, l'ouverture des Jeux approchant, la possibilité de pluie ne manquait pas d'inquiéter les organisateurs. Il pleuvait régulièrement et, si la pluie persistait, plusieurs

And away we went. Poor Vic Chapman, all his security preparations turned into a shambles in a few seconds."

The opening ceremonies went the same way and more than that, there are many who unabashedly suggest that they were boosted along the way by divine intervention. Nova Scotia weather is capricious at best, and coming up to the Games they experienced enough rain to cause concern. Some of the sites, they worried aloud, could be quagmires if the rain continued.

But opening day was sunny and glorious and sitting in his East Block office on Parliament Hill recently, a chopped egg sandwich on the desk in front of him, Senator MacDonald was all smiles and chuckles as he remembered:

"Not a cloud in the sky. I mean, not even one puff up there. Beautiful! And every day of the Games, it was the same. Not a cloud, not a drop of rain. Sunshine, every day."

Senator MacDonald settled back in his chair, lifted his eyes in prayerful pose and said:

"There can be only one explanation. Of course. The Good Lord smiles on Nova Scotians."

The happy adventure of the Halifax-Dartmouth Games, along with the artistic

Opening day was *sunny* and *glorious*

lieux de compétition seraient transformés en marécages.

Mais le soleil était au rendez-vous en cette journée d'ouverture. Interviewé à son cabinet de travail au Bloc de l'Est à Ottawa, MacDonald ne peut s'empêcher de sourire : «Imaginez-vous! Pas un nuage, par la moindre nuée! Dieu, qu'il faisait beau. Et ce beau temps dura tout le temps des Jeux. C'est incroyable comme il faisait beau!

«Il n'y a qu'une seule explication! Devinez!

«Bien sûr! La Providence a une affection toute spéciale pour les gens de la Nouvelle-Écosse.»

La joyeuse aventure des Jeux de Halifax-Dartmouth, marquée d'un succès financier et artistique, donna encore plus de relief au succès des Jeux à Québec en 1967. Il est permis d'affirmer que les Jeux de 1969 assurèrent la stabilité et la permanence des Jeux du Canada.

À l'époque, Keith Lewis était commandant du destroyer Skeena de la Marine canadienne. Son voisin Don Goodwin, haut fonctionnaire de la CBC, s'était occupé de l'organisation depuis les tout débuts. Il expliqua à Lewis tous les problèmes d'organisation et le pressant besoin de trouver un directeur général compétent. Lewis s'étant montré intéressé à relever ce défi, les organisateurs des

and financial success, underscored the triumph in Quebec in 1967 and gave the program the final push it needed for stability and long-range promise.

Keith Lewis was in the Navy at the time, commander of a destroyer, the H.M.C.S. Skeena. One of his neighbours was Don Goodwin, an executive with the C.B.C. who had been involved in creating the original bid for the Games.

In conversations over the back fence, Goodwin talked about the problems of trying to build an organization and of the urgent need for a GM, and Lewis suggested he might be interested.

So the Games people went to the Navy, "borrowed" Cmdr. Lewis and he moved from one bridge to another and provided the nuts-and-bolts helmsmanship for the whole voyage.

So Cmdr. Lewis was on board for the Canada Games. There might have been cause for concern over the pulls and tugs between the two cities involved, Halifax and Dartmouth, and so the executive committee was structured accordingly.

A financial person from both city administrations was included in the 35-person committee. The auditors of both cities were included and then there was an independent comptroller.

Jeux s'adressèrent aux autorités de la Marine canadienne pour obtenir les services du commandant Lewis. C'est ainsi que Lewis passa d'un pont à l'autre, pour tenir le gouvernail des Jeux pour toute la durée de l'épopée.

Le commandant Lewis prit donc la barre du navire des Jeux du Canada. Le conseil exécutif des Jeux avait voulu assurer une représentation équitable des villes de Halifax et de Dartmouth, afin d'éliminer toute possibilité de friction ou de mécontentement.

Et pour une meilleure mesure encore, on avait invité les contrôleurs financiers des deux villes à faire partie du comité,

en plus d'un vérificateur impartial. L'activité financière était donc surveillée de près.

Les Jeux de 1969 ont laissé en héritage à Halifax un terrain de softball bien éclairé, un nouveau court de boulingrin, une demi-douzaine de courts de tennis, une nouvelle piscine intérieure à six couloirs et avec plates-formes de plongeon de cinq, sept et 10 mètres, ainsi qu'un nouveau stade de 9 000 places à l'Université St. Mary's, construit au coût de 200 000 $.

Pour sa part, Dartmouth recevait les installations aquatiques de Lake Banook, la nouvelle installation d'athlétisme

Le soleil était au rendez vous en cette journée d'ouverture.

Halifax got a lighted softball facility, new lawn bowling greens, half a dozen tennis courts, a new 50 meter, six-lane indoor pool with five, seven and 10 metre platforms, and a new $200,000 stadium, seating 9,600, at St. Mary's University, among other things.

Dartmouth got the new water courses on Lake Banook, a new track at Beazley Memorial Field and the Dartmouth Commons, a rough and unused field, was converted into a fine softball facility with permanent bleachers.

So that formula – including financial people from all interested parties on the committee so that problems could be solved right at the root – for neighbouring communities involved in staging these major productions, was another model that came out of the first Canada Summer Games.

And while the principals say they felt no extraordinary pressure to succeed in the wake of Quebec and in the interest of program longevity, they still planned for long-term stability.

A Number of Firsts

T hose Games in Halifax gave us the official Games symbol, the official Canada Games song, the equal share formula for capital expenditures among the Federal Government, provincial and municipal governments.

The concept of the Friends of the Games Society came out of these Games, as did the Centennial Cup, the official Canada Games flag, the protocol for awards ceremonies, and the overall make-up of the early Canada Games Council.

In the final financial breakdown, the Federal government contributed $838,000 in operating expenses and another $300,000 in capital expenditures. The Province of Nova Scotia kicked in $300,000 for capital costs, the City of Halifax gave $212,896 for capital expenses, and Dartmouth gave $87,104. In addition, the Friends of the Games raised $275,000 in money and services for a total Games cost of $2,013,000.

When the last bugle died, there was an operating profit of $15,421 which was refunded to the federal government.

But to "return to the action… live," as they say on TV, we re-visit the opening of this glorious chapter of the Games, a

Beazley Memorial Park, en plus de Dartmouth Commons, terrain désaffecté qui avait été transformé en parc de softball avec gradins permanents.

Ainsi, la présence d'experts financiers de chacune des parties intéressées, permettant le règlement expéditif des problèmes financiers, est un autre legs des premiers Jeux d'été du Canada.

Des précédents

L es Jeux d'Halifax nous ont également légué le symbole officiel des Jeux du Canada, sans oublier la formule de partage des frais d'immobilisations entre les gouvernements fédéral, provincial et municipal.

Ces mêmes Jeux ont également vu naître l'initiative des Amis des Jeux, ainsi que la Coupe du Centenaire, le Drapeau officiel des Jeux du Canada, le protocole pour la remise des médailles, ainsi que le cadre général du Conseil des Jeux du Canada.

Au compte final, le fédéral avait contribué 838 000 $ en frais d'exploitation et un autre montant de 300 000 $ pour les immobilisations. La province de la Nouvelle-Écosse a contribué 300 000 $ et la ville d'Halifax 212 896 $ pour les immobilisations, alors que la contribution de Dartmouth à ce chapitre se chiffrait à 87 104 $. En outre, les Amis des Jeux avaient réussi à recueillir 275 000 $ en espèces et en services. Au total, les Jeux de 1969 ont donc coûté 2 013 000,00 $. L'excédent de 15 421 $ au chapitre de l'exploitation a été remis au gouvernement fédéral.

Mais, revenons à cette splendide journée du mois d'août 1969, alors que 15 000 personnes s'entassaient dans le nouveau stade de l'Université St. Mary's.

Les voitures décapotables transportant les dignitaires étaient escortées sur le terrain du stade par les membres du Halifax Junior Bengal Lancers, impeccables dans leurs brillantes tuniques écarlates. Donnant l'exemple de sa grande forme physique, Trudeau se catapulta hors de sa voiture pour aller à la rencontre de MacDonald. John Munro, ministre fédéral de la Santé et du Bien-être, le premier ministre Ike Smith de la Nouvelle-Écosse, ainsi que Robert Stanfield faisaient également partie du cortège officiel.

Le nouveau Drapeau des Jeux du Canada fut cérémonieusement hissé à son mât et on entonna en chœur «Le monde entier», nouveau chant officiel des Jeux écrit et mis en musique par Doris Claman

beautiful August day in 1969 and almost 15,000 jammed into the new stands at St. Mary's Stadium.

The line of open convertibles entered the stadium escorted by the Halifax Junior Bengal Lancers in their brilliant scarlet tunics. Prime Minister Trudeau had the spirit of day and with one hand on the "gunwale", he vaulted out of the car and strode up to shake hands with Finlay MacDonald. Health and Welfare Minister John Munro was in the official party along with Robert Stanfield and Nova Scotia Premier Ike Smith.

And then as the new official Canada Games flag was drawn up the mast, the new Canada Games song was introduced. "Look out World" was written by Doris Claman and Richard Morris, and it became the theme song for those Games, and every Games since.

There was the parade of athletes, all togged out in their provincial uniforms, 2,700 athletes for 15 sports competitions.

And when all were present and accounted for, the Games torch was carried into the park by Nova Scotia's Olympic paddler, Chris Hook, now a member of the Dartmouth police force.

"That was surely one of the high points of my life," Hook recalled recently.

"When the crowd started to roar, well, I tell you, it was something. It was quite an honour, to be recognized by your peers like that, and especially since I wasn't competing in the Games. But I had competed in the Olympics.

"Those Canada Games are something… one of the best things Canada has done. It enables the younger athletes to get into their sports, it creates some good rivalries among the teams, it has helped an awful lot of people, and it gives a lot of kids who might not be going any further, a taste of what it's like. Great!"

Goosebump Music

And the song, "Look out World," when loosed with pride and enthusiasm from 15,000 throats, set the tone for the big show.

"That song," Senator MacDonald said, "when I hear it, to this day, still makes the hairs on my neck stand on end."

Roy Devereaux was coach of the Yukon swim team and they had trained in a tiny pool in the far north and before their final workouts before leaving for the Games, they unexpectedly got two inches of snow. There was snow on the

"… to this day, still makes the hairs on my neck stand on end."

et Richard Morris, pendant que les 2 700 athlètes, venus dans cette province de l'Atlantique pour se livrer compétition dans 15 disciplines sportives, faisaient leur entrée dans le stade.

Le porte-flambeau pour l'occasion était le jeune rameur Chris Hook, qui fait maintenant partie de la Sûreté municipale de Dartmouth. «J'étais ému aux larmes de voir une si grande foule témoigner si vivement sa joie et son émotion. Je n'avais pas eu le plaisir de participer à ces nouveaux Jeux du Canada, mais j'avais quand même eu l'honneur de faire partie d'une équipe olympique canadienne…

«Oui, les Jeux du Canada sont un événement sensationnel», ajoute Hook. «Ils forment un des meilleurs programmes jamais lancés. Ils donnent aux jeunes l'occasion de s'adonner à leur sport de prédilection, ils créent une rivalité de bon aloi, et ils donnent à des milliers de jeunes, qui n'auront jamais la chance d'aller plus loin en carrière, l'occasion de vivre des moments mémorables!»

Une corde sensible

Aujourd'hui encore, je ne peux m'empêcher de frissonner lorsque j'entends «Le monde entier», surtout s'il est entonné par une foule de 15 000 personnes. «Ça fait chaud au coeur», nous confie le sénateur MacDonald.

L'entraîneur Roy Devereaux de l'équipe de natation du Territoire du Yukon nous raconte comment son équipe s'était entraînée dans une petite piscine extérieure de cette région nordique alors que deux pouces de neige étaient venus recouvrir la région quelques jours avant le départ de l'avion pour Halifax. «Des nuages de condensation montaient de l'eau et les blocs de départ étaient couverts de neige. Mes jeunes athlètes ont poursuivi leur entraînement sans broncher. Ils étaient prêts à livrer une «chaude» lutte, sans toutefois manquer de réalisme.

«Nous ne nous attendions jamais à remporter des médailles aux Jeux du Canada», dit l'entraîneur Devereaux. «Le simple fait de s'y rendre et de se mesurer aux meilleurs athlètes du pays est déjà une expérience inoubliable», ajoute Devereaux.

«Nous étions au fait des normes établies et nous savions au départ que nous n'avions aucune chance. L'important, c'était l'occasion pour de jeunes Canadiens d'une région éloignée de rencontrer d'autres jeunes concitoyens d'un littoral à l'autre.»

Il y avait cette année-là de futurs Olympiens parmi les athlètes. Debbie

«… aujourd'hui encore, je ne peux m'empêcher de frissonner lorsque je l'entends.»

starting blocks on their final morning of training at home, and the pool was shrouded in a cold fog. But the kids had soldiered through all of it, and they were as ready as they could be, but realistic at the same time.

"We don't expect to win anything at the Games," Coach Devereaux said, "but just coming here and taking part is a fantastic experience for our kids.

"We knew the standard of the meet, and we knew we didn't have a chance. But just being Canadian, meeting other Canadians and taking part… that's important to us."

There were also budding Olympians in the field. British Columbia jumper Debbie Brill won gold and missed setting the Canadian record by less than three centimetres.

Diane Jones took the silver in the high jump and won Saskatchewan's only gold in the pentathlon, and, met her future husband. John Konihowski took a bronze in the triple jump, and later went on to star as a pass receiver for the Edmonton Eskimos in the Canadian Football League.

For most of the athletes, it was a first visit to big time competition. For at least one, though, it was bittersweet farewell to a brilliant career. Bob Bedard, from Lennoxville, Que., was 37 years old in these Games and had been campaigning in powerhouse tennis for 18 years, three times as a member of Canada's Davis Cup team and twice on Canada's team at Pan Am Games. And he won the gold medal, defeating British Columbia's Don McCormack in the men's singles final.

Unexpectedly however, it was baseball and softball that pulled in the most fans. There were stars at all events but more than one third of the total attendance at the Games turned out for baseball and softball. More than 200,000 fans came out to watch them play ball and that, say the organizers, was one of the main reasons why the Games turned a profit.

When everything was totalled, Ontario won out with 180 points, and took the flag. British Columbia was second with 169 and Quebec third with 136.

But the big surprise was the home team, Nova Scotia, with a strong fourth place finish at 129 points.

Brill, de la Colombie-Britannique, devait remporter la médaille d'or au saut en hauteur, ratant le record canadien par moins de 3 centimètres.

C'est l'athlète bien connue Diane Jones, de la Saskatchewan, qui remporta la médaille d'argent à cette même compétition. Elle eut également la bonne fortune de faire la connaissance de son futur époux, John Konihowski, future étoile des Eskimos d'Edmonton, qui remporta la médaille de bronze au triple saut.

La majorité des athlètes en étaient à leurs premières armes en compétition. Pour d'autres, c'était un adieu à la compétition. C'est ainsi que Bob Bédard,

<table>
<tr><td colspan="2">**Flag Points**
Points-drapeau</td></tr>
<tr><td></td><td>Total
Points</td></tr>
<tr><td>**Ontario**</td><td>**180**</td></tr>
<tr><td>**British Columbia**
Colombie-Britannique</td><td>**169**</td></tr>
<tr><td>**Québec**</td><td>**136**</td></tr>
<tr><td>**Nova Scotia**
Nouvelle-Écosse</td><td>**129**</td></tr>
</table>

1 9 **6** 9

37 ans, de Lennoxville (Québec), un as du tennis depuis dix-huit ans, trois fois membre de l'équipe canadienne en Coupe Davis et deux fois membre de notre équipe aux Jeux panaméricains, se mérita la médaille d'or en triomphant de Don McCormack de la Colombie-Britannique dans la finale aux simples.

Fait surprenant, ce sont le baseball et le softball qui ont été le centre d'attraction aux Jeux de 1969, attirant près de 200 000 amateurs. C'est sans doute grâce à ces vastes foules qu'on a pu terminer les Jeux avec un léger profit.

Au terme des compétitions, la province d'Ontario enlevait le Drapeau des Jeux du Canada avec un total de 180 points, suivie de l'équipe de la Colombie-Britannique avec 169 points, tandis que le Québec devait se contenter de la troisième place avec 146 points.

La grande surprise fut l'équipe de la Nouvelle-Écosse, qui enleva facilement la quatrième position avec ses 129 points.

Victoire enlevante

L'équipe de la Nouvelle-Écosse connut un de ses moments les plus glorieux lors du dernier jour des compétitions, dans la course de canoës de guerre. Ces courses sont toujours

Stirring Victory

One of the home team's rousing golden moments came in the men's war canoe race on the new Banook Lake course on the final day of competition. War canoe races are wildly exciting affairs at any time but this one was uncommonly gripping with the home crew battling it out in the stretch against British Columbia. With thousands of Nova Scotians loosing throaty roars in that final drive, the home boat pulled ahead and narrowly edged the crew from the other end of the country. The host team had done themselves proud, off and on the competitive sites.

It had been a grand show in a glorious week in August, but now it was time to sing Farewell to Nova Scotia.

As the athletes streamed into Beazley field before close to 10,000 spectators, Governor General Roland Michener and Mrs. Michener took their appointed places to close down the show.

But Governor General Michener had the humour of the crowd and rather than proclaim the Games ended, he said:

"I shall simply declare the Canada Games adjourned."

Then he waved a hand at the torch, and the flame, like magic, disappeared.

passionnantes, mais cette dernière était excitante au possible alors que les équipiers de la Nouvelle-Écosse étaient littéralement talonnés par les rameurs de la Colombie-Britannique. Des milliers de partisans encourageaient leurs jeunes concitoyens à gorge déployée et, alors qu'il ne restait que quelques dizaines de mètres, l'équipe locale dans un suprême effort dépassa le canoë de l'autre bout du pays.

C'est ainsi qu'une émouvante compétition prenait fin en cette semaine d'août inoubliable, et le temps était venu de dire au revoir à la Nouvelle-Écosse.

Les athlètes des dix provinces et des deux territoires firent leur entrée finale

dans le stade Beazley devant près de 10 000 spectateurs enchantés par les deux semaines de compétitions serrées. Le gouverneur général Roland Michener avait pris place sur l'estrade d'honneur avec son épouse, pour présider officiellement à la clôture des Jeux.

Mais, plutôt que de déclarer la clôture des Jeux, Michener se gagna les coeurs en annonçant :

«Les Jeux ne sont pas terminés. Ils sont simplement ajournés!»

Il étendit alors la main vers la flamme des Jeux, qui s'éteignit comme par magie.

Interview: Diane Jones Konihowski

Pentathlon
1969 Gold Medallist

Pentathlon
1969 Médaille d'or

"Well, the Canada Games are a great concept. They're wonderful for young athletes working their way up in the sport. It's a tremendous opportunity for athletes and coaches and officials to come together from all parts of Canada in a truly national competition in great friendship and in great competitive spirit. It's a wonderful opportunity for a host city to open their arms and hearts to the people of Canada to come to their city and compete. So, happy birthday."

«Les Jeux du Canada sont un concept important. Ils sont magnifiques pour les jeunes athlètes qui travaillent à monter l'échellon sportif. Les Jeux sont une occasion formidable pour les athlètes, les entraîneurs, et les organisateurs de se regrouper à une compétition d'envergure nationale tout en déployant une grande amitié et un esprit compétitif. C'est une occasion fantastique pour une ville d'accueillir à bras et cœurs ouverts les gens du Canada, en les invitant d'y venir participer. Alors Bonne Fête.»

Entrevue : Diane Jones Konihowski

1971

Saskatoon, Saskatchewan

February 11-22 février, 1971

3

One of the great legends in Canada Games lore is the story of mountain men… on the prairies. They needed a mountain, so they built one. Like, what else could one do?

So out on the bald prairie they have a magnificent mountain range now, a range of one. Mountain, that is. It is Blackstrap Mountain, not a towering snow-covered peak but a mountain with a vertical drop of 100 meters and a run of about 350m.

Saskatoon

Qui aurait jamais cru qu'on aurait vu surgir une montagne de terre dans les Prairies? C'est bien ce qui s'est produit lorsque les organisateurs des Jeux d'hiver du Canada se sont aperçus qu'il leur manquait une montagne. Ils ont décidé d'en construire une de toutes pièces!

C'est ainsi que le Mont Blackstrap a vu le jour. Ce n'est pas un pic recouvert de neige, bien sûr, mais une simple petite montagne avec chute verticale de 100 mètres et une piste d'environ 350 mètres de long.

Nombreux sont ceux qui ont douté de la faisabilité d'un projet si audacieux. Certains prétendaient que tout cet amas de terre et de poussière s'écroulerait après

saskatoon
1971

When it was being proposed there were inevitably, all manner of theories. There were those who claimed that after a few good rainstorms, all that piled up dirt would silently melt back into the prairie floor, and the folks thereabouts would wake up one morning and discover… one mountain missing.

After the mountain was built they realized an urgent need for an instant forest to serve as a windbreak and as decoration. And so, the story went, they appealed to the citizenry to bring in their Christmas trees, and these were jammed into the snow and the need was filled.

Jeff Charlebois
President/Président

Then there is the myth, which grows year by year, that the whole core of the mountain consists of wrecked cars. There are those who say that trainloads of crushed wrecks were brought in from eastern Canada and the United States, and piled up to the required height and then buried with dirt.

Wrong, all wrong. Pure horsefeathers. Ed Sebastyen, who served on the executive committee for the Games in Saskatoon in 1971 and again in 1989, said all those reports are "just nonsense."

Pure Prairie Soil

P aul Machibroda, the engineer in charge of building the mountain, said there is nothing in the mountain but "pure, clean Saskatchewan soil."

Actually, Sebastyen said, there is a little more than that in the mountain. There is a pinch of soil from every province and territory in Canada.

"We asked every delegation coming to the Games to bring a soil sample from their home province, or territory, and they did, and we spread it on the mountain. So a little part of every province in Canada, and the Territories, went into it."

As for the mountain disappearing back into the prairies, that didn't happen either. There has been precious little erosion. But the mountain did "settle a bit."

As for the trees, that is just a small myth with just a smidgen of validity. They needed a windbreak and some decoration so they drove 4,000 pieces of four inch pipe into the surface and then they made an arrangement with a pulp and paper company doing some logging in the Prince Albert area. As they dropped the evergreens, they whipped off the tops and shipped them off to Blackstrap. These were then jammed into the pipes and presto! Windbreak.

"…a pinch of **soil** from *every province and territory* in Canada."

quelques bonnes averses, et qu'on se retrouverait un bon matin sans montagne.

Puis, une fois que la montagne eut percé le ciel de Saskatoon, on s'est rendu compte qu'on avait besoin d'une forêt comme coupe-vent et décoration. On a donc demandé aux citoyens d'apporter leurs arbres de Noël, qui furent fixés en place dans la neige et le tour était joué.

La rumeur veut toujours que le centre de la montagne ne soit qu'un amas de carcasses d'automobiles. Certains vous diront qu'on y a déchargé des trains entiers de voitures de l'Est du Canada et des États-Unis, et qu'on a ensuite recouvert le tout de terre.

C'est faux… ce sont de purs racontars. Ed Sebastyen, membre du Comité organisateur des Jeux de Saskatoon de 1971, puis de nouveau en 1989, affirme que c'est de la ‹foutaise›.

De la bonne terre des Prairies

P aul Machibroda, ingénieur chargé de construire la montagne, affirme qu'on n'y trouve que «de la bonne terre des Prairies».

En fait, ajoute Sebastyen, il y a plus encore. Il y a une poignée de terre de chaque province et territoire du Canada.

«Nous avons demandé à chaque délégation d'apporter un échantillon de terre de leur province ou territoire, que nous avons déversé sur la montagne. Il s'y trouve donc une infime partie de chaque province et des deux territoires.»

Les craintes de voir la montagne disparaître ne se sont jamais matérialisées. Il y a eu très peu d'érosion, mais la montagne s'est quand même «stabilisée quelque peu».

La question des arbres de Noël tenait plus du mythe que du réel, même s'il y avait un élément de vérité. Comme il fallait un coupe-vent et un genre de décoration, on a enfoui 4 000 pièces de tuyau de quatre pouces sous la surface. Ensuite, on a conclu une entente avec une compagnie de pâtes et papiers de la région de Prince-Albert. Les têtes d'arbres que la

compagnie laissait de côté étaient expédiées au Mont Blackstrap, où elles étaient insérées dans les tuyaux… et hop! Le coupe-vent était en place.

Le sénateur Sid Buckwold, maire de Saskatoon à l'époque, se souvient avoir créé des centres de dépôt d'arbres de Noël après les Fêtes. «Les citoyens ont bien répondu à notre appel. Les arbres étaient encore bien verts et nous en avons utilisé un grand nombre. Il suffisait de les insérer dans les tuyaux, de remplir les tuyaux d'eau, et les arbres gelaient solidement en place.»

La construction du Mont Blackstrap a débuté à l'automne de 1969, pour se terminer à l'été de 1970. Le coût total de

However, Senator Sid Buckwold, who was mayor of Saskatoon at the time, remembers setting up depots for the citizenry to drop their Christmas trees after New Year's and, he recalls, "we got a very good response, and the trees were still green so we used a lot of them too. We dropped the trunks into the pipes, and filled the pipes with water, and the trees froze into place."

They started building in the Fall of '69 and finished in the Summer of 1970, total cost, including snow-making, lifts, day lodge and everything else... about $600,000.

St. Moritz on the Prairie

Also, when they opened the mountain, they did it all up with bursting good humour and all the alpine trimmings. Some of them wore the Bavarian lederhosen, they had a gorgeous big St. Bernard dog romping about with the little barrel under his throat, an oompah band with some yodellers. St. Moritz on the lone prairie!

Indeed, there is growing interest in alpine skiing in Saskatchewan with a big development up near North Battleford, and one educated estimate put a figure of about $3 million on retail sales of ski equipment and clothing in Saskatoon this year.

Blackstrap Mountain, 39 kilometres from Saskatoon, has experienced a recent "levelling off" in the number of visitors because of developments in other parts of the province.

Lloyd Hedemann leases the mountain from the government and runs it as a public facility and after he closed his mountain this season, he did some number crunching to determine whether old Blackstrap was on a growth path.

It isn't, although it's alive and well. Just to demonstrate that, in the season of

«…une poignée de **terre** de *chaque province et territoire* du Canada.»

600 000 $ comprenait l'équipement à faire la neige, les monte-pentes, le centre d'accueil et le reste.

Le St-Moritz des Prairies

L'ouverture de la montagne s'est faite au coin de l'humour, marqué d'une touche alpine. Certains portaient les traditionnelles «lederhosen», culottes de cuir des Alpes, d'autres tenaient un Saint-Bernard en laisse, barillet au cou, au son d'une fanfare typique et des chants tyroliens. On se serait cru à Saint-Moritz… dans les Prairies.

En fait, la popularité du ski ne cesse de croître en Saskatchewan. Une grande installation à North Battleford, et les ventes d'équipements et de vêtements de ski ont presque atteint les 3 millions $ l'année dernière.

Le nombre de touristes au Mont Blackstrap, à 39 km de Saskatoon, a plafonné ces derniers temps, à cause des nombreux aménagements ailleurs dans la province. Lloyd Hedemann loue la montagne du gouvernement et l'exploite comme installation publique. À la fin de la dernière saison, il a fait une étude financière pour déterminer si la popularité du vieux Mont Blackstrap est toujours ascendante.

Elle ne l'est pas, mais il y a toujours de l'activité. Au cours de la saison 1972-1973,

alors que l'installation n'était ouverte que 28 heures par semaine, on a enregistré 24 000 visiteurs. En 1991-1992, alors que les pentes étaient ouvertes 68 heures par semaine, on a enregistré 32 000 visites, dont 12 000 leçons de ski par année.

Le Mont Blackstrap fut naturellement le point de repère des Jeux de 1971, à

Saskatoon même comme à travers le pays tout entier.

Ce monument peu ordinaire est devenu un symbole pour les gens de Saskatoon. Ils l'ont adopté et, lorsque des travaux d'embellissement ont été nécessaires, les bénévoles s'en sont chargés. On les a vu enlever des mauvaises herbes, ramasser des roches et

1972-73, with the area open just 28 hours a week, they enjoyed 24,000 visits for the winter. In the 1991-92 season, with the area open 68 hours a week, they had 32,000 visits, and that latter number includes 12,000 ski lessons a year.

Blackstrap Mountain also served as a focal point for the 1971 Games, in Saskatoon and right across the country.

This unlikely product of the 1971 Games became a symbol for the people of Saskatoon. They adopted it, and when the mountain needed grooming, the volunteers did it themselves. When the appeal went out, they answered in droves and were shaped into gangs to pull weeds, pick stones and other debris and generally present a fine, clean mountain face to the world. Saskatoon businessmen donated money to build a judges' tower for the ski jump and Machibroda said:

It was the People

"Without the help of the people, without all that interest and work, I know the mountain would never have been completed."

The mountain had become something of a pet for the people of Saskatoon, the world's biggest pet rock, and in that enormous Canadian spirit of "can do" which has carried the Games over any and all obstacles in all corners of the country over the past 25 years, they dug down and got it done with feelings of pride and just as important, with good humour. Indeed, to underscore their alpine pride in Blackstrap, they made the St. Bernard dog the official mascot of the '71 Games.

But, one mountain climbed, and a mountainous problem of another sort presented itself. Saskatoon had no place to house the athletes. They could have been scattered all over the city and surroundings in hotels and motels but that would have defeated the essential values of friendship and camaraderie fostered in athletes villages at games of all kinds.

Universities and schools were fully occupied by students. It was, after all, February, the heart of the school year.

Then one day Mayor Sid Buckwold was walking down the main drag and his fertile imagination recognized opportunity.

There, before him, was a closed up department store, a huge, four-storey building sitting in the heart of town. It occurred to him that converting a vacant old building into habitable quarters for an unprecedented number of athletes in Saskatoon might be a nutty idea. But, if you can build a mountain…

So he pressed on, approached the owners, the T. Eaton Company, and they not only agreed to lend the building free

autres débris pour présenter le plus beau visage possible à la face du monde. Les hommes d'affaires de Saskatoon ont contribué le nécessaire pour construire une tour pour les juges à l'installation de saut à skis, et Machibroda affirme :

C'est grâce aux bénévoles

«Nous n'aurions jamais pu ériger cette montagne sans l'enthousiasme et le travail des bénévoles.»

La montagne était devenue le sujet favori des gens de Saskatoon, la plus grosse montagne artificielle au monde. Ils l'ont construite avec ce bel esprit canadien de débrouillardise qui a fait sauter les obstacles qui ont jalonné la route des Jeux au cours des 25 dernières années, et avec quel sens de l'humour! En fait, pour souligner la fierté alpine envers le Mont Blackstrap, ils choisissaient le Saint-Bernard comme mascotte officielle des Jeux de 1971.

Mais si l'on avait triomphé d'un obstacle, un autre aux dimensions monumentales se posait. Saskatoon n'avait aucun endroit où loger les athlètes. On aurait pu toujours les héberger un peu partout dans les hôtels et motels de la ville et des environs, mais on aurait perdu cet esprit d'amitié et de camaraderie qui caractérise les Jeux.

Les universités et les écoles étaient occupées. C'était le mois de février, au coeur de l'année scolaire.

C'est alors que le maire Buckwold eut une idée formidable, un jour qu'il déambulait la rue principale.

Il y avait là, droit devant lui, un magasin à rayons désaffecté de quatre étages, au coeur même de la ville. S'arrêtant un instant pour bien y penser, il s'est dit que c'était peut-être idiot de transformer un ancien immeuble en quartiers convenables pour un nombre incalculable d'athlètes. Mais, on avait bien érigé une montagne…

Il communiqua donc avec les propriétaires, la T. Eaton Company, qui non seulement accepta de lui louer gratuitement l'ancien magasin, mais aussi de payer la note d'éclairage, de chauffage et d'eau. Ce projet téméraire devenait aussitôt faisable et Buckwold confia à une petite armée de bénévoles la tâche d'aller déterminer les travaux à accomplir.

Village «catalogue Eaton»

«Fred Eaton a fait preuve d'une grande réceptivité et d'une aussi grande générosité. Nous avons transporté une quantité énorme de tentes et de caravanes dont les gens ne se servaient pas. Nous avons ainsi aménagé des toilettes et

of charge, but also to cover the cost of light, heat and water. So all of a sudden, this off-the-wall scheme assumed substantial merit, and Buckwold sent in small armies of people to determine what had to be done to convert the old store into a suitable village.

Eaton's Catalogue Village

"I talked to Fred Eaton and he was very receptive to the idea, and very generous. We brought in a lot of tents, and trailers that people weren't using at the time, and set up lavatory facilities and so on, and we had the athletes village right in the centre of town. And the kids liked that. And, it was good for business in town.

"We had a lunch counter in there but the athletes ate a couple of blocks away at the Centennial Auditorium and it worked out very well."

The women occupied the first floor, formerly the novelties department. The men were on the second and third floors where once had been the furnishings and notions departments, and the bargain basement was turned into a recreation centre with lounge areas, TV rooms, pinball games, music centres and so on. It was not luxurious accommodation by any stretch but it was adequate, warm and dry, and borne on the wings of imagina-

un village au centre-ville même. Les jeunes étaient épatés... sans oublier les magasins des alentours.

«Il y avait aussi un casse-croûte, mais les athlètes prenaient leurs repas à quelques pas de là, au Centennial Auditorium. Tout a fonctionné à merveille», dit Buckwold.

Les femmes occupaient le premier étage, auparavant le rayon des menus objets. Les gars étaient installés aux deuxième et troisième étages, autrefois les rayons des accessoires et des menus objets, tandis que le sous-sol aux aubaines était transformé en centre récréatif avec salons, salles de télévision, jeux de boules, salons de musique et ainsi de suite. Il n'y avait rien de luxueux, mais c'était convenable, bien chauffé et il y régnait un bel esprit de camaraderie qu'on retrouve dans les endroits de camping.

Voici que tout était prêt, à temps. Puis, les Jeux approchant, le mercure se mit à plonger et un froid si brutal s'empara des Prairies que toute activité extérieure était devenue presque impossible.

Une température d'environ -35° Celsius semblait vouloir s'installer en permanence à Saskatoon.

Speed Skater
1980/1984: Multiple
Olympic Medal Winner

Patineur de vitesse
1980/1984 : Médaillé
olympique multiple

"The Canada Games were a very interesting experience for me. I was 12 years old at the time and I had to meet skaters ranging from 14 up to 18 years old. This enabled me to see the training needed and the work to be done in order to succeed... it gave me an overview of what it would be like to participate in the Olympic Games... the Canada Games permitted me to continue to have a lot of determination and to dream that I'd participate at the Olympic Games."

«Pour moi, les Jeux du Canada ont été une expérience très interressante. J'avais 12 ans à l'époque et je devais affronter des patineurs de 14 à 18 ans, et ça m'a permis de voir tout l'entraînement nécessaire et le chemin à parcourir pour pouvoir réussir... ça donne un aperçu de ce que peut être la participation aux Jeux Olympiques, et ça nous fait rêver. Alors ça m'a permis de continuer à avoir beaucoup de détermination et rêver de pouvoir un jour participer aux Jeux Olympiques.»

Entrevue : Gaétan Boucher

tion, and when the athletes entered into the camping spirit, that vital ingredient of camaraderie in the improvised village was instantaneous.

They got it all done, and on time and then, as the Games approached, temperatures dropped and the prairies were fastened into such a brutal cold snap that outdoor activity was virtually impossible.

For days, the temperature remained around minus 35 degrees Celsius.

Great Chief Intervenes

It was a week before the Games, no letup in sight, and someone mentioned that back in 1957, after three months of devastating drought, a Sioux Indian chief had performed a rain ritual. Chief Littlecrow, an 81-year-old patriarch, had proclaimed that rain would come at a particular hour on a particular day. And it did. So the old Indian Chief was asked to work his magic again, and he did, and then announced:

"All the young competitors will have splendid weather with just the right amount of snow for the mountain."

Those who were there claim that even as he spoke, a gentle zephyr slipped through the deathly frost, just for an instant. But it was the precursor of a blessed chinook that wafted out of the west that very day and the deep freeze relented. Chief Littlecrow had come through again, and on a calm, mild evening, more than 10,000 came out for the opening ceremonies at Exhibition Stadium.

More than 1,000 athletes paraded into the stadium, led by the team from Quebec, and they gathered in front of a large platform on which stood Prime Minister Trudeau, Health and Welfare Minister John Munro, Saskatchewan Premier Ross Thatcher, former Prime Minister John Diefenbaker, the Member from Prince Albert; Mayor Sid Buckwold, and Games President Jeff Charlebois, among others.

Bands blared, fireworks lit the prairie sky, and the show was on. Prime Minister Trudeau hauled up the Games flag, the athletes' oath was recited in English by Saskatchewan fencer Linda Boxall and in French by Quebec basketball player Alain Champoux and then the thousands roared as Diane Jones entered the stadium with the torch, jogged up to the stand and carefully climbed the paper mache replica of Mount Blackstrap to light the Games torch.

Jones was Saskatchewan's only gold medallist in the Halifax-Dartmouth Canada Games and her final sprint into the stadium ended a 3,850 kilometre

Le Grand Chef intervient

Les Jeux devaient commencer dans une semaine. Quelqu'un se rappela qu'après une sécheresse abominable de trois mois en 1957, un chef Sioux avait exécuté la danse de la pluie. Ce patriarche de 81 ans, le chef Littlecrow, avait prédit qu'il pleuvrait à telle heure un certain jour… et sa prédiction se réalisa. C'est donc à sa magie qu'on eut de nouveau recours pour demander que le temps s'adoucisse. Il s'y plia de bonne grâce et annonça :

«Les jeunes athlètes auront une température favorable et suffisamment de neige pour recouvrir la montagne.»

Les personnes qui étaient là vous diront qu'au moment même où il prononçait ces paroles solennelles, un doux zéphyr souffla l'espace d'un instant. Ce n'était que le précurseur d'un heureux chinook sorti de l'Ouest ce jour même, et un temps plus doux s'installa dans la région. Le chef Littlecrow avait tenu promesse encore une fois, et c'est par une température douce et agréable que 10 000 personnes se rendirent au Exhibition Stadium pour la cérémonie d'ouverture.

Plus de 1 000 athlètes firent leur entrée dans le stade, le Québec en tête, pour venir prendre place devant l'estrade occupée par le Premier ministre Trudeau, le ministre John Munro de Santé et Bien-être, le premier ministre Ross Thatcher de la Saskatchewan, l'ancien Premier ministre Diefenbaker, député de Prince-Albert, le maire Sid Buckwold, le président Jeff Charlebois du Comité organisateur… et d'autres encore.

Après un enlevant spectacle de musique et de danses, suivi d'un feu d'artifice, le Premier ministre Trudeau hissa le drapeau des Jeux et le serment de l'athlète fut prononcé en français par le basketballeur Alain Champoux, du Québec, et en anglais par l'escrimeuse Linda Boxall de la Saskatchewan. La foule se leva avec enthousiasme lorsque Diane Jones arriva au pas de course à l'estrade, portant le flambeau bien haut. Elle escala-

da avec soin la réplique en papier mâché du Mont Blackstrap pour allumer la flamme des Jeux.

Diane avait été la seule médaillée d'or de la Saskatchewan aux Jeux du Canada d'Halifax-Dartmouth en 1969. Son sprint final mettait fin au trajet de 3 850 km que le flambeau avait parcouru, de la Colline parlementaire jusqu'à Saskatoon, en autoneige. Il s'agit certainement d'un des plus longs périples en autoneige jamais complétés au Canada.

La surface glacée au Gordon Howe Park était en superbe état. Il convenait donc que la première médaille d'or soit gagnée sur le nouvel anneau de patinage de vitesse par Cathy Priestner, du

journey for the flame, from Parliament Hill to Saskatoon, by snowmobile, surely the longest snowmobile trek in Canadian history.

The outdoor ice at Gordon Howe Park was perfect, and so it was entirely appropriate that the first gold medal of the Games was won on the new oval, by Manitoba's Cathy Priestner in the 400 metre race.

Cathy was just 14 then, but destined for international stardom, and in 1976, in the Olympics in Austria, she skated to a silver medal.

Athans Takes First

British Columbia's Greg Athans won the first gold medal on Blackstrap Mountain. Athans took gold in the individual slalom, and a couple of years later, at the Summer Games in his home province (competing in water-skiing), he was to make history by becoming the first athlete to win gold in both winter and summer competition.

With the novelty of the new mountain, alpine skiing proved to be the biggest draw of the Games. Hockey was second in attendance, and close to 35,000 fans packed two arenas to watch the action.

Ontario went through the tournament undefeated to win the gold. Ontario was represented in hockey by the Peterborough Lions, a Tier Two junior team, led by Bob Gainey and Jimmy Jones. Both went on to star in the National Hockey League, Jones with the Toronto Maple Leafs and Gainey, of course, with the Montreal Canadiens where he became part of Stanley Cup lore. He is now coach of the Minnesota North Stars in the NHL.

At this early point in Games history, Ontario athletes were still dominant and in Saskatoon they won their second straight Winter Games flag.

But a new award, designed to promote the Canada Games philosophy of maximum participation by all teams, was up for the first time in Saskatoon. The Centennial Cup was set up to be awarded to the team showing the greatest improvement over the last Games of that season, so for Saskatoon, the results were compared to results from the Winter Games in Quebec in 1967.

The first winners of the Centennial Cup were Prince Edward Island, who had accumulated 28 points in Quebec and then 74 in Saskatoon.

The first budget for these Games called for $1.5 million. The Federal

---

Manitoba, dans la course de 400 m.

Cathy n'avait alors que 14 ans, mais la gloire internationale l'attendait. Aux Olympiques de 1976 en Autriche, elle devait se mériter une médaille d'argent.

La première médaille à Athans

La première médaille gagnée sur le Mont Blackstrap devait aller à Greg Athans, de la Colombie-Britannique. Athans remporta d'abord l'or au slalom. Quelques années plus tard, aux Jeux d'été dans sa propre province, (participant en ski nautique) son nom passerait à l'histoire comme le premier athlète à gagner

Official Mascot: St.Bernard
Mascotte officielle : Saint-Bernard

une médaille d'or aux Jeux d'hiver et aux Jeux d'été.

Grâce à l'attraction de la nouvelle montagne, c'est le ski alpin qui attira les plus grandes foules des Jeux. Le hockey fut deuxième en importance, près de 35 000 personnes ayant rempli les deux arénas pour suivre les compétitions.

L'Ontario compléta le tournoi sans défaite pour se mériter l'or. La province était représentée par les Lions de Peterborough, équipe junior de niveau 2, où brillaient Bob Gainey et Jimmy Jones. Gainey poursuivit sa carrière au hockey avec les Canadiens de Montréal et a fait partie de plusieurs équipes victorieuses de la Coupe Stanley. Il est maintenant

entraîneur des North Stars du Minnesota dans la Ligue nationale. Jones, de son côté, devait passer aux Maple Leafs de Toronto.

À cette époque des Jeux du Canada, les athlètes de l'Ontario régnaient en maîtres, et ils devaient remporter leur deuxième drapeau consécutif des Jeux d'hiver.

Par ailleurs, un nouveau prix était disputé pour la première fois à Saskatoon, dans le but de promouvoir la philosophie de participation maximale aux Jeux du Canada. La Coupe du Centenaire serait accordée à l'équipe ayant affiché la plus grande amélioration aux derniers Jeux de la même saison. Ainsi, en ce qui a trait aux Jeux de Saskatoon, les résultats

Government contributed $1,101,393, and that figure included all operating costs. The province and the City of Saskatoon kicked in $400,000. Friends of the Games put in close to $400,000 in goods and services, and another $71,000 in cash, and also helped set up the first lottery associated with the Games, the Lucky Dog Lottery, named for the Games mascot, a magnificent St. Bernard.

It was that wrinkle which got them home and dry with a profit. The lottery netted about $300,000.

And then it was over. Time to put out the flame and go home. Again, Governor General Roland Michener struck the per-

Flag Points
Points-drapeau

	Total Points
Ontario	253
British Columbia/ Colombie-Britannique	235
Québec	210.5
Alberta	203

1 9 7 1

fect chord in his closing remarks. He said:

"We came together as rivals, but we now have a pervading feeling of being Canadians. We are one family."

The Kiwanis Concert Band of Saskatoon, and the rousing music of the Pipes and Drums of the North Saskatchewan Regiment, filled the Saskatoon Arena, the athletes paraded for the last time, the bands played Auld Lang Syne, and the great prairie adventure was over.

But never forgotten… not after what the people of Saskatchewan had done to stage these 1971 Canada Winter Games. And not as long as Blackstrap stands.

"We came together as rivals, but we now have a pervading feeling of being Canadians. We are one family."

Roland Michener

seraient comparés à ceux des Jeux d'hiver de 1967 à Québec.

C'est l'équipe de l'Île-du-Prince-Édouard qui a remporté la première Coupe du Centenaire, enregistrant 74 points contre les 28 qu'elle avait réussis à Québec.

Le budget des Jeux avait été fixé à 1,5 million $. Le fédéral contribua 1 101 393 $, y compris tous les frais d'exploitation. Pour leur part, la province et la ville de Saskatoon contribuaient chacune 400 000 $. Les Amis des Jeux réussirent à recueillir des produits et services d'une valeur de 400 000 $ environ, plus 71 000 $ en argent, en plus d'aider à créer la première loterie associée aux

Jeux, la Lucky Dog Lottery, en l'honneur de la mascotte des Jeux.

C'est cette dernière innovation qui permit aux organisateurs de réaliser un profit, grâce à des recettes de 300 000 $.

Le temps était venu d'éteindre la flamme et de retourner chacun chez soi. C'est encore le Gouverneur général Michener qui devait trouver le mot juste à la cérémonie de clôture:

«Nous sommes venus ici en rivaux, mais c'est le sentiment d'être avant tout des Canadiens qui s'est emparé de nous. Nous ne formons qu'une seule et grande famille.»

Les athlètes défilèrent une dernière fois dans le Saskatoon Arena, qui résonnait de la musique du Kiwanis Concert Band de Saskatoon et des cornemuses et tambours du North Saskatchewan Regiment. Cette aventure dans les Prairies se terminait au son du traditionnel «Auld Lang Syne» …Ce n'est qu'un au revoir.

Oui, un événement mémorable… digne des efforts louables de la population de la Saskatchewan dans la préparation des Jeux d'hiver du Canada de 1971. Et puis, il y a toujours le Mont Blackstrap pour nous ramener dans le temps!

«Nous sommes venus ici en rivaux, mais c'est le sentiment d'être avant tout des Canadiens qui s'est emparé de nous. Nous ne formons qu'une seule et grande famille.»

Roland Michener

1973

New Westminster-Burnaby, British Columbia

New Westminster-Burnaby (Colombie-Britannique)

August 3-12 août, 1973

4

T here is an old yarn about a trapper up in the Kootenays who had left his tiny cabin in the charge of his new bride and hiked away to the nearest settlement, something more than 70 kilometres away, to fetch a set of windows for the hand-hewn marital home.

During his absence, the bride's sister and her husband, fresh out from Scotland, were dropped off at the cabin by a passing caravan. Presently, the trapper appeared

New Westminster-Burnaby

C onnaissez-vous la légende du trappeur de la région des Kootenays qui avait laissé sa jeune épouse en charge de leur petite cabine, pendant qu'il faisait à pied le trajet vers le village le plus rapproché, à quelque 70 km de distance, pour y acheter des fenêtres pour la maisonnette qu'il avait construite de ses propres mains?

Pendant son absence, une caravane déposait devant la cabine sa belle-soeur et son mari, frais arrivés d'Écosse. Quelques instants plus tard, le trappeur s'amenait sur le sentier, avançant laborieusement sous le poids des fenêtres attachées à son dos.

«C'est incroyable, dit l'Écossais fraîchement arrivé, les yeux écarquillés d'éton-

on the trail, plodding laboriously under the stack of windows lashed to his back.

"Remarkable," the newly-arrived Scot said, round-eyed in wonder. "I can see one has to be tough to live here."

"Well," the trapper replied, carefully setting down his burden, and in the understatement of frontier people: "I don't know as I'd go as far as to say that. But I'd allow determined and resourceful, at least."

And that has been the history of the Canada Games, dealing with the vagaries of vicious weather in Quebec, moving an island from Lake Banook in Dartmouth and building a mountain in Saskatoon.

The extraordinary trials were to continue in the 1973 Summer Games in New Westminster-Burnaby. It seemed there always had to be that touch of the bizarre to bring out the special flavour of Canadian "can do."

Lily of a Problem

T his time, the spice for the whole monumental effort was provided by water lilies. That's right, water lilies, those beautiful blossoms that thrive in tranquil water and lend such a reassuring

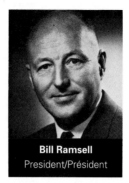

Bill Ramsell
President/Président

air of beauty and serenity to placid scenes from coast to coast.

Beautiful, that is, unless they grow in such profusion as to strangle a lake. And then again, reassuring, if you don't have to remove them by the thousands and discover, in brutal hand-to-hand combat, the terrible tenacity behind that deceptive allure.

Which was precisely the case in Burnaby Lake, choked to near-suffocation

by lilies and weeds, and set down in the plans as the site for paddling and rowing.

Burnaby Lake is situated at just about the middle of the city, and is fed by urban runoff from a creek.

Dredging out a satisfactory channel was not to be a routine chore. The lake has a silt and peat bottom, really a mush with no end to it and Neil Dockendors, superintendent of community recreation in Burnaby, recently recalled hearing a story which nicely demonstrates the bottomless pit.

A train engine, one of the full-sized locomotive behemoths, somehow tum-

"the *finest* rowing course in the western **hemisphere**... "

nement. Je vois qu'il faut avoir de la résistance pour vivre ici.»

«Peut-être bien», dit le trappeur, en déposant son lourd fardeau avec soin. Puis, avec cette humilité traditionnelle des pionniers: «Oh, n'exagérons pas, ajouta-t-il, je dirais qu'il faut être ingénieux et déterminé.»

Cette anecdote décrit bien l'histoire des Jeux du Canada, où il a fallu affronter les pires intempéries de l'hiver à Québec, faire disparaître une île dans le Lac Banook pour aménager les couloirs de canotage et d'aviron, et ériger une montagne à Saskatoon.

Il semble qu'il faut toujours qu'il y ait un élément bizarre, pour faire ressortir l'ingéniosité caractéristique des Canadiens. Cette fois, ce sont des nénuphars qui ont causé des ennuis. Oui, vous avez bien lu… de simples nénuphars, ces ravissantes fleurs qui ont pour habitat les eaux tranquilles et qui donnent une touche de beauté et de sérénité aux paysages bucoliques.

Ravissantes, en effet, à moins bien entendu qu'elles ne poussent en telle profusion qu'elles en viennent à étouffer un lac.

C'était précisément le cas du Lac Burnaby, couvert par des nénuphars et

des herbages au point d'en suffoquer. Ce lac figurait dans les plans du Comité comme site des compétitions de canotage et d'aviron.

Creuser un chenal de largeur appropriée ne serait pas une tâche routinière. Le fond du lac est vaseux et marécageux, une véritable fange sans fond. Neil Dockendors, surintendant des loisirs communautaires à Burnaby, nous racontait récemment cette anecdote qui décrit très bien cet abîme sans fond.

Il arriva un jour qu'une grosse locomotive roula accidentellement dans le lac, où elle resta pendant un moment assise dans le fond, les deux tiers émergé au-

dessus de la surface. Avant qu'on ne trouve l'équipement nécessaire pour la tirer de sa fâcheuse position, l'immense engin avait disparu sous l'eau et on estime qu'il se trouve aujourd'hui à environ 10 mètres de profondeur dans la vase. On sait qu'il y a de 15 à 20 mètres de limon et de vase marécageuse à cet endroit.

Le lac a approximativement 2 500 mètres de long, sur une largeur de 200 mètres environ. Une fois le creusage du chenal terminé, la revue Sports Illustrated écrivait qu'il s'agissait de «la meilleure installation d'aviron de tout l'hémisphère occidental.»

bled into the lake and for a short time, was sitting on bottom with fully two thirds of it showing above the surface. Before they could organize the equipment to get it out of there, the huge thing disappeared and is now thought to be about 10 metres down in the silt and sediment. It is known that the depth of this mush of silt and peat runs anywhere from 15 to 20 metres and, oldtimers suspect, likely a lot more.

The lake is about 2,500 metres long and maybe 200 metres wide and when the dredging job was finished, Sports Illustrated magazine called it "the finest rowing course in the western hemisphere."

Courses Need Attention

But alas, no more. The lake has silted up again, and the course is down now to two good lanes, three questionable, with three others lost. The water lilies have re-asserted their claim too, and while the facility still is used as the winter training quarters for Canada's national team, and is still in daily use for training year around, it is no longer suitable for holding meets.

"There has been a lot of discussion about it," Dockendors said," and everyone agrees it should be dredged. But it is costly and certainly the community can't afford it without help.

"The last time, they hauled out some of the material and let it dry. And, they flushed some of it."

They sure did. They had this huge machine which was like a suction pump and a chopper at the same time, so they mulched the material as well as they could and flushed it into the sewer system. But the debris from the lake bottom was heavy, coarse vegetation. It plugged the sewers and proved immovable by ordinary methods.

So the contractor had to plant charges in these sodden plugs and dynamite, and one report told of a Burnaby resident who was admiring his front lawn when he was startled by a great blast. According to reports, the sewer lid soared through the air, followed by a veritable geyser of ripe slop, covering the resident and his lawn.

As a consequence of the unforeseen developments, the dredging cost more than expected and the contractor and the city got into post-Games litigation before everything was sorted out.

All that difficulty behind, though, the oarsmen said it was a lovely course.

Then there was the knotty problem of setting up an athletes' village, an exercise that has stretched the imaginations of so many Games' officials. Originally, the plan called for the athletes to stay in quarters

«la *meilleure* installation d'aviron de tout **l'hémisphère** occidental...» Sports Illustrated

Attention

Hélas, ce n'est plus le cas. Le chenal s'est rempli de nouveau de vase; il ne reste plus que deux couloirs praticables, trois sont médiocres, tandis que trois autres ne sont plus utilisables. Les nénuphars ont réaffirmé leur droit de propriété et, bien que l'installation soit toujours le centre d'entraînement d'hiver de l'équipe nationale du Canada et qu'elle serve quotidiennement aux fins d'entraînement, elle n'est plus utilisable aux fins de compétition.

On a bien tenté de se débarrasser des herbages, mais avec quel résultat! On a eu recours à une immense machine qui agissait à la fois comme pompe à succion et broyeur. On a haché aussi finement que possible ce qu'elle sortait du lac, pour ensuite le déverser dans le réseau d'égouts municipaux. Cependant, il semble que l'entrepreneur chargé de faire le travail n'avait pas été prévenu que les pompes du réseau d'égouts s'immobilisaient de minuit jusqu'au lever du jour, et les égouts se sont bloqués.

L'entrepreneur décida de placer des charges de dynamite dans les accumulations d'herbages et de vase. Un résidant de Burnaby prenait ses aises devant sa résidence lorsqu'une forte explosion vint le tirer de sa rêverie. On rapporte que le couvercle de la bouche d'égout vola dans les airs, suivi d'une véritable éruption de vase qui vint arroser tout le parterre et le résidant ébahi.

Quoi qu'il en soit, les rameurs affirmèrent qu'il s'agissait d'une superbe installation.

Il y eut ensuite l'épineux problème posé par l'aménagement du Village des athlètes, un projet qui a taxé l'imagination de tant d'organisateurs des Jeux. À l'origine, on avait songé à installer les athlètes à l'Université de la Colombie-Britannique, à quelque 50 kilomètres des lieux de compétition.

«C'est beaucoup trop loin», dit Denny Veitch, ancien directeur général des Lions de la Colombie-Britannique de la Ligue canadienne de football, au moment où il était embauché comme directeur exécutif des Jeux. «Nous aurions perdu ce caractère spécial d'intimité en optant pour l'U.C.-B.»

Il préférait que les athlètes soient à proximité de tout, de sorte qu'ils puissent se promener en ville dans leurs uniformes, rencontrer les résidants et créer une certaine atmosphère.

Encore une fois, on trouva la réponse grâce au compromis et à la créativité. L'école secondaire New Westminster était

at the University of British Columbia, about 50 kilometres from the competition sites.

That was too far away to promote that special Games feeling which attends athletes' villages and again, an answer was found in compromise and creativity. New Westminster Secondary School was big enough, close enough, and available, but required imaginative conversion

Walled Off

First of all, the females had to be quartered apart from the males, and that required a formidable barricade, especially when one remembers that the inhabitants were all young, healthy, extremely agile and possessed of all the resourcefulness of first quality athletes.

Officials built a wall of furniture, chairs and desks, from floor to ceiling, and then they had 40 security people patrolling around the clock. Games President Bill Ramsell recalled that the boys even tried the old tied-together-blankets trick to descend from one floor to the next by the windows, but he said:

"It was never anything serious. It was more to see if they could beat the system than anything else."

Besides the rowing course and the accommodation, however, there were other major projects to be accomplished. A new pool complex, at a cost of $1.2 million, was being built in New Westminster.

Around the two cities, they built new tennis courts, renovated stadiums in both cities, and upgraded facilities for softball and baseball, lawn bowling and field hockey. The attractive physical assets left behind have contributed significantly to the quality of life in both cities.

The Games cost almost $4 million, and the Federal government kicked in $1.4 million of that. The province and both municipalities dug deep, but months before the Games were to open, members of the executive committee studied their numbers and saw a deficit. Games treasurer Ken Maddison informed them that another $250,000 was needed.

The result was the first Canada Games lottery, and the first major lottery of any kind in British Columbia. And, the net proceeds of that promotion reached almost a quarter of a million.

Those additional revenues, along with funds raised by the Friends of the Games, and gate receipts in excess of budget, resulted in a Games profit of $96,000, and while Bill Ramsell admitted they had to bend to their oars to get it all done, in the end when they read the bottom line, written in black, "we were well pleased."

suffisamment spacieuse, assez rapprochée et disponible, mais il faudrait faire preuve d'imagination dans la conversion.

Une barricade

Il fallait d'abord que les quartiers des athlètes féminines soient séparés de ceux des athlètes masculins, ce qui exigerait une barricade imposante, surtout si l'on tient compte qu'on avait affaire à de jeunes personnes agiles et en santé, possédant toute l'astuce d'athlètes d'élite.

Les organisateurs aménagèrent donc un mur de meubles, de chaises et de pupitres, du plancher au plafond, patrouillé 24 heures par jour par 40 préposés à la sécurité. Bill Ramsell, président du Comité organisateur, se rappelle que les garçons tentèrent même de descendre d'un étage à l'autre par les fenêtres, à l'aide de draps attachés les uns aux autres. Il ajoute cependant :

«Il n'y avait rien de sérieux dans tout cela. Ils voulaient simplement triompher du système.»

En plus de l'aménagement du site des compétitions de canotage et d'aviron, ajouté au problème de l'hébergement, il fallait aussi compléter d'autres projets majeurs. Un nouveau centre aquatique de 1,2 million $ était en voie de construction à New Westminster.

Les Jeux ont coûté près de 4 millions $. La contribution fédérale étant de 1,4 million $, la province et les deux municipalités ont puisé profondément dans leurs ressources et, plusieurs mois avant l'ouverture des Jeux, les membres du comité exécutif se sont rendu compte qu'ils essuieraient, tout compte fait, un déficit. Le trésorier Ken Maddison annonça qu'il leur fallait recueillir un montant de 250 000 $.

Il en résulta la première Loterie des Jeux du Canada, qui fut la première grande loterie de la Colombie-Britannique. Les recettes nettes de cette initiative atteignirent presque le quart de million nécessaire. En outre, le Comité exécutif créa un autre comité chargé de solliciter les entreprises pour des dons en espèces. Ce nouveau comité approcha également le secteur privé pour des dons en produits et services, au lieu d'espèces. Ces revenus additionnels, de même que les dons recueillis par les Amis des Jeux ajoutés aux recettes des billets, produisirent un profit de 96 000 $. Bill Ramsell avoua qu'il avait bien fallu tordre quelques bras mais, voyant le total accumulé en bas de page, «nous étions tous ravis.»

And when opening day, August 3, 1973 arrived, everything was set. The Beefeaters Band provided the musical background while more than 600 performers, including parachutists dropping into the stadium, entertained the crowd for more than an hour.

In the finale, when Health and Welfare Minister Marc Lalonde declared the Games open, three jets flying "right on the deck" streaked the length of the stadium.

B.C. Premier Dave Barrett spoke with a special feeling because his 17-year-old son Joe was a member of the B.C. cycling team. The premier, in concluding his remarks, told the athletes:

"Give it all you've got because that's what makes our nation stronger."

Coast to Coast

There was, too, a special quality added to the opening ceremonies by two endurance athletes who had trekked right across the country to publicize the event. Joe MacPhee was a 26-year-old Haligonian, a YMCA employee who had been particularly impressed by the first Summer Games in Halifax in '69. He set out to walk to the B.C. Games with a couple of purposes in mind: 1) to publicize the Games and 2) to show that

Tout était prêt pour le lever de rideau le 3 août 1973, jour d'ouverture des Jeux d'été du Canada de 1973. La partie musicale avait été confiée à la fanfare des Beefeaters, tandis que la foule était divertie pendant plus d'une heure par plus de 600 figurants, dont des parachutistes qui vinrent poser pied à terre devant le stade.

En guise de finale, alors que le ministre Marc Lalonde de Santé et Bien-être social déclarait les Jeux officiellement ouverts, trois réacteurs ont survolé le terrain en «rase-mottes».

Le Premier ministre Dave Barrett de la Colombie-Britannique était particulièrement intéressé parce que son fils Joe, âgé

de 17 ans, était membre de l'équipe cycliste provinciale. En mettant fin à son mot d'ouverture, Barrett lança cette invitation aux athlètes :

«Donnez le meilleur de vous-mêmes; c'est ce qui assure la force de notre pays!»

D'un océan à l'autre

Deux athlètes d'endurance vinrent ajouter une note spéciale aux cérémonies d'ouverture, après avoir parcouru l'étendue du pays pour faire connaître les Jeux. Joe MacPhee, 26 ans, employé du YMCA d'Halifax, avait été très impressionné par les premiers Jeux d'été du

anyone who could walk, could walk across Canada.

MacPhee left Halifax on April 6. Clyde McRae, a 22-year-old Vancouver ski pro, left Halifax almost a month later, on May 1. MacPhee was troubled by foot blisters and wound up in the hospital for a few days, and near Regina, McRae caught up. MacPhee said later, "I don't think I could have made it without him," and they finished together.

The Canada Games flame had been passed from Prime Minister Trudeau to international track star Glenda Reiser in early June, and the flame was to travel to

Newfoundland and then back across the country to New Westminster-Burnaby, visiting 150 communities along the way before it was carried into the stadium by Harry Haley, a 17-year-old B.C. sprinter.

But with all of that, the best was yet to come for the host athletes and fans. The Games flag, emblematic of the overall title, had always gone to Ontario. Now, on their home turf, the B.C. team announced that they were gunning for the flag.

B.C.'s Steve Pickell led the charge at the pool with five gold medals and his swim team partner, Michael Kerr, won four gold. But the Ontario team won the

Canada de 1969 à Halifax. Il entreprit de se rendre à pied aux Jeux de 1973 pour deux raisons: faire de la publicité pour les Jeux, et «démontrer que toute personne capable de marcher peut traverser le Canada.»

MacPhee avait quitté Halifax le 6 avril. Un mois plus tard, le 1er mai, c'était au tour de Clyde McRae, 22 ans, instructeur professionnel de ski de Vancouver, de quitter Halifax. Son but état de rattraper MacPhee et d'établir un record canadien. MacPhee fut ennuyé par des ampoules aux pieds, tandis que McRae gagnait sur lui. Il devait le rattraper près de Régina et, tout en admettant qu'il fut d'abord désap-

pointé, MacPhee avoua que McRae devint une source d'inspiration, et qu'il «n'aurait pu réaliser l'exploit sans sa présence à ses côtés.»

Le Premier ministre Trudeau avait remis le flambeau des Jeux à l'étoile internationale d'athlétisme, Glenda Reiser, au début de juin et la flamme devait se rendre d'abord à Terre-Neuve, pour revenir ensuite à travers le pays jusqu'à New Westminster-Burnaby, s'arrêtant dans 150 villes et villages en cours de route et parcourant plus de 18 000 kilomètres avant d'être transportée à bout de bras dans le stade par Harry Hayley, sprinter de 17 ans de la province hôte. C'est la

swim meet, Gail Amundrud winning four golds and the strong Ontario team contributing in all events to win.

B.C., though, took the diving. Teri York, a 17-year-old Simon Fraser University student, won the gold on the one metre board and another Simon Fraser student, Rick Friesen, won both the one and three metre board titles.

In water skiing, at Deer Lake, British Columbia had an exceptional team, led by Greg Athans, of Kelowna. Athans had won gold for B.C. in the Winter Games in Saskatoon on Blackstrap Mountain, finishing first in slalom.

Here he was trying to become the first athlete to win gold in winter and summer Games, and he pulled off the feat by winning the tricks.

Down to the Wire

S o it was a battle, day by day, and coming to the closing events, British Columbia was in position to win it all if they continued to do well in track and field.

The park was jammed to the gunwales for every event, and the fans were rewarded with rivetting competition. B.C. sprinter Jean Sparling won gold medals in the 100 metre race and the 100 metre hurdles,

nageuse Josie Loerich de la Colombie-Britannique qui a récité en anglais et en français le serment de l'athlète.

Le Drapeau des Jeux, symbole de la suprématie générale, avait toujours été remporté par l'Ontario, alors que la Colombie-Britannique terminait toujours en deuxième place. Cette fois, elle se promettait bien que le drapeau leur appartiendrait au terme des Jeux.

Steve Pickell mena la charge pour la C.-B. dans la piscine, avec cinq médailles d'or, alors que son coéquipier Michael Kerr touchait l'or à quatre reprises. Cependant, l'équipe ontarienne devait remporter les honneurs; Gail Amundrud

gagnait quatre médailles d'or, alors que les autres membres de l'équipe ontarienne la secondaient admirablement.

La Colombie-Britannique se reprenait en remportant les honneurs au plongeon. Teri York, 17 ans, remportait la médaille d'or au tremplin d'un mètre, tandis qu'un autre étudiant de Simon Fraser, Rick Friesen, s'accaparait le titre aux tremplins d'un et de trois mètres.

Au ski nautique à Deer Lake, la Colombie-Britannique comptait sur une équipe formidable dirigée par Greg Athans de Kelowna. Athans avait remporté la médaille d'or au ski pour sa province sur le Mont Blackstrap aux Jeux

Interview: Greg Joy

High Jump
1973 Gold Medalist

Saut en hauteur
1973 Médaille d'or

… it was the first time I competed in a multi-sport event. It really opened my eyes to the other sports and the other athletes. It brings you up to that certain level that just competing in your own sport really doesn't do.

It was quite an experience and I was very proud and pleased to compete in the Canada Games and be as successful as I was.

… c'était la première fois que je participais à un événement multisportif. Ça m'a donné accès aux autres sports et athlètes. J'ai accédé à un certain niveau que je n'aurais pas atteint en pratiquant simplement mon propre sport. C'était une expérience valable et j'étais très fier et content de participer au Jeux du Canada et d'y remporter autant de succès.

Entrevue : Greg Joy

d'hiver de Saskatoon, arrivant premier au slalom. Il voulait être le premier athlète à gagner des médailles d'or aux Jeux d'été et aux Jeux d'hiver.

Au saut à skis, Eric Bagnall du Québec a eu le dessus sur Athans. Au slalom, c'est un autre skieur de la C.-B., Doug Ashley, qui a gagné la médaille d'or, bien qu'il n'ait jamais réussi à vaincre Athans auparavant. Bagnall remporta la médaille d'argent pour ajouter à sa médaille d'or gagnée au saut, tandis qu'Athans se contentait du bronze. Il ne restait plus qu'une chance à Athans… aux figures. Il remporta la palme avec grande facilité.

La course pour le Drapeau

Les estrades étaient pleines à craquer pour chaque compétition et les spectateurs en avaient pour leur argent. La sprinter Jean Sparling de la Colombie-Britannique se mérita des médailles au 100 mètres et au 100 mètres haies, pour ajouter à sa victoire au 200 mètres haies et à sa médaille d'argent au relais 4 x 100 m.

Greg Joy, qui devait plus tard laisser sa marque indélébile aux Jeux olympiques de 1976 à Montréal, établit un record juvénile canadien avec son saut en hauteur de 2,09 m, remportant du fait même une médaille d'or pour sa province.

Dans ce dernier assaut pour le Drapeau des Jeux, Phil Olsen établit un autre record juvénile canadien en lançant le javelot 71,6 mètres, soit neuf mètres de plus que son plus proche rival. Plus de 30 vétérans des Jeux de 1973 allaient porter la feuille d'érable trois ans plus tard dans les compétitions olympiques à Montréal.

Au compte final, la Colombie-Britannique terminait en première place pour la première fois, tandis que l'Ontario terminait deuxième.

Par ailleurs, en conformité avec la philosophie des Jeux, une bonne partie des équipes participent aux Jeux du

Canada dans l'espoir de se mériter la Coupe du Centenaire, qui est accordée à l'équipe qui s'est le plus améliorée depuis les derniers Jeux d'hiver ou d'été de cette saison. Dans le cas des Jeux de New Westminster-Burnaby, la performance des équipes était mesurée contre leur performance précédente aux Jeux de Halifax-Dartmouth en 1969.

Dans le cas des Jeux de 1973, le résultat dépendait du dernier événement au programme, la course à relais, au cours de laquelle une cinquième ou sixième place produirait une différence d'un demi-point entre les équipes en lice,

and she also won the 200 metre hurdles and got a silver in the 4X100 relay.

Greg Joy, who was to go on to leave an indelible impression on Canada in the 1976 Olympics in Montreal, won gold for British Columbia in the high jump, clearing the bar at 2.09 metres, a Canadian juvenile record. Also in that final blast for the flag, another Canadian juvenile record was set by Phil Olsen when he threw the javelin 71.6 metres, fully nine metres past the second place athlete. More than 30 athletes who competed in these Games would go on to wear the maple leaf in Olympic competition in Montreal in 1976.

And in the final count, B.C. finished on top for the first time and took the flag. The Northwest Territories team won the Centennial Cup.

In the purest values of sports, the most important award always has to be the championship, the overall title… in this case the flag.

But to many teams in the Canada Games, and running perfectly parallel with the philosophy of the Games, the Centennial Cup is the prize to be coveted. The Centennial Cup is awarded to the team showing the greatest improvement over the last Games of that season, summer or winter.

And in these '73 Games, the issue was in doubt going into the last event on the schedule, a relay race, in which a fifth or sixth place finish would make a half point difference between the contending teams, the Northwest Territories and Saskatchewan.

In the quick calculations required to arrive at a winner in time for the announcement before the closing ceremonies, the fifth and sixth place results were inadvertently transposed and as a consequence, the trophy was awarded to Saskatchewan. It should have gone to the Northwest Territories.

Officials later discovered their error, admitted a mistake had been made, but it was too late. The announcement had been made and the trophy presented. However, the records show the Northwest Territories.

And so, as the time came to shut down the grand show again, Governor General Roland Michener, as he had done before, caught the fancy of the packed house at Swangard Stadium. He told the athletes and fans that it was an unhappy task he had to perform, that the competition "has cast a spell over all of us, and it is a pity to break that spell."

Then, as he had done before, he declared the Games, not closed, but adjourned.

celles des Territoires du Nord-Ouest et de la Saskatchewan.

À cause du calcul rapide exigé pour déterminer l'équipe gagnante avant l'annonce au cours de la cérémonie de clôture, les résultats des cinquième et sixième place furent transposés. La Coupe fut accordée à la Saskatchewan, au lieu des Territoires du Nord-Ouest.

Les officiels découvrirent leur erreur après coup. Ils reconnurent cette erreur, mais il était trop tard. L'annonce avait été faite et le trophée avait déjà été présenté. Les records reflètent maintenant la victoire des Territoires du Nord-Ouest.

Flag Points
Points-drapeau

	Total Points
British Columbia/ Colombie-Britannique	176.5
Ontario	170.5
Québec	152
Alberta	128

1 9 **7 3**

Alors, le moment étant venu de baisser de nouveau le rideau sur cet événement grandiose, le gouverneur général Roland Michener sut émouvoir la foule, comme il l'avait fait si souvent auparavant. Annonçant aux athlètes et aux spectateurs la tâche ingrate qui lui incombait il dit : «Nous sommes tous exaltés par la compétition, et il est dommage de rompre ce charme.»

Puis, comme il l'avait déjà fait, il déclara l'ajournement des Jeux, plutôt que leur clôture.

1975

C anada Games, wherever they go, unavoidably take on the humour and the attitude of the community. The organization, the geography and most of all, the people, have a direct impact on the flavour of the Games.

But the Winter Games of 1975 had not one but a dozen communities, with the City of Lethbridge as headquarters for the Southern Alberta Games, Lethbridge with a population of 43,612 and all the

Lethbridge
(Southern Alberta/Sud de l'Alberta)

I l est inévitable que les Jeux du Canada reflètent le caractère et le côté humoristique de la communauté. L'organisation, la géographie et à plus forte raison, la population de l'endroit exercent une influence directe sur le caractère des Jeux.

Les Jeux d'hiver de 1975 n'étaient pas le fait d'une seule mais bien d'une douzaine de communautés. La ville de Lethbridge était le quartier général des Jeux du Sud de l'Alberta. Avec une population de 43 612, Lethbridge, à laquelle

communities with a total of 128,116 enthusiastic citizens.

There was the Peigan Reserve and the Blood Reserve, the County of 40 Mile, Crowsnest Pass, Pincher Creek, Cardston, Willow Creek, the County of Warner, Taber, the County of Lethbridge and the County of Vulcan.

Canada Games had a history of pulling a community together, bringing two communities together, developing a new spirit, a pride and a confidence.

But, critics wondered, what about an area of 34,000 square kilometres?

Most of the centres were within 110 kilometres of Lethbridge. But the ski-jumping site at Devon was 500 kilometres to the north.

As a consequence, there was a decent measure of concern over the spread of the competitions, and whether even the Canada Games could have sufficient impact on such a wide area to promote that very special aura.

They didn't have to wait long to find out.

On opening night in the Lethbridge Sportsplex, Prime Minister Pierre Trudeau felt the spark and instead of reading a prepared text, spoke extemporaneously:

"I wish," he said, "that every Canadian could be here tonight to sense the excite-ment and enthusiasm we felt when these young people came in. The Games will be a success because they are help-ing to develop a new spirit in our land. If this spirit can spread, and Canadians begin to develop a sense of pride in their well-being and stop eat-ing garbage all the time and begin to respect their bodies and believe in health and the values of physical fitness, then, my friends, we will begin to make a great country."

In the theatre or in sports, if the opening is a smash, the tone has been set.

Charles Virtue
President/Président

That proved out again in Lethbridge.

What appeared on paper as a logistical nightmare evaporated in the warm enthusiasm from more than 4,000 volunteers from the dozen communities. To manage the transportation, they used 32 school buses and more than 100 cars, sta-tion wagons and trucks.

So there was some major league mov-ing to do. To help foster that special Games feeling, competitions were held from town to town all over the area, with

il faut ajouter toutes les communautés environnantes, comptait au total 128 116 citoyens enthousiastes.

En plus de Lethbridge, les commu-nautés en cause étaient celles de la réserve Peigan, la réserve Blood, le comté 40 Mile, Crowsnest Pass, Pincher Creek, Cardston, Willow Creek, le comté de Warner, Taber, le comté de Lethbridge et le comté de Vulcan.

Les Jeux du Canada avaient déjà la réputation de favoriser un esprit commu-nautaire, en favorisant le rapprochement d'une ou deux communautés, en créant un esprit nouveau, sans oublier la fierté qu'ils nourrissent et la confiance.

La majorité des sites se trouvaient à l'intérieur d'un rayon de 110 kilomètres de Lethbridge, tandis que l'emplacement de saut à skis de Devon était à 500 kilo-mètres au nord.

On s'inquiétait sans doute avec raison de la distance entre les lieux de compéti-tion. On se demandait aussi si les Jeux du Canada exerceraient un impact suffisant sur une si vaste région, de manière à créer une ambiance particulière.

Mais l'inquiétude disparut en un rien de temps.

Le soir de l'ouverture au Sportsplex de Lethbridge, le Premier ministre Pierre

Trudeau lui-même touché par l'enthousi-asme, déclara :

«J'aimerais tant que chaque Canadien puisse être ici ce soir pour vivre l'émoi et l'enthousiasme qui nous ont saisis lorsque les jeunes athlètes ont fait leur entrée. Les Jeux seront un succès, parce qu'ils contribuent à créer un nouvel esprit dans notre vaste pays. Si cet esprit peut se répandre et que les Canadiens décident de croire à la santé et à la valeur de la condition physique, je vous assure, mes amis, que nous ferons du Canada un pays à la grandeur de nos espoirs.»

Dans le sport aussi bien qu'au théâtre, le ton est donné si l'ouverture est un suc-cès. La preuve en a été donnée encore une fois à Lethbridge.

La question du transport était un enfer majeur. Pour maintenir cette ambiance particulière des Jeux, les compétitions se sont transportées de ville en ville dans la région, les finales ayant lieu à Lethbridge. Et la flotte de 30 autobus scolaires et quelque 130 autres véhicules était coor-donnée par une unité de transport des Forces armées canadiennes.

Grâce à la détermination, la courtoisie et l'accueil chaleureux typiques de l'Ouest, ajoutés à une superbe organisa-tion, les résidants du sud de l'Alberta ont transformé en atout une situation, qui au

the final competitions coming back to Lethbridge. And the whole fleet of vehicles was coordinated by a communications unit from the Canadian Army.

With that willing spirit of the West, with warmth and courtesy and superb organization, the people of Southern Alberta converted a potentially large minus into a huge plus, and added yet another dimension to the growing lore of Canada Games across the land.

Vera Ferguson, the deputy mayor of Lethbridge, was to say later that the greatest part of the legacy of the Canada Games was not the $4 million Sportsplex in Lethbridge, but the fact that the Games

"united the area in a common purpose. The people in the small communities opened their arms and welcomed the athletes as if they were members of their own families."

That was meant as a figure of speech, but in fact, it did happen in one community. The weightlifting competitions were held at Bow Island, a hamlet of about 1,000. The weather turned foul one night and the athletes were unable to return to their quarters in Lethbridge. That was not seen as a problem, but rather as an opportunity. The farm folks around Bow Island opened their homes and welcomed the athletes for the night.

"I was scared at first, but it felt so good. I didn't mind the pressure. The biggest thrill was lighting the torch. I'll never forget that."

Corri-Jo Petrunik
Torch bearer

Southern Albertans took the position that there won't be major problems, not for long at least, if you don't allow them.

It was that spirit of neighbourliness and cooperation, of excitement and the pride in being Canadian, that washed over the packed house at the Lethbridge Arena for those opening ceremonies on Feb. 11, 1975.

The athletes' oath was delivered and then as Prime Minister Trudeau, Alberta Premier Peter Lougheed, Games President Charles Virtue, Vera Ferguson and other Games organizers waited onstage, a tiny figure appeared at the other end of the rink carrying the Games torch. At first

---

départ, semblait insurmontable, ajoutant ainsi une autre dimension à la légende des Jeux du Canada à travers le pays.

Vera Ferguson, maire suppléant de Lethbridge, déclarait subséquemment que la plus belle partie de l'héritage laissé par les Jeux du Canada n'était pas le Sportsplex de 4 millions $ à Lethbridge, mais le fait que les Jeux avaient «rapproché les gens de la région dans une cause commune. Les résidants des petites municipalités ont accueilli les athlètes à bras ouverts, comme des membres de leurs propres familles.»

Ce n'était, bien sur, qu'une métaphore, mais elle prenait tout son sens dans cette

communauté. Les compétitions d'haltérophilie avaient lieu à Bow Island, un petit hameau de 1 000 habitants. Le temps s'est gâté un soir et les athlètes n'ont pu retourner à leur base de Lethbridge. Les fermiers de Bow Island hébergèrent les athlètes chez eux pour la nuit.

La philosophie des gens du sud de l'Alberta était qu'il n'y aurait pas de problèmes majeurs, pour longtemps, du moins, si on décidait de ne pas se laisser abattre.

C'est cet esprit de coopération et de bon voisinage, de fierté et d'orgueil d'être Canadiens qui enveloppa l'aréna de Lethbridge, remplie à craquer pour la cérémonie d'ouverture du 11 février 1975.

«J'ai d'abord ressenti de la crainte, mais j'étais vraiment transportée. La pression m'importait peu. Ma plus grande sensation fut d'allumer la flamme. Ça, je ne l'oublierai jamais.»

Corri-Jo Petrunik
Porte-flambeau

Le serment de l'athlète fut prononcé, puis, alors que le Premier ministre Trudeau, le premier ministre Peter Lougheed de l'Alberta, le Président des Jeux Charles Virtue, Vera Ferguson et autres organisateurs des Jeux attendaient sur l'estrade d'honneur, une petite silhouette portant le flambeau des Jeux apparut à l'autre bout de la patinoire. Elle semblait craintive et nerveuse au départ, mais les applaudissements eurent tôt fait de la rassurer.

Il s'agissait de Corri-Jo Petrunik, patineuse artistique de 12 ans. Celle qui devait plus tard se tailler une place dans

she appeared nervous and uncertain but the applause buoyed her along, and as she went she gained confidence and poise and pace.

It was 12-year-old figure skater, Corri-Jo Petrunik, and while she was to go on to her piece of Games glory with her brother Bill in pairs competition, she said at the time:

"I was scared at first, but it felt so good. I didn't mind the pressure. The biggest thrill was lighting the torch. I'll never forget that."

The tiny athlete approached the Prime Minister, gave him a huge smile, and he beamed back, and even Games veterans who have seen some of these pageants pluck at the heartstrings before, admitted that with all the music, all the entertainment, all the glitter… that was the moment.

There was, too, some extraordinary weather to contend with, a not uncommon visitor to events in the winter months in Canada. A particularly heavy western blizzard tested the flexibility and improvisational skills of officials running the ski events.

In a 48-hour period, 152 centimetres of snow fell on Pincher Creek. The ski site was virtually buried, and most events had to be postponed and re-scheduled to give race officials time to work the courses back to acceptably navigable conditions.

And if conditions were not precisely to the tastes of racers used to hard and crusty conditions, they were enjoyable enough for those who had the gear to adjust. Foremost among those was Alberta's Greg Hann, who won gold in the men's slalom, giant slalom and dual slalom. Helene Rompre, from Labrador, took a gold in the women's slalom and a silver in the giant slalom.

Conditions were difficult, too, for the cross-country skiers at Castle Junction. The overpowering snowfall resisted tight packing and so there wasn't much glide in the stride, and the uphill portions of the track, in soft snow, made for laborious passage indeed.

But, as the gold medal winner in the 15 kilometre race said, "the course was the same for everybody."

And that winner was 18-year-old Angus Cockney, from Inuvik and the Northwest Territories team, and he finished with a comfortable margin of 50 seconds over British Columbia's L. Karjaluoto. Cockney had twice won the Canadian junior title and he was accustomed to a high level of competition and demanding courses, and he said it was "the toughest race I've

l'histoire des Jeux avec son frère Bill, dans la compétition en couple déclara :

«J'ai d'abord ressenti de la crainte, mais j'étais vraiment transportée. La pression m'importait peu. Ma plus grande sensation fut d'allumer la flamme. Ça, je ne l'oublierai jamais.»

Il fallut aussi endurer des intempéries extraordinaires : ce qui n'est pas rare au cours d'événements se déroulant au coeur de l'hiver au Canada. Et le blizzard cinglant de l'Ouest canadien mit à l'épreuve la souplesse et le sens d'improvisation des officiels en charge des compétitions de ski.

Au cours d'une période de 48 heures, 152 centimètres de neige ont recouvert la région de Pincher Creek. Le site des compétitions de ski était littéralement enseveli sous l'épaisse couche blanche. Si bien qu'il fallut reporter et recevoir le programme des compétitions, pour donner aux officiels le temps nécessaire pour remettre les pistes en état acceptable.

Bien que les conditions n'aient pas été exactement au goût des descendeurs habitués à une surface croûtée et dure, elles surent plaire à ceux et celles qui avaient l'équipement approprié. Notons, entre autres, l'Albertain Greg Hann qui remporta la médaille d'or au slalom, au slalom géant et au slalom combiné pour hommes. Hélène Rompré, du Labrador, remportait l'or au slalom et l'argent au slalom géant pour dames.

Les conditions étaient loin d'être faciles pour le ski de fond à Castle Junction. Il fut impossible de tasser l'épaisse couche de neige, de sorte qu'on pouvait difficilement maintenir son rythme. Par ailleurs la neige molle rendait les ascensions des plus ardues.

Toutefois, le gagnant de la médaille d'or dans la course de 15 km fit remarquer que tous les skieurs affrontaient des conditions semblables. Il s'agit d'Angus Cockney, 18 ans, d'Inuvik, et membre de l'équipe des Territoires du Nord-Ouest, qui jouissait à la ligne d'arrivée d'une confortable avance de 50 secondes sur L. Karjaluoto de la Colombie-Britannique. Cockney avait déjà gagné par deux fois le titre junior canadien et il était habitué à un haut niveau de compétition et à des parcours difficiles. Il ne put s'empêcher d'affirmer : «Ce fut ma course la plus épuisante. Je me suis presque effondré après 11 kilomètres, lorsque mes chevilles ont presque paralysé.»

Possédant l'endurance d'un jeune athlète en forme, de calibre national, Angus revint à la charge pour gagner une autre

ever had. I almost collapsed at the 11 kilometre mark when my ankles started to seize up."

With the resilience of a young, fit athlete of national stripe, however, Angus went on to another gold in the 30 kilometre relay, teaming with his brother Rex, and Kevin King, to come from behind and beat out Ontario and Quebec.

It was at Lethbridge, too, that a couple of brothers from the Ottawa area, Phil and Ray Takahashi, first came into the national spotlight, and both were to go on to international fame. Phil won the gold in judo by throwing Doug Wilson, of the Yukon, in the deciding match, with

Wilson taking the silver and that was the Yukon's first medal of the Games.

Ray Takahashi, who competed for Canada as a wrestler in the 1976 Olympics in Montreal, and who won gold in the Commonwealth Games in 1978, won his first gold medal in these Canada Games in Lethbridge.

The competition at all sites was tight and tense, and as the Games wore on, the three perennial powers, Quebec, Ontario and British Columbia, were jammed up at the top, and the Games flag was on the line.

In the final tally, it was Quebec on top, three points ahead of British Columbia, 219 to 216. Ontario was third at 214,

> "it was the toughest race I've ever had. I almost collapsed at the 11 kilometre mark when my ankles started to seize up."

> «ce fut ma course la plus épuisante. Je me suis presque effondré après 11 kilomètres, lorsque mes chevilles ont presque paralysé.»

médaille d'or au relais de 30 km, faisant équipe avec son frère Rex et Kevin King et venant de l'arrière pour triompher du Québec et de l'Ontario.

C'est également à Lethbridge que deux frères de la région d'Ottawa, Phil et Ray Takahashi, firent leur première entrée sur la scène nationale; tous deux devaient subséquemment se mettre en vedette au niveau international. Phil gagna la médaille d'or en projetant Doug Wilson, du Yukon, au tapis dans le match décisif. La médaille d'argent de Wilson était la première du Yukon au cours des Jeux.

Ray Takahashi, membre de l'équipe de lutte du Canada aux Olympiques de 1976

à Montréal et gagnant de la médaille d'or aux Jeux du Commonwealth de 1978, remportait sa première médaille d'or aux Jeux du Canada à Lethbridge.

La lutte était serrée et ardue dans tous les lieux de compétition et, au fur et à mesure que les Jeux progressaient, les trois puissances coutumières que sont le Québec, l'Ontario et la Colombie-Britannique se suivaient de près en tête. Le Drapeau des Jeux était étroitement disputé.

Au compte final, le Québec se méritait la palme en accumulant 219 points contre 216 pour la Colombie-Britannique. Il s'agissait d'un premier Drapeau des Jeux pour le Québec. L'Ontario, quant

and for Quebec, that was their first Games flag.

Nova Scotia improved its performance by 36 percent over the '71 Games in Saskatoon and captured the Centennial Cup.

But it was the home town kids who stole the thunder on the final day at the Sportsplex in Lethbridge. You remember little Corri-Jo Petrunik, the tiny, elfin figure who charmed the arena on opening night when she carried in the torch and gave Prime Minister Trudeau a winning high-beam smile? Well, Corri and her 16-year-old brother Bill were skating in the "B" pairs in the second last event on the program.

They needed a flawless performance, and the packed-to-the-rafters crowd knew it, and recognized that it was almost too much to ask in this pressure cooker. But the Petruniks took to the ice, rose to the pressure, gained confidence as they skated, and then sat saucer-eyed with anticipation awaiting their marks in the hushed arena. And they won, a golden end to their two-week fairy tale.

There was one more event to go, Alberta and Nova Scotia in the hockey final. The teams were tired. They had battled through six games in six days and this was the seventh.

J u d o

à elle, terminait en troisième place avec 214 points.

La Nouvelle-Écosse, qui avait amélioré sa performance de 36 p,cent sur ses résultats aux Jeux de 1971 à Saskatoon, se méritait la Coupe du Centenaire.

Ce sont cependant les jeunes athlètes locaux qui prirent la vedette lors de la dernière journée de compétition au Sportsplex de Lethbridge.

La patineuse Corri-Jo Petrunik, porteuse du flambeau et son frère Bill, âgé de 16 ans, avaient besoin d'une performance impeccable dans l'épreuve en couple. Oubliant toute tension, les Petrunik sautèrent sur la glace et donnèrent le

meilleur d'eux-mêmes. Leur médaille d'or venait boucler un conte de fée de deux semaines.

Il ne restait plus qu'une seule compétition: la finale de hockey entre l'Alberta et la Nouvelle-Écosse. Les équipes étaient rendues à bout, ayant disputé six matchs en six jours. C'était donc le couronnement.

Les partisans locaux ayant fourni la goutte d'adrénaline supplémentaire qu'il fallait, les Alberta Native Sons firent appel à leur réserve d'énergie pour gagner la dernière médaille des Jeux, triomphant de la Nouvelle-Écosse au compte de 6 à 3.

Vera Ferguson, membre du Conseil municipal de Lethbridge et vice-prési-

The home town fans provided that extra squirt of adrenalin the Alberta Native Sons needed, and they went on to win the last gold of the Games, beating Nova Scotia 6 to 3.

Vera Ferguson, a member of the Lethbridge City Council and vice-president of the Games, and now retired and living in Vancouver, treasures the memories of the Games and says the experience "deepened my feelings about what a wonderful country we have.

"And I remember during the Games, all those young people from right across the country, and I really believe it united Canada. It is hard to explain how really powerful the feeling was in Lethbridge. I was born a Canadian, and raised a Canadian, and the whole thing just made me feel more Canadian than ever."

And everything worked.

Vera Ferguson didn't mention it, but it was Vera who recruited Charles Virtue to take over the presidency of the Games.

Charles Virtue is now a Justice of the Court of Queen's Bench in Alberta, is living in Calgary and when we reached him, he was up in Fort McMurray hearing a case. In the past he was president of the Alberta Law Society, and he found that "challenging and demanding."

But at the top of his life of life's achievements, he places his role in helping to stage the Canada Games in Southern Alberta:

"For satisfaction, and joy of accomplishment, the Games were, for me, the top experience."

He spoke of the truly dedicated people who worked on the executive committee, and who organized all the volunteers, and of men like Art Batty, who organized all the transportation. He "accomplished miracles," Mr. Justice Virtue said, and he spoke of Tom McNab, who headed the fundraising team and who "somehow raised more money than anybody expected."

Flag Points Points-drapeau	
	Total Points
Québec	**219**
British Columbia/ Colombie-Britannique	**216**
Ontario	**215**
Alberta	**197**

1 9 **7** **5**

dente des Jeux, maintenant retraitée et résidante de Vancouver, chérit ses souvenirs des Jeux et affirme que cette expérience l'a «davantage convaincue que notre pays est le meilleur endroit sur terre.»

Vera Ferguson s'est bien gardée de le mentionner, mais c'est elle qui a convaincu Charles Virtue d'accepter la présidence des Jeux.

«J'étais alité avec une mauvaise grippe», nous confiait Charles, «quand Vera Ferguson est venue me demander d'accepter la tâche. J'ai accepté. Bien sûr, je n'avais aucune idée de la magnitude de la tâche, mais j'avoue que c'est une expérience qu'on ne vit qu'une fois dans sa vie.

«Les Jeux ont resserré les liens entre toutes les communautés du sud de l'Alberta, nous faisant mieux apprécier les qualités des petites communautés et leur capacité de bien réussir dans leurs entreprises. Et puis, leur hospitalité était tellement chaleureuse.»

Charles Virtue occupe maintenant la fonction de juge de la Cour du Banc de la Reine en Alberta. Il réside à Calgary mais, lorsque nous l'avons rejoint, il entendait une cause à Fort McMurray. Il est également ancien président du Barreau de l'Alberta, une tâche qu'il a trouvée «accaparante et lourde de défis.»

Pourtant, parmi les grandes réalisations de sa carrière, il place son rôle dans l'organisation des Jeux du Canada du Sud de l'Alberta en tête de liste.

«En fait de satisfaction et de plaisir», précise-t-il, «les Jeux furent l'expérience la plus enrichissante que j'aie connue.»

Il parle élogieusement des personnes qui ont fait partie du Conseil exécutif, qui a recruté et formé les bénévoles, des personnes de la trempe d'Art Batty qui se sont dépassés dans l'organisation du transport. «Il a fait des miracles, dit Virtue, s'empressant ensuite de mentionner Tom McNab, chef de l'équipe de cueillette de fonds, qui a recueilli plus d'argent qu'on ne croyait possible.»

Il se souvient très bien de la cérémonie de clôture, alors qu'il s'est amené sur la surface glacée dans un superbe landau antique tiré par une magnifique paire de chevaux. Le lieutenant-gouverneur Ralph Steinhauer l'accompagnait et, au moment où ils faisaient leur entrée dans l'arène, les chevaux affolés par la glace, les éclairs de magnésium et les bannières de toutes couleurs se cabrèrent et se mirent à reculer, hors de contrôle.

He remembered the closing ceremonies when he rode out onto the ice surface in a gleaming antique carriage drawn by a team of high-spirited horses. Ralph Steinhauer the Lieutenant Governor of Alberta, was in the carriage with him and when they entered the arena, the ice and the flashing bulbs and the banners and the cheering, spooked the horses.

They got skittish and started to dance and rear out of control, and Charles Virtue recalled:

"He (Steinhauer) was a Native Canadian who had worked hard all his life, worked around horses, and he was an older man, but physically tough, and he climbed out of the carriage and helped get the horses settled down and all, and then, full headdress and the full Indian regalia, he climbed back into the carriage and carried on in regal fashion. Just wonderful. A great Canadian experience."

Fond memories! Great Canadians! Great times! The Canada Games!

"For satisfaction, and joy of accomplishment, the Games were, for me, the top experience."

Charles Virtue

Charles Virtue poursuit son récit : «Steinhauer avait travaillé dur toute sa vie et connaissait bien les chevaux. Il sauta à bas du landau et aida à maîtriser les chevaux. Puis, revêtu de son costume traditionnel et de son magnifique panache orné de plumes d'aigle, il reprit sa place dans le landau comme si de rien n'était. Quel aplomb! Quelle belle expérience canadienne.»

Des souvenirs impérissables! D'éminents Canadiens! Des moments inoubliables… les Jeux du Canada!

«En fait de satisfaction et de plaisir», précise-t-il, «les Jeux furent l'expérience la plus enrichissante que j'aie connue.»

Charles Virtue

1977

St. John's, Newfoundland

St-Jean, Terre-Neuve

August 7-19 Août, 1977

T here is nothing ordinary about Newfoundland and Labrador… not the history, not the people, or their lives, not The Rock itself, and surely not the Canada Games held in St. John's in August of 1977.

St. John's Mayor Dorothy Wyatt went about bidding for the Games in an extraordinary way, and then it took a truly extraordinary effort to bring it off,

St. John's St-Jean

"Beauty without vanity, strength without insolence, and all of the virtues of man without any of his vices."

«Beauté sans vanité, puissance sans insolence, et toutes les vertus de l'homme sans en posséder les vices.»

Lord Byron

T out sort de l'ordinaire à Terre-Neuve… son histoire, son peuple, son genre de vie, le sol lui-même… sans oublier les Jeux d'été du Canada qui avaient lieu à St-Jean, capitale de la province, au mois d'août 1977.

Le maire Dorothy Wyatt de St-Jean s'y était prise de façon inusitée pour présenter la soumission de St-Jean. Il fallut ensuite un effort extraordinaire pour la faire accepter, tout faire construire selon le budget prévu et arriver à tout faire de

to get everything built and within budget, and to do it all with such down-home caring and warmth that they won the hearts of all the athletes. So much so that at the closing ceremonies, the parade of athletes spontaneously joined to serenade their hosts in a leather-lunged song of tribute, "Thank you Newfies, thank you; we love you, we love you."

It seemed at the time that everyone in Newfoundland "fell to" and when it was all over and they totalled up their lists of volunteers, they counted more than 6,000 names.

Even the Games promotion was launched in Ottawa in a highly unusual manner. The mascot of the Games and the official symbol was, inescapably, the Newfoundland dog, and Lord Byron wrote of this superb animal:

"Beauty without vanity, strength without insolence, and all of the virtues of man without any of his vices."

The one "official" dog of the Games was a champion, Harbour Beam Jack, described as a 90 kilogram torrent of affection. Also, Prime Minister Trudeau, who opened the Games, was given a gorgeous Newfoundland dog named Rideau.

And, in Ottawa, an invitation was sent out, in the name of Harbour Beam Jack, to all owners of the breed in the area to bring their dogs to Parliament Hill at the appointed hour on May 16, 1977, and about 200 Newfoundland dogs reported for the demonstration, the greatest assembly of the breed in history.

The logo for the Games was a red maple leaf on a field of white with a big, black Newfie dog superimposed on the leaf. But perhaps the most important official role for the dogs was in the traditional parade of athletes, and a dog shambled along happily in front of each provincial and territories team, and not one of them at all fussed about all the bands and the crowd and the tumult and the shouting. Nothing ordinary about that either.

But if the dogs were ready, the people had a lot of catching up to do. You may recall that earlier we detailed how St. John's cobbled up a last minute bid for the Games, and how so many were so surprised that they won, especially in view of the fact that their sports facilities were minimal.

To that point, there wasn't even a lighted baseball or softball field in the whole province, let alone a competition swimming pool or an all-weather track and field facility.

So there was, necessarily, a rush to build, and that required shortcuts, and when millions of dollars are involved,

"Thank you Newfies, thank you…" «Merci, Terre-Neuve! Merci!»

façon si particulière et si accueillante que les athlètes en gardèrent un souvenir impérissable. C'est pourquoi on vit les athlètes entonner à l'unisson, au cours du défilé d'adieu: «Merci, Terre-Neuve! Merci!»

À l'époque, il semble que tous les gens de Terre-Neuve voulaient participer aux préparatifs. Lorsqu'on fit la liste de tous les bénévoles, une fois la fête terminée, on a compté pas moins de 6 000 noms.

La tournée publicitaire débuta de façon inusitée à Ottawa. La mascotte des Jeux et symbole officiel était, vous l'avez deviné, un Terre-Neuve, chien que le poète Lord Byron avait ainsi décrit :

«Beauté sans vanité, puissance sans insolence, et toutes les vertus de l'homme sans en posséder les vices.»

Le chien officiel des Jeux était un champion, Harbour Beam Jack, qu'on avait décrit comme un torrent d'affection de 90 kilos. Voilà pourquoi on fit cadeau d'un superbe Terre-Neuve, répondant au nom de «Rideau», au Premier ministre Trudeau qui avait présidé à l'ouverture des Jeux.

C'est aussi à Ottawa qu'une invitation avait été adressée, au nom de Harbour Beam Jack, à tous les propriétaires de chiens de cette race dans la région, de se rendre sur la Colline parlementaire le 16 mai 1977. Plus de 200 Terre-Neuve ont répondu au rendez-vous, la plus grande réunion d'animaux de cette race jamais organisée.

Le rôle officiel réservé aux chiens dans le défilé traditionnel des athlètes consistait à trottiner allègrement devant chaque équipe provinciale et territoriale, sans qu'aucun Terre-Neuve ne se laisse intimider par les fanfares et les cris de la foule. Ça aussi, ça sortait de l'ordinaire.

Mais, si les chiens étaient prêts pour la cérémonie d'ouverture, les organisateurs avaient beaucoup de rattrapage à faire. Vous vous souviendrez qu'on a déjà expliqué comment St-Jean avait présenté une soumission de dernière minute pour les Jeux et comment les gens avaient été surpris du choix, en dépit du fait que St-Jean comptait un minimum d'installations.

À cette époque-là, la province ne comptait aucun terrain de baseball ou de softball illuminé, et encore moins de piscine propre à la compétition ou même d'installation d'athlétisme tout temps.

Pour hâter la construction, il fallut nécessairement prendre des raccourcis et, lorsque des millions de dollars sont en cause, les raccourcis suscitent des controverses. L'installation la plus technique à construire était la piscine, y compris diverses plates-formes pour le plongeon.

shortcuts can lead to controversy. The most technical facility to be built was a swimming pool, including diving platforms, and the contract went to a firm owned by the late Andrew Crosbie, a member of one of the founding merchant families of Newfoundland and a brother of Federal Fisheries Minister John Crosbie. Andrew Crosbie was involved in a number of companies dealing in construction, manufacturing, insurance, banking and real estate. As it happened, Crosbie was president of the Canada Games Society in St. John's and furthermore, his company was awarded the contract without a call for tenders.

Some hue and cry was almost automatic then, and it came, not only in Newfoundland but in Ottawa when political opponents scented opportunity and proclaimed in the House of Commons that a full investigation into the $4.5 million facility was required immediately.

But it never happened, and Dorothy Wyatt explained recently:

"There weren't that many companies in Newfoundland capable of building such a facility and having it completed before the deadline to give our athletes

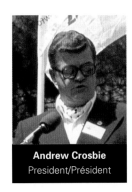

Andrew Crosbie
President/Président

some time to practise. We couldn't trust such construction to any fly-by-night outfit, you know; there were a lot of specifications, and we just didn't have the time to go through tender procedures. So in the summer of '76 we went ahead with construction, using funds provided exclusively by the Province of Newfoundland and the City of St. John's. And after all, he was the chairman of the Games Society, and so he had a stake in getting things built, within budget, and on time.

"Oh, there was some fuss, but it didn't amount to anything. Andrew Crosbie did great work, really great work, on those Games, and he gave a lot of time and valuable assistance free, and because of that, everything went well and everything was finished on time.

"I'll tell you what we thought of his contribution here in Newfoundland. He was made a 'free man of the city,' and I'm sure you know what kind of an honour that is."

So he built the new pool, called the Aquarena, directly opposite Memorial University and immediately adjacent to the new, $2 million, 11,000 seat, all weather track and field stadium.

Le contrat avait été adjugé à une compagnie appartenant à feu Andrew Crosbie, membre d'une des anciennes familles marchandes et frère de John Crosbie, ministre fédéral des Pêches et Océans. Andrew Crosbie était directeur de plusieurs compagnies dans les domaines de la construction, de la fabrication, de l'assurance, des banques et de l'immobilier. Crosbie était aussi président du Comité organisateur des Jeux du Canada à St-Jean et c'est sa compagnie qui se vit adjuger le contrat, sans appel d'offres.

Il y eut automatiquement un tollé de protestations, non seulement à Terre-Neuve, mais aussi à Ottawa. Les adver-

saires politiques saisirent l'occasion pour demander en Chambre des communes qu'une enquête approfondie soit menée immédiatement sur l'installation de 4,5 millions $.

L'enquête n'a jamais eu lieu, et Dorothy Wyatt expliquait récemment :

«Il n'y avait pas beaucoup d'entreprises à Terre-Neuve en mesure de construire une installation du genre et de la compléter à temps, de façon à donner à nos athlètes suffisamment de temps pour s'y entraîner. Il ne fallait pas confier cette tâche à une compagnie quelconque, vous comprenez. Les devis étaient compliqués et nous n'avions simplement pas le temps

de suivre le processus d'appel d'offres. C'est ainsi que nous avons entrepris la construction à l'été de 1976, utilisant des fonds fournis exclusivement à cette fin par la province de Terre-Neuve et la ville de St-Jean. Après tout, Crosbie était le président du Comité organisateur et il tenait à ce que les installations soient érigées à temps, et selon les prévisions budgétaires.

«J'avoue que cette décision a créé du mauvais sang, mais la situation revint rapidement à la normale. Crosbie a fait de la belle besogne, un superbe travail. Il a consacré un temps précieux aux Jeux, sans aucune rémunération, et c'est

pourquoi tout a fonctionné à merveille et que les installations ont toutes été prêtes à temps.»

«Laissez-moi vous dire ce que les gens de Terre-Neuve ont pensé de sa contribution. On lui a décerné le titre de «Citoyen d'honneur de la ville» et c'est tout un hommage.»

C'est ainsi que Crosbie construisit l'Aquarena, directement en face de l'Université Memorial et adjacente au stade d'athlétisme tout temps de 11 000 places construit au coût de 2 millions $.

Les athlètes étaient hébergés deux par chambre dans les résidences d'étudiants de l'Université Memorial. Grant Chalker, directeur général des Jeux, nous explique :

The athletes stayed two-to-a-room in students' quarters at Memorial University and Games General Manager Grant Chalker said:

"Our philosophy was that if they had good beds and lots to eat, they'd be the happiest kids in the world. And they were."

The big day came with a forecast of rain, one of those "sailor beware" days, and officials recoiled from thoughts of their only backup plan – to hold the opening ceremonies indoors in the limited confines of the Aquarena.

But the sun came up over the Atlantic in all its glittering brass and hung in a clear sky all day long, making for the hottest day that summer, hot enough in fact, to cause a few fans in the new stadium to swoon from the heat. Ah, but there were volunteers right there to catch them and help them down under the stands for care and comfort from other volunteers, and the show was on.

That break from the weather was the extra little push they needed to get the Games off to a roaring start, and every promoter knows… the opening sets the tone for the rest of it.

But the sun-splashed stadium was jammed with 11,000 thrilled spectators as the Honour Guard of the Newfoundland Constabulary, clad in their light blue dress uniforms with white pith helmets, led the parade onto the grounds.

The official party followed, perched in antique cars, and as the band blared the foot-stomping down home Newfie music, the teams came in led by their Newfoundland dog, each team smartly togged out in their provincial uniforms.

> **"Our philosophy was that if they had good beds and lots to eat, they'd be the happiest kids in the world. And they were."**

> *«Nous avons pensé qu'avec de bons lits et des repas plantureux, nous ferions des heureux. Je crois que nous avons très bien réussi.»*

«Nous avons pensé qu'avec de bons lits et des repas plantureux, nous ferions des heureux. Je crois que nous avons très bien réussi.»

Il y avait apparence de pluie le jour de l'ouverture, une de ces journées qui font damner les pêcheurs, et les officiels frissonnaient à la pensée d'avoir à recourir à leur plan de rechange, soit une cérémonie d'ouverture dans un espace très limité à l'intérieur de l'Aquarena.

Puis, le soleil s'est montré dans toute sa gloire au-dessus de l'Atlantique et y est resté toute la journée. Il a fait tellement chaud que plusieurs personnes se sont évanouies dans le stade. Mais des bénévoles étaient sur les lieux en un rien de temps pour les accompagner sous les estrades et les confier à d'autres bénévoles empressés.

Cette éclaircie était l'étincelle qui manquait jusqu'alors pour que les Jeux démarrent en beauté. Comme tous les imprésarios le savent bien, c'est l'ouverture qui donne le ton.

Onze mille personnes en délire avaient pris place dans le stade ensoleillé au moment où les membres de la Garde d'honneur de la Newfoundland Constabulary, dans leurs uniformes bleu pâle et leurs casques blancs, ouvrirent le défilé.

Vint ensuite le groupe des dignitaires, prenant place dans des voitures antiques. Puis, la fanfare ayant attaqué des airs folkloriques bien terre-neuviens, les équipes se mirent à défiler, chacune avec son Terre-Neuve en tête, avec leurs costumes aux couleurs traditionnelles.

Les gens de Terre-Neuve ne se lassent jamais de chanter, mais ils ont hurlé leur joie lorsque Bren Kelly, 23 ans, a fait son entrée sur le terrain pour en faire le tour au pas de course. C'était l'étape finale de la course de 7 500 km du jeune commis d'épicerie à travers le pays, de Victoria à St-Jean. En effet, quatre mois de course et de conférences de presse afin de promou-

voir les Jeux du Canada dans sa ville natale. Les médias faisaient continuellement état de son progrès; il fut donc, d'une façon, le premier héros athlétique des Jeux de Terre-Neuve, avant même leur ouverture. Il y en aurait d'autres,

The crowd had a chant, "we'll rant and we'll roar", and roar they did when 23-year-old Bren Kelly entered the stadium and jogged around the track.

It was the final lap of the young grocery clerk's 7,500 kilometre run across the country, Victoria to St. John's, four months of running and holding press conferences to promote the Games in his home town. At home, his progress was reported every step of the way, and so he was the first athletic hero of the Newfoundland Games, even before they opened, but there were to be many, and not a few of them from the host province.

With the official party in place and the crowd warmed to an anticipatory fever by the foot-stomping music, it was time for the official business of opening the grand affair and as a 17-year-old member of the Newfoundland field hockey team, Patricia Bradbury, climbed and reached to light the flame, Prime Minister Trudeau declared the Games open.

The Prime Minister had divined the warmth and excitement in the hearts of the people, and he told them:

"As we drove in, we could see on every face and feel in every heart that sense of pride that you have. You have, in Newfoundland, a very special identity. One can see it in the way you receive us."

naturellement, dont plusieurs de Terre-Neuve.

Les dignitaires ayant pris leurs places et la fièvre du moment ayant gagné l'assistance, le moment était venu de procéder à l'ouverture de la fête. Patricia Bradbury, 17 ans, membre de l'équipe de hockey sur gazon de Terre-Neuve, gravit les marches pour allumer la flamme et le Premier ministre Trudeau déclara les Jeux officiellement ouverts.

Le Premier ministre ressentait la fierté et l'émoi qui s'étaient emparés de tous les coeurs, et voici ce qu'il dit :

«En arrivant sur le terrain, j'ai vu luire sur chaque visage et vibrer dans vos coeurs un éclair de fierté. Gens de Terre-Neuve, vous avez une identité toute particulière. Votre accueil en dit long sur votre grandeur d'âme.»

Iona Campagnolo, ministre du Sport amateur, avait ressenti elle aussi la chaleur de cet accueil :

«Je me sens parfaitement à l'aise ici, comme si j'étais chez moi.»

La cérémonie d'ouverture se déroulait comme prévu, mais la foule n'était certainement pas prête pour son dénouement étourdissant. Un hélicoptère de la Garde côtière canadienne, qui planait hors d'écoute à proximité du stade, se lança tout à coup en rase-mottes vers le

Newfoundland struck individual [...] [...]undland swimmer, set a Canada Games record of 2:09:2[...] [...]y. He got off well and swa[m] with power and confidence, and after the last turn the contest reduced to Tucker and Greg Hemstre[et] of Ontario. Ils nagèrent côte à côte sur presque toute la longueur de la piscine, mais Blair, donnant tout ce qu'il avait en réserve, all[...] [...]agner l'or par quatre centièmes de seconde. Les hurleme[nt] [...] [...]murs de la nouvelle piscine

water **sports** *aquatiques*

Fitness and Amateur Sport Minister Iona Campagnola felt it too, and she said: "I feel as at home in your place as I do in mine."

With the opening ceremonies moving along smoothly enough, the crowd seemed unprepared for the electrifying climax. A Canadian Coast Guard helicopter which had been hovering just beyond earshot of the stadium suddenly swooped in fast and low, the rotor blades pounding that pulsating beat, and before the spectators could gather their wits – was this planned or is the craft in trouble? – the chopper opened its doors and spilled out thousands and thousands of small Canadian flags. The place erupted as the crowd howled its approval and scrambled for one of the souvenir flags.

And so began the Newfie Games

Then on the second day of competition, inspired by the home turf and people, Gordon Follett Jr., walked into the hearts of the people. In the 10,000 metre walk, Follett set a Newfoundland record and beat his own best personal time by 20 seconds to win the bronze medal, the first individual medal ever won by a Newfoundland athlete in any summer Games.

Later in these games, Newfoundland struck individual gold. Blair Tucker, a 17-year-old Newfoundland swimmer, set a Canada Games record of 2:09:20 to finish first in the 200 metre butterfly. He got off well and swam with power and confidence, and after the last turn the contest reduced to Tucker and Greg Hemstreet, of Ontario.

They matched stroke for stroke for almost the length of the pool, and with a final gut-busting effort, Tucker lunged for the wall at the finish to win the gold by four one-hundredths of a second.

The ecstatic Newfoundlanders shivered the building with hoarse approval, and when Tucker climbed out of the pool, he walked up into the stands and found his grandmother, the tears of pride spilling down her cheeks. They embraced, and she cried, and young Tucker's eyes filled, and an observer said there wasn't a dry eye in the house.

Appropriately enough, the home team won the Centennial Cup as the most improved team at the Games, having accumulated 60 points in the final standing against their 36.5 points in the previous Summer Games in British Columbia.

Ontario won the flag, hanging on in the final day's events to nose out Quebec 218.4 points to 212.8.

"I feel as at home in your place as I do in mine."   *«Je me sens parfaitement à l'aise ici, comme si j'étais chez moi.»*

---

terrain dans un bruit d'enfer. Avant que les spectateurs n'aient eu le temps de se demander ce qui se passait, les portières de l'hélicoptère s'étaient ouvertes, laissant échapper des milliers de petits drapeaux du Canada. Tous, jeunes et moins jeunes, tendaient les bras pour saisir ces petits souvenirs.

Et c'est ainsi que débutèrent les Jeux de Terre-Neuve

Puis, dès le deuxième jour des compétitions, inspiré sans doute du fait qu'il évoluait chez lui et devant ses propres partisans, Gordon Follett, fils, sema une joie générale. À la marche rapide de 10 000 mètres, Follett établit un record terre-neuvien et améliora de 20 secondes son meilleur temps, se méritant du fait même une médaille de bronze. Il s'agissait de la première médaille individuelle jamais gagnée par un athlète de Terre-Neuve aux Jeux d'été.

Le destin voulut qu'un athlète de Terre-Neuve se mérite une médaille d'or plus tard au cours des Jeux. Blair Tucker, jeune nageur de 17 ans, finit en première place au 200 m papillon, établissant un record de 2:09:20 pour les Jeux du Canada. Après un excellent départ, il nagea avec puissance et confiance et, au dernier tournant, ce fut une lutte à deux entre Tucker et Greg Hemstreet, de l'Ontario. Ils nagèrent côte à côte sur presque toute la longueur de la piscine, mais Blair, donnant tout ce qu'il avait en réserve, allongea le bras à la ligne d'arrivée pour gagner l'or par quatre centièmes de seconde.

Les hurlements de joie ont littéralement secoué les murs de la nouvelle piscine. En sortant de l'eau, Tucker se dirigea tout ruisselant vers les estrades pour enlacer sa grand-mère, qui pleurait de joie. Et elle n'était pas la seule. Rarement avait-on vu tant de mouchoirs dans un lieu de compétition.

Aussi, n'était-il pas naturel que l'équipe provinciale se mérite la Coupe du Centenaire à titre d'équipe le plus améliorée des Jeux, accumulant 60 points contre les 36,5 qu'elle avait réussi à gagner aux Jeux d'été précédents en Colombie-Britannique.

L'Ontario se mérita le Drapeau des Jeux, tenant bon dans la dernière journée de compétition pour défaire le Québec de justesse, 218,4 points contre 212,8.

Les Jeux avaient coûté la somme phénoménale de 11 millions $, dont 8 millions $ pour les nouvelles installations et la rénovation des installations déjà en place. Le fédéral aurait normale-

The final cost of staging the Games was a whopping $11 million, with more than $8 million spent on building new facilities and upgrading existing ones. Normally, the Federal Government would furnish one third of that, but because costs were so high, the province agreed to provide the biggest chunk, $5.2 million. The federal government contributed close to $3.5 million in operating and capital costs.

The other $2 million came from the city of St. John's and the Friends of the Games. And in capital costs, the new pool complex, the Aquarena, soaked up $4.5 million.

Flag Points
Points-drapeau

	Total Points
Ontario	218.4
Québec	212.8
British Columbia/ Colombie-Britannique	193.6
Alberta	134.4

1 9 7 7

Another $2 million went into the 11,000 seat stadium and all-weather track at the Canada Games Park, across the street from Memorial University. The St. John's Board of Trade noted that the new facilities gave the young people of Newfoundland a chance to train and compete, "and the kids are happy about that."

And Dorothy Wyatt? She's happy, retired, and pleased to be able to look back on what was accomplished and what it has meant to the city and the province. But, never one to rest on laurels, she said recently:

"It would be nice now to get the Winter Games. The Summer Games gave us a great boost up, no doubt about it. The Canada Games are the ideal concept. Now I'd like to see the Winter Games come to St. John's. We have an American Hockey League franchise, you know, the baby Leafs, but the rink is very old. There was no money around at all when that was built, so we really do need an arena. We could put on the Winter Games with a lot less of everything than we needed to put on the Games in '77. So, why not."

Why not indeed!

ment fourni un tiers de ce montant en vertu de la formule 1/3 - 1/3 - 1/3 mais, les coûts étant si élevés, la province accepta d'en payer une plus grande partie, soit 5,2 millions $. Le gouvernement fédéral avait contribué 3,5 millions $ en frais d'exploitation et d'immobilisations.

La ville de St-Jean et les Amis des Jeux ont fourni les deux autres millions de dollars. À elle seule, l'Aquarena avait coûté 4,5 millions $.

Un autre montant de 2 millions $ a été consacré au stade de 11 000 places et à la piste tous temps du Parc des Jeux du Canada, sis en face de l'Université Memorial. La Chambre de commerce de

St-Jean devait faire remarquer que les nouvelles installations donneraient aux jeunes de Terre-Neuve l'occasion de s'entraîner et de participer à des compétitions et que «les jeunes Terre-Neuviens étaient des plus heureux.»

Et que pense Dorothy Wyatt de tout cela? Maintenant à la retraite, elle est toujours radieuse et conserve un heureux souvenir de tout ce qui a été accompli pour la ville et la province. N'étant pas portée à se reposer sur ses lauriers, elle déclarait récemment :

«Il faudrait maintenant que Terre-Neuve accueille les Jeux d'hiver. Il est certain que les Jeux d'été nous ont mis en

évidence. Les Jeux du Canada sont un concept idéal. Nous avons maintenant un club, les jeunes Maple Leafs, dans la Ligue américaine de hockey, mais la patinoire est ancienne. Les fonds étaient rares lorsque l'aréna a été construite. Il faut faire peau neuve. Nous pourrions présenter les Jeux d'hiver pour beaucoup moins que les Jeux d'été de 1977. Alors, pourquoi pas?»

Oui, pourquoi pas?

1979

Brandon, Manitoba

February 12 – 24 février, 1979

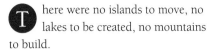

here were no islands to move, no lakes to be created, no mountains to build.

But there was a mountain of paper to be organized and moved, and while the job did not provide a novelty centrepiece, it did furnish a nose-to-the-grindstone focus for the good burghers of Brandon, and they set to it with a purpose. They have the gait in life to understand such things, and to stick it out for the long haul.

Brandon

oint ne fut besoin de faire sauter des îles, de creuser des lacs ou de construire des montagnes!

Par contre, il y avait une montagne de paperasse à organiser et à transporter. Il n'y avait certainement rien de bien excitant ou de nouveau à tout cela, mais c'était une tâche qu'il fallait accomplir et les citoyens de Brandon s'y mirent de bon coeur.

Organiser et présenter les Jeux du Canada est une tâche monumentale, avec tout le faste et le cérémonial qui les accompagnent, le problème de présenter 16 différentes compétitions sportives, la difficulté de loger, nourrir et divertir plus

Staging a Canada Games is a tall order… the ceremony and pageantry involved, the complexity of various sports competitions, feeding and housing and entertaining more than 2,000 young athletes and officials. There are facilities to be built from scratch, or refurbished. There is a mountain of lists… lists of sponsors to be tagged, lists of visiting dignitaries, lists of suppliers, lists of athletes, lists of musicians and dancers, lists of security people, lists of committees, lists and lists and then a list of the lists, and finally, a list of volunteers.

Ah, the volunteers! Without them, of course, there could be no Games. And there is where Brandon and the surrounding communities scored the tying and winning goals.

Coming up to the opening of the 1979 Winter Games in Brandon, Games President Alex Matheson looked over his huge and unwieldy organization and said:

"There are far too many committees. It is hard to keep an intimate rein on what is going on."

In a small city such as Brandon, with a population of about 38,000, Matheson had one out of every nine citizens in the city and district serving in some capacity.

Matheson, a retired colonel and former commanding officer of CFB Shilo, just outside of Brandon, had 78 chairmen of 78 different committees and he said at the time:

"It is the quality of the people involved that has kept it together – that is the key."

By then, however, everyone was in place and he was at the stage of "worrying about the cogs meshing."

As it turned out, he was experiencing the customary pre-show jitters. He needn't have worried.

Now listen to him a few days later, discussing the smash hit of the opening ceremonies, and feel the relief in his words as he rips off a torrent of superlatives:

"I'm ecstatic… I'm extremely proud to be a Canadian, a Manitoban… a Brandonite. They put on an outstanding show… an outstanding ceremony… I'm delighted… they did a magnificent job. I'm thrilled to death."

So after two-years of grinding it out, they were well-launched. The tone had been set.

And while they got there with steady, unrelenting attention to detail, the journey was not exactly uneventful.

"I'm **ecstatic!**"

Alex Matheson
President/Président

«Je suis **renversé!**»

de 2 000 jeunes athlètes, en plus des officiels. Il y a des installations à construire, à partir des fondations mêmes, ou à rénover. Oui, il y a une montagne de listes… listes de commanditaires à identifier, listes de dignitaires en visite, listes de fournisseurs, listes d'athlètes, listes de musiciens et de danseurs et danseuses, listes de préposés à la sécurité, listes de comités, des listes et encore des listes, puis une liste de listes, et enfin, une liste de bénévoles.

Ah oui, les bénévoles! Sans leur apport, naturellement, impossible de présenter les Jeux. Et c'est à ce chapitre que Brandon et les municipalités avoisi-nantes ont compté le point égalisateur et celui de la victoire.

L'ouverture des Jeux d'hiver du Canada de 1979 à Brandon, au Manitoba, approchait à grands pas. Le président Alex Matheson fit un relevé de cette vaste organisation, difficilement manoeuvrable :

«Mais il y a beaucoup trop de comités! C'est presque impossible de garder le contrôle de toutes ces activités.»

Dans une aussi petite communauté que Brandon, dont la population atteint les 38 000 environ, un citoyen sur neuf de la ville et de la région travaillait à l'organisation des Jeux, dans une capacité ou une autre.

Colonel à la retraite et ancien commandant de la base des Forces armées à Shilo, juste à l'extérieur de Brandon, Matheson avait sous ses ordres 78 présidents de 78 différents comités. Il affirmait à l'époque :

«C'est la qualité des gens en cause qui a assuré la cohérence de l'organisation. Voilà la clé.»

Écoutons-le maintenant quelques jours plus tard, décrivant l'immense succès de la cérémonie d'ouverture, avec un torrent de superlatifs :

«Je suis renversé… Je suis des plus fiers d'être Canadien, Manitobain et… citoyen de Brandon. Les figurants ont présenté un spectacle formidable… la cérémonie a dépassé toutes mes espérances. Je suis ravi… Tous ont travaillé d'arrache-pied… Je n'ai jamais été si heureux de ma vie.»

Le but avait été atteint grâce à l'attention portée à chaque détail, mais le voyage ne se passerait pas sans incidents.

Des moments inquiétants

Il y eut des conflits de travail et des grèves pendant des mois, en cours de construction, et même un incendie mystérieux dans l'échafaudage alors qu'on érigeait le nouveau Sportsplex.

Not Uneventful

There was labour strife, and strikes, for a period of months during the building period, and even a mysterious fire in the scaffolding during the building of the new Sportsplex.

And then during the Games, there was some considerable dismay when the floor under the weightlifters started to break up. A lifter noticed a crack in the concrete floor under the main stage of the Western Manitoba Centennial Auditorium and some of the weightlifters thought the place was about to collapse.

Architect Mike Cox examined the damage and said it was not serious and that nothing was going to collapse. Nevertheless, to put coaches and athletes at ease, the final stages of the competition were moved off the main stage and into the basement.

And, inevitably on the prairies in February, there was weather to contend with, a "cold snap" they called it, in Manitoban understatement. Temperatures dropped into the minus 30's Celsius with snow, driven by 40 km per hour winds.

But despite these challenges, the Games worked. Meeting some of these volunteers might serve to underscore how well they worked.

The Money Man

Take Bill Moore, for example. He was president of the Friends of the Games, FOG, as they called it, the organization responsible for fund-raising and for tapping the private sector for money, and goods and services.

Remarkably, FOG raised $1 million in cash and "gifts in kind" and had it in the bank, and they had another $250,000 in pledges, still coming in. Moore said that when he took the job, he was told "not to expect too much," and he had studied financial reports from previous Games which showed that the Friends in some other cities had raised a good deal less than he had planned.

When the Brandon FOG announced a target of $1 million, there were the usual utterances of scepticism from the ever-present nay-sayers, but Moore says he had no misgivings.

And then, to kick start the whole campaign, the Brandon Kinsmen Club immediately pledged $200,000, and fundraisers went on to raise more than $600,000 from local business and another half a million nationally, and they also scrounged another $200,000 in goods and services.

Friends of the Games FOG $ 1 million $ *Les Amis des Jeux*

Et puis, durant les Jeux, le plancher menaça de s'effondrer sous les haltérophiles. Un des athlètes aperçut une faille dans le plancher de béton sous le plateau principal du Western Manitoba Centennial Auditorium, portant certains haltérophiles à croire que le plancher était sur le point de s'écraser sous le poids des engins.

L'architecte Mike Cox examina les dommages et en conclut qu'il n'y avait rien à craindre. Néanmoins, afin de rassurer les entraîneurs et les athlètes, les dernières épreuves furent transférées du plateau principal au sous-sol de l'édifice.

En février, dans les Prairies, il faut toujours craindre le pire en fait de température et on dut endurer «un front froid», pour employer une expression chère aux météorologistes. La température chuta rapidement dans les -30° Celsius, avec de la neige poussée par des vents de 40 km/h.

En dépit du temps glacial, les Jeux furent couronnés de succès. C'est en parlant aux bénévoles qu'on apprend toute la mesure de leurs efforts.

Le grand argentier

Prenons le cas de Bill Moore, par exemple. Il était président des Amis des Jeux, l'organisation chargée d'approcher le secteur privé pour des dons en espèces, en produits et en services.

Fait remarquable, les Amis des Jeux réussirent à recueillir 1 million $ en comptant et en espèces, déjà déposés à la banque, en plus d'un autre 250 000 $ en gage. Moore avait été mis en garde contre les faux espoirs. Il avait étudié les états financiers de Jeux précédents, qui indiquaient que les Amis des Jeux d'autres villes avaient recueilli beaucoup moins que le montant qu'il s'était fixé.

Lorsque l'objectif d'un million de dollars fut annoncé par les Amis des Jeux, on entendit naturellement les expressions négatives des prophètes de malheur, mais Moore ne doutait aucunement du succès de la campagne.

Le club Kinsmen de Brandon fut le premier à promettre un montant de 200 000 $ et les solliciteurs recueillirent subséquemment plus de 200 000 $ des maisons d'affaires locales, et plus d'un autre demi-million au niveau national, en plus de recueillir un autre 200 000 $ sous forme de produits et services.

Il y avait aussi Audrey Martin, présidente du comité des bénévoles. Bien qu'elle en comptait déjà plus de 3 000 sous ses ordres, dans une soixantaine de comités, elle était toujours en quête de nouveaux bénévoles.

Ces bénévoles n'étaient pas tous de Brandon, dit Audrey, mais aussi origi-

Then there was Audrey Martin, chairman of the volunteers committee, and she had more than 3,000 on about 60 different committees under her guidance, and was still seeking more.

And they weren't all from Brandon, she said, but came from other communities in the area, like Wawanesa and Rivers.

She had, among her volunteers for example, Paul Eros, the mayor of the athletes' village. His duties included meeting all demands, from electrical failures to accommodation to entertainment. If anyone had a problem, Eros was the man.

He was available around the clock and he said:

"It's a happy and a comfortable place to be. It's a pleasure seeing the athletes enjoy themselves socially as well as competitively", and after reflecting a moment he added:

"I am not a young man, but I would fight to have the opportunity to do this again."

That's what Alex Matheson meant when he alluded to the quality of the volunteers in Brandon. And perhaps that is what Federal Sports Minister Iona Campagnolo meant when she presented Matheson with a bronze medal, engraved

joy of effort

on the back, recognizing his contribution to the Games. She called it a "joy of effort" award.

And that "joy of effort'" stretching back two years, brought them eventually to the Keystone Centre and the opening ceremonies on Feb. 12, 1979. It was a 2 1/2 hour extravaganza, a tableau of Manitoba history set to music, ethnic music and dancing, and singers and musicians from

Westman high school and from the Brandon University School of Music.

Prime Minister Trudeau arrived in a horse-drawn landau and told more than 6,000 fans who jammed the building to the rafters that "the Games offer the nation a lesson in unity."

He complimented Manitoba Premier Sterling Lyon on his bilingual remarks and said:

"When you and I can talk both French and English from the same platform, I know the spirit of Canada can never be eclipsed."

As usual, the atmosphere was nicely cranked up by the show and then built to

naires d'autres communautés avoisinantes telles que Wawanesa et Rivers.

Au nombre de ses bénévoles, elle comptait des gens de la trempe de Paul Eros, maire du Village des athlètes. Ses tâches comprenaient, entre autres, celles de répondre à toutes les demandes, à partir des pannes de courant électrique, jusqu'à l'hébergement et aux divertissements. Si un problème survenait, Eros était l'homme à voir. Il était toujours disponible, vingt-quatre heures par jour.

«Je suis heureux et confortable dans mon entourage, dit-il. J'aime voir les athlètes s'amuser, autant socialement qu'en

compétition.» Puis, après un moment de réflexion, il ajoutait :

«Je ne suis plus jeune, mais j'aimerais avoir l'occasion de tout recommencer.»

C'est bien ce qu'Alex Matheson voulait nous expliquer, au sujet de la qualité des bénévoles de Brandon. Et c'est peut-être ce à quoi songeait la ministre du Sport amateur Iona Campagnolo en présentant un médaillon de bronze à Matheson, en reconnaissance de son importante contribution aux Jeux. «Joie à l'effort» est le nom que Madame Campagnolo avait donné à son prix.

C'est cette «joie à l'effort», remontant à deux ans déjà, qui mena au Keystone

joie à l'effort

Centre et à la cérémonie d'ouverture du 12 février 1979. Le grandiose spectacle de deux heures et demie fut un tableau musical de l'histoire du Manitoba, avec des danses ethniques, des chanteurs et musiciens du Westman High School et de l'École de musique de l'Université de Brandon.

Le Premier ministre Trudeau fit son entrée dans un landau tiré par des chevaux. Aux 6 000 personnes entassées dans l'aréna jusqu'aux combles, il fit remarquer que «ces Jeux donnent au pays une leçon d'unité.»

Il félicita le premier ministre Sterling Lyon pour son allocution de bienvenue dans les deux langues, ajoutant :

«Le fait de pouvoir tous deux parler en français et en anglais du haut de cette plate-forme me convainc qu'on ne pourrait jamais éclipser l'âme du Canada.»

Comme toujours, il régnait une atmosphère de spectacle, dont le ton atteint son crescendo avec le défilé des athlètes et l'allumage de la flamme des Jeux par la jeune patineuse artistique Tammy Josephson, 13 ans, de Brandon. Tammy avait participé aux Jeux de Lethbridge et, à 9 ans seulement, avait été la plus jeune athlète à participer aux Jeux. En plus, elle était revenue de Brandon avec une médaille d'argent.

a crescendo for the parade of athletes and the lighting of the Games torch by 13-year-old Brandon figure skater Tammy Josephson. Tammy had competed in the Games at Lethbridge and at nine years of age, she was the youngest athlete ever to compete in the Games. And, she came home from Lethbridge with a silver medal. About lighting the torch, she said: "I was really excited, and honoured, about being chosen. It was just fantastic."

And then it was away to the races, and Quebec proved to be the biggest surprise. Sylvie Daigle, a 16-year-old speedskater who was to go on to international and Olympic fame, showed the way with a

victory by more than a full second in the women's 500.

Daigle, from Sherbrooke, Que., was to grab four gold medals all told, taking the 500, the 1,000 metres, the 1,500 metres, and then the 1,500 mass start race.

By the half-way point in the Games, the talented Quebec athletes were so far in front that other team managers admitted they might well be out of reach. Quebec was on top of the standings in four of the eight sports, and no worse than third in three other sports.

In the final tabulations, however, it was evident that Quebec had been driven to the limit to stand off a spirited push by

Ontario. Quebec won out by a single point, 186.5 to 185.5.

In the final analysis, the Games flag was decided in the final gold medal match of the whole Games.

For The Bundle

Quebec and Ontario women's basketball teams squared off at the Keystone Centre on that final Saturday morning with everything at stake, the gold in their own sport, and the Games championship. And Quebec won handily enough. Led by Linda Marquis, from the University of Laval, with 18 points, and

Le tout commença par le patinage de vitesse et le Québec devait surprendre tous les spectateurs. Sylvie Daigle, jeune patineuse de 16 ans, qui devait plus tard connaître la gloire internationale et olympique, ouvrit la marche avec une victoire par plus d'une seconde dans le 500 m pour dames.

Originaire de Sherbrooke, Sylvie devait remporter un total de quatre médailles d'or, gagnant le 500 m, le 1 000 m, le 1 500 m, puis le 1 500 m avec départ en masse.

Rendus à mi-chemin dans les Jeux, les puissants athlètes du Québec avaient une

si forte avance que les chefs des autres équipes étaient presque prêts à leur concéder la victoire finale. Le Québec était en tête du classement dans quatre des huit sports et au moins en troisième dans trois autres sports.

Au compte final, on s'est rendu compte que le Québec avait tout mis pour résister à la poussée d'une équipe ontarienne tenace. Le Québec n'avait gagné que par un seul point : 186,5 contre 185,5 pour l'Ontario.

En fin de compte, le gagnant du Drapeau des Jeux s'est décidé dans le dernier match à médaille d'or des Jeux.

Le tout pour le tout

Les équipes féminines de basketball du Québec et de l'Ontario s'affrontaient au Keystone Centre le dernier samedi matin des Jeux. L'enjeu était crucial : la médaille d'or dans leur propre sport et le championnat des Jeux. Le Québec devait remporter la palme avec facilité. Dirigé par Linda Marquis de l'Université Laval, avec ses 18 points, et les 14 de Sue Hylland de l'Université Bishop, le Québec écrasait l'Ontario au compte de 71 à 52.

La Colombie-Britannique finissait en troisième place avec 156 points, alors que

Construction of the speed skating oval
Construction de l'anneau de patinage de vitesse

Sue Hylland, from Bishop's University, with 14, Quebec defeated Ontario 71 to 52.

British Columbia finished third at 156 and the host Manitoba team fourth at 136.

But the home fans had plenty to cheer about too. Out at the speedskating oval, where temperatures dropped into the minus 30's celsius, Manitoba's Michael Buss delighted the onlookers with a sprint to the wire to grab the gold in the 1,500 metre mass start event. Manitoba won the men's curling and the women's volleyball, and they had enough competitors in the hunt in most events to keep the home fires burning for thousands of fans.

And Then There Was Bonnie

A nd then there was 12-year-old Bonnie Wittmeier, who stood four feet, 3 1/2 inches, and dazzled in the gymnastics. She won gold in vaulting, uneven bars and floor exercises, and one tiny slip cost her the gold on the balance beam and she won silver there. In addition, she was golden as winner of the all-round title, bringing her total haul to four gold and a silver, just one gold short of a Games record.

Measuring by fan interest then, or intense competition right to the wire, or by any artistic or sports standards, the Brandon Canada Games were a huge success.

In the wake of the Games, more success. The city was left with a brand new Sportsplex, which includes a hockey arena with seating for 400, a 50 metre, six-lane swimming pool, racquetball courts and a speedskating oval. That facility alone cost $3 million.

Facilities at Mount Agassiz, the alpine ski site, were given a major overhaul at a cost of almost half a million dollars. New cross country ski trails were developed in the hills south of Brandon, and a number of schools and other facilities around the city were given facelifts.

With all of that, however, Games President Alex Matheson believes that the greater portion of the legacy came in the area of human resources.

The City of Brandon proved itself, to the world and to themselves, and with the new-found confidence in their organizational abilities, they "came of age," as Matheson said.

A Competitive Bid

V ic Brown, general manager of the Games and also a member of the original bid committee, figures the Games were the biggest thing ever to happen to Brandon. In the original bidding, he

le Manitoba terminait quatrième avec 136 points.

Pourtant, les partisans locaux ont eu de quoi se réjouir. À l'anneau de patinage de vitesse, où le mercure avait tombé dans les -30°C, Michael Buss du Manitoba réjouit ses partisans avec un sprint jusqu'au fil d'arrivée pour arracher la médaille d'or dans la compétition de 1 500 m avec départ en masse. Le Manitoba devait aussi mériter la victoire dans le curling pour hommes et le volleyball pour dames. Les milliers de spectateurs ont également vu les athlètes manitobains livrer une chaude lutte dans presque toutes les autres compétitions.

N'oublions pas Bonnie

L a mignonne Bonnie Wittmeier, âgée de 12 ans seulement, ne mesurait que quatre pieds et trois pouces et demi, mais elle scintilla en gymnastique. Elle remporta la médaille d'or au saut, aux barres asymétriques et aux exercices au sol, et une seule petite hésitation lui fit perdre l'or à la poutre, où elle remporta quand même la médaille d'argent. En plus, elle se mérita la médaille d'or comme gagnante du titre, portant son total à quatre médailles d'or et une médaille d'argent, une de moins seulement que le record des Jeux.

Le succès ne devait pas se limiter aux Jeux. La ville de Brandon hérita d'un nouveau Sportsplex, comprenant une aréna de 400 places, une piscine de 50 mètres à six couloirs, des courts de racquetball et un anneau de patinage de vitesse. À elle seule, cette dernière installation avait coûté 3 millions $.

Des travaux de rénovation aux installations de ski alpin du Mont Agassiz avaient coûté un demi-million de dollars environ. De nouvelles pistes de ski de fond avaient été aménagées dans les collines au sud de Brandon, tandis que plusieurs écoles et autres édifices de la ville avaient subi des retouches.

remembered, they were going against Thompson, Manitoba, which represented the north, and Selkirk, "both very strong committees," he said recently, "and Selkirk had an advantage with its proximity to Winnipeg and all that population."

And while there were serious misgivings among the population, and many Games officers, about bringing off the big show, Brown said he never had any real fears that the Games would not be a success, and he pointed out that the recruiting of volunteers drew a lot of people from the district around Brandon, from places like Souris, Minnedosa, Rivers, Carberry, Shilo and Hamiota.

À tout considérer, le président Alex Matheson estime que c'est au chapitre des ressources humaines que les plus grands avantages ont été enregistrés.

La ville de Brandon a fait ses preuves devant le pays et ses propres citoyens, dit Matheson, et cette nouvelle confiance dans ses capacités organisationnelles l'a mise au premier plan.

Une soumission compétitive

Vic Brown, directeur général des Jeux et membre du comité à l'origine de la soumission, estime que les Jeux auront été le plus grand événement dans l'histoire de Brandon. Au lancement de l'appel d'offres, Brandon avait comme concurrentes les villes de Thompson, représentant le nord du Manitoba, et de Selkirk. «Leurs comités étaient des plus compétents», dit-il, «et Selkirk jouissait d'un certain avantage à cause de sa proximité à Winnipeg et du fort bassin de population.

Bien que des doutes subsistaient dans certains secteurs de la population, et parmi certains dirigeants du comité sur les chances de succès des Jeux, Brown dit ne jamais avoir douté que les Jeux seraient un succès. Il souligne que des bénévoles sont venus de plusieurs municipalités avoisinantes, dont Souris,

Interview: Penny & Vicky Vilagos

Syncronized swimming
1979 Gold Medal
1992 Olympic Silver Medal

Nage synchronisée
1979 Médaille d'or
1992 Médaille d'argent
olympique

"We went to the Canada Games for the first time in 1979. It was very special for us. It was the first time we went to a competition where there were sports and various events. We benefitted a lot from being there not only in terms of competition, but also from the spirit of sportsmanship and the understanding of others."

«Pour nous, la première fois qu'on a fait les Jeux du Canada en 1979 c'était vraiment un moment très très spécial. C'était vaiment la première fois qu'on a pu aller à une compétition où il y avait plusieurs sports, toutes sortes d'événements... Ça nous a apporté beaucoup de ce côté là, non seulement la compétition mais l'esprit sportif, puis de comprendre les autres gens...»

Entrevue : Penny & Vicky Vilagos

All the facilities left behind have been in daily use since that time, and the city's new confidence, born in the Games, has moved them to the forefront in hosting major events.

"We had the Canadian Figure Skating championships in '82, the Labatt Brier in '82, the Canadian Juvenile Baseball championships in '89 and the World Baseball Championships, juvenile again, in '91. And now we are awaiting the results to our bid for the 1995 World Curling Championships. So there can't be any doubts that the Canada Games gave the

people here the assurance that they could do anything… anything. And do it well."

Unquestionably then, the Canada Games improved the quality of life in the little prairie city. And the bottom line? A profit of $120,000.

So, it all worked out. "Worked," is the key word in the Canada Games at Brandon.

Minnedosa, Rivers, Carberry, Shilo et Hamiota.

Les installations dont Brandon a hérité sont utilisées quotidiennement depuis lors, et cette nouvelle confiance que la ville a acquise en a fait un endroit de choix pour la tenue de compétitions sportives importantes.

«Nous avons accueilli les Championnats canadiens de patinage artistique de 1982, le Labatt Brier de 1982, les Championnats canadiens juvéniles de baseball en 1989, ainsi que les Championnats mondiaux juvéniles de baseball en 1991. Nous attendons maintenant les résultats de notre soumission

pour les Championnats mondiaux de curling de 1995. Il n'y a aucun doute que les Jeux du Canada nous ont donné l'assurance qu'on pouvait accueillir n'importe quelle compétition… avec professionnalisme.»

Il est donc évident que les Jeux du Canada ont amélioré la qualité de vie dans cette petite ville des Prairies. Quant au chiffre final : Un profit de 120 000 $!

Ainsi, tout a fonctionné à merveille. «Merveille», n'est-ce pas une belle description des Jeux de Brandon?

1981

Thunder Bay, Ontario

August 9-22 août, 1981

"I have never seen anything so moving and beautiful in my life... it makes me proud to be from Thunder Bay."

Opening Ceremonies Spectator

«C'est tout simplement que je n'ai rien vu de si beau de toute ma vie. Je suis fière d'être de Thunder Bay.»

Spectateur de la cérémonie d'ouverture

The Canada Games are designed, in part, to promote athletes into legendary proportions… Canadian champions, international stars, Olympians.

And if the Games can promote legends, it seems entirely in keeping with the spirit that they can support myth.

And so they did, in Thunder Bay, in the Canada Summer Games in 1981.

Thunder Bay

L'un des objectifs des Jeux du Canada est de lancer les jeunes athlètes canadiens sur la route de l'excellence, d'en faire des champions, des vedettes internationales et des Olympiens.

Et si, en cours de route, les Jeux peuvent créer des légendes, c'est tant mieux.

C'est bien ce qui s'est produit à Thunder Bay, en Ontario, où avaient lieu les Jeux d'été du Canada en 1981.

There is an old Indian story in Thunder Bay country about The Sleeping Giant, the Ojibway's Great Spirit Nanabijou, and in Indian lore and more in Thunder Bay legend, this Great Spirit of the Deep Sea Water began his life of solitude, or sleep, when the treasured secret of his silver mine was betrayed to the white man.

In fact, if one looks across Thunder Bay from Hillcrest Park to Sibley Park, the distant rock formation puts one in mind of a great, sleeping giant, lying stiffly in repose, arms folded over the chest. Such an engaging phenomenon, of course, required an appropriate background, and so in the dim and misty past, some imaginative person created one. And so for all time, there the giant sleeps.

But for the Canada Games, Nanabijou woke up. Well, not really, but sort of. You see, the mischievous humour in the people of Thunder Bay welled up, and they thought to invest the Games with some of the area's history, and they built a huge replica of the giant, 30 metres long, to be awakened from his penance during the opening and closing ceremonies of the Games.

Tor Hansen, the design director for the project, fashioned the sleeping giant out of five tons of chicken wire, burlap, plaster, paint and two tons of lumber. Inside the great figure were a dozen volunteers and once the ceremonies began, they started to move about and the giant was seen to shudder. Then the great giant opened his arms to all those viewing the grand ceremony, and then Nanabijou opened his eyes for the first time since he was forced to sleep in the long ago, and turned his head this way and that, to look at the lucky spectators.

NANABIJOU

The Sleeping Giant

Il existe dans la région de Thunder Bay une ancienne légende Ojibway au sujet de Nanabijou, le Géant endormi. La légende veut que le Grand esprit des eaux profondes ait commencé sa vie solitaire, ou son sommeil, lorsque le secret bien gardé de sa mine d'argent est tombé entre les mains de l'homme blanc.

En fait, si l'on contemple Thunder Bay du haut de Hillcrest Park en direction de Sibley Park, la formation de roc qu'on aperçoit à l'horizon nous fait penser à un immense géant assoupi, les bras repliés sur le ventre. Il fallait bien créer une histoire plausible pour un si beau phénomène de la nature, et dans un passé lointain et brumeux, une personne pleine d'imagination en inventa une. Voilà pourquoi le géant reste là, endormi, pour l'éternité.

Nanabijou a cependant fait une exception... pour les Jeux du Canada. Il ne s'est pas vraiment réveillé, juste un peu. Les gens de Thunder Bay sont un peu taquins, vous savez; ils ont décidé d'injecter un peu d'histoire locale dans les Jeux et ont confectionné une immense réplique de 30 mètres de long, qui se réveillerait de son sommeil durant les cérémonies d'ouverture et de clôture des Jeux.

Tor Hansen, chargé du projet, confectionna cette réplique du géant avec cinq tonnes de broche à poulailler, de gros canevas, de plâtre, de peinture et de deux tonnes de bois. La gigantesque reproduction cachait une douzaine de bénévoles qui, une fois la cérémonie commencée, se mirent à bouger, donnant l'impression que le géant était sur le point de s'éveiller. Puis, voici que Nanabijou ouvrait les bras et les yeux pour la première fois depuis des siècles. Il se tournait la tête d'un côté, puis de l'autre, au grand ravissement des spectateurs.

NANABIJOU

le Géant endormi

Even Winked

And as 400 colourfully garbed young dancers circled and romped in front of him, the ancient symbol was even seen to wink at them in approval. Of course, the Great Spirit has gone back to sleep now so you can no longer see him. It's one of those things, you had to be there. But then, if you go to Hillcrest Park, and look across the water, you can see him all right.

Bruce Walker, the Games Society President, is an engineer who "thinks in straight lines," and he said recently:

"Oh, even I can see Nanabijou. It's quite plain to see. He's there all right."

And 12,000 fans were there in the Fort William Stadium even though on that August 10, 1981, it pelted rain all morning. But six minutes before the ceremonies were to begin at noon, the rain let up, right on cue.

And the elaborate show, entitled "A Celebration of Youth," including a 1,000 voice choir of school children, more than 400 dancers and the Thunder Bay Symphony Orchestra, flashed flawlessly through a two hour program before the traditional parade of athletes.

Bruce Walker
President/Président

An honour guard of Thunder Bay runners had gathered at seven o'clock that morning at Sibley Park, the permanent site and resting place of The Sleeping Giant, and they had run the torch, in relays, from there to the stadium, a distance of some 72 kilometres. Then Thunder Bay athletes Susan Kainylainen and Larry Ukrainec carried the torch on the final lap of the park, mounted the platform, touched their torch to the big receptacle, and the Games flame, once again burst into life.

The dignitaries were all lined up, Mayor Walter Assef, Games Society President Bruce Walker, Ontario Premier Bill Davis, Ontario Recreation Minister Reuben Baetz, and Federal Sports Minister Gerald Regan, who delivered the official declaration that the Games were open.

A Moving Experience

The whole was a thrilling and beautifully choreographed performance and moved the crowd from hush to roaring approval and back again.

There was one elderly lady, being supported by her husband and with tears

Même un clin d'oeil

Nanabijou a même semblé cligner de l'oeil alors que quelque 400 jeunes gens et jeunes filles, vêtus de costumes hauts en couleurs, dansaient une ronde autour du géant. Le Grand esprit est naturellement retombé dans son sommeil, et personne ne l'a revu depuis. Il fallait être sur les lieux pour le voir. Pourtant, si vous vous rendez à Hillcrest Park, vous l'apercevrez couché dans les eaux du Lac Supérieur.

Il y avait bien près de 12 000 spectateurs dans le stade de Fort William, même s'il avait plu pendant toute la matinée du 10 août 1981. Cependant, par un

heureux hasard, la pluie cessa six minutes avant la cérémonie d'ouverture prévue pour midi.

Le spectacle avait pour thème «Célébration de la jeunesse.» Un choeur de chant de 1 000 écoliers de la région, plus de 400 jeunes danseurs et danseuses, ainsi que l'Orchestre symphonique de Thunder Bay présentèrent un superbe programme de deux heures avant que ne débute le traditionnel défilé des athlètes.

Une garde d'honneur de coureurs de Thunder Bay s'était rassemblée dès sept heures du matin à Sibley Park, lieu de repos du Géant endormi, d'où ils s'étaient relayés pour porter le flambeau jusqu'au

stade, une distance d'environ 72 kilomètres. Il revint à Susan Kainylainen et Larry Ukrainec, deux athlètes de Thunder Bay, de transporter le flambeau pour l'étape finale, monter sur la plate-forme et allumer la flamme dans l'immense réceptacle.

Les dignitaires étaient tous présents, à partir du maire Walter Assef, le président Bruce Walker du Comité organisateur, le premier ministre Bill Davis de l'Ontario, le ministre ontarien du Sport et de la Culture, Reuben Baetz, jusqu'au ministre fédéral du Sport amateur, Gerald Regan, qui présida officiellement à l'ouverture des Jeux.

Une expérience émouvante

La musique était enlevante et les danses bien chorégraphées. La foule ne cessait d'applaudir les exécutants qui semblaient s'en donner à coeur joie.

Une dame âgée, au bras de son époux, avait les larmes aux yeux. Des bénévoles accoururent à ses côtés, la croyant indisposée :

«Ce n'est rien, leur dit-elle. C'est tout simplement que je n'ai jamais rien vu de si beau de toute ma vie. Je suis fière d'être de Thunder Bay.»

Les Jeux de Thunder Bay étaient sur la voie du succès depuis les tout débuts, lorsque la soumission du comité local

streaming down her cheeks, who appeared to need some assistance, and attendants were at her side quickly:

"Oh no," she said, "it's just that I have never seen anything so moving and beautiful in my life. I think it was absolutely beautiful and it makes me proud to be from Thunder Bay."

The Thunder Bay Games had been a roller coaster of success from the outset, when their bid was declared successful over an especially strong presentation from London, Ont.

The fundraising by the Friends of the Games had gone particularly well, although Bruce Walker was to say:

"Raising money is always a tough job." They mounted a national campaign and got right to it.

There were labour problems during the building period, as there have been at a number of Games, but Walker said they were settled quickly enough and agreeably because everyone got into the spirit of putting on the Games.

And staging the big show brought together what had been the cities of Port Arthur and Fort William. They had been married to form the City of Thunder Bay in 1970 but there had never been a joint project big enough to lash them together in spirit, and sometimes old loyalties die hard.

But the Canada Games set everyone to a common purpose, Walker said recently, and pulled them together as one city. So, they readily recruited the requisite volunteer brigade of more than 7,000. All they needed then, to go right over the top, was decent weather, and tight, tense competition.

It was gusty and windy some days, especially out on Lake Superior where the sailing events were taking place, but it was manageable.

As for riveting competition, they got it.

Hot Blooded Competition

Coming up to the competitions, there was the natural rivalry between two of the powers in the country, Ontario and Quebec. When the Quebec team arrived, Quebec's paddling coach, Andre Pepin, was asked whether he thought his athletes could give Ontario a decent run for it:

"The question is not whether we can give Ontario a run for their money," Pepin said, "but can they give us a run for ours? Ontario won canoeing in the last Canada Games but Quebec was champion in 1979 and 1980 in the Canadian national

Celebration [... of Youth ... de la jeunesse]

avait été retenue de préférence à celle de London, pourtant bien intéressante.

La cueillette de fonds des Amis des Jeux a été couronnée de succès. Le président Bruce Walker devait cependant avouer subséquemment :

«Recueillir de l'argent est toujours une tâche ingrate.»

Les Amis des Jeux avaient préparé un plan à l'échelle nationale et se mirent immédiatement à la tâche.

La période de construction fut ponctuée de conflits de travail, comme on en avait connus dans le passé, mais Walker explique qu'on les a réglés rapidement et à l'amiable, la population toute entière étant imbue de l'esprit des Jeux.

La présentation de ce grand événement sportif a réuni les populations de ce qui étaient auparavant les municipalités de Port Arthur et de Fort William. Elles s'étaient fusionnées en 1970 sous le nom de Thunder Bay, mais il n'y avait jamais eu d'événement d'assez grande envergure pour développer un esprit communautaire.

Walker expliquait récemment que les Jeux du Canada créèrent rapidement une communion d'esprit qui cimenta les deux municipalités. Il fut donc facile de recruter les quelque 7 000 bénévoles nécessaires. Il ne fallait maintenant qu'une température agréable et une compétition serrée.

Le vent fit des siennes à l'occasion, surtout sur le Lac Supérieur où se déroulaient les compétitions de voile, sans toutefois déranger le programme établi.

Du côté de la compétition, on fut servi à souhait.

Une chaude lutte

Une rivalité facile à comprendre a toujours existé entre le Québec et l'Ontario, les deux grandes puissances sportives au pays. À l'arrivée de l'équipe du Québec, on avait demandé à André Pépin, entraîneur de l'équipe de canotage, si le Québec était prêt à livrer une chaude lutte aux athlètes de l'Ontario :

«La question n'est pas de savoir si nous pouvons leur faire concurrence, mais plutôt si l'équipe de l'Ontario pourra garder le pas avec celle du Québec», répondit Pépin. «L'Ontario a remporté les épreuves de canotage aux derniers Jeux du Canada, mais le Québec a remporté le championnat national en 1979 et en 1980, et les équipes nationales et olympiques sont formées à 60 p,cent d'athlètes du Québec. Sont-ils en mesure de nous faire concurrence?»

Hors de l'eau, cependant, ni le Québec ni l'Ontario ne surent dominer.

Les puissants rameurs de la Nouvelle-Écosse, comme poussés par une brise

championships and both the Canadian national and Olympic teams are 60 percent athletes from Quebec. Can they compete with us?"

But once out on the water, neither Ontario nor Quebec, was able to dominate.

Like a fresh breeze off the Atlantic, the Nova Scotia paddlers raced to the overall men's championship, winning six of nine gold medals. The Ontario women's team won the championship, led by Allison Brown of North Bay who helped her mates to two gold medals and a bronze. Ontario women just nosed out Nova Scotia by a single point.

Quebec finished second in men's canoeing with five silver medals and four bronze, and finished third in the women's standing. Pepin sounded a little chastened and more reflective when it was over and said:

"Nova Scotia was paddling for something no other team could get a grasp on.

I don't know what it was, but it drew them past the others all day. They went absolutely flat out," and Pepin admitted they were surprised by Nova Scotia.

fraîche de l'Atlantique, s'assurèrent du championnat général au canotage en gagnant six des neuf médailles d'or. Chez les dames, l'équipe de l'Ontario remporta le championnat grâce à la brillante tenue d'Allison Brown, de North Bay, qui arracha deux médailles d'or et une médaille de bronze. Les Ontariennes devaient triompher des athlètes de la Nouvelle-Écosse par la mince marge d'un point.

Le Québec termina en deuxième place au canotage, avec cinq médailles d'argent et quatre médailles de bronze, tandis que les femmes du Québec finissaient troisièmes au classement. Pépin avait un air plus réfléchi au terme des compétitions :

«La Nouvelle-Écosse semblait posséder un élan qui avait échappé aux autres équipes. Il m'est impossible de le décrire, mais ils ont eu le dessus toute la journée.» Pépin dut admettre qu'il avait été surpris par la performance de la Nouvelle-Écosse.

C'est ainsi que les jeunes athlètes de la Nouvelle-Écosse acquièrent une nouvelle réputation. Bruce Webb a excellé, aidant son équipe à remporter deux médailles

day two brought an assault on the record book

So the kids from Nova Scotia put one on and showed the country. Bruce Webb was a standout, helping his team to two golds and a silver, and Bernie Irvin, a Dartmouth high schooler, helped in the Nova Scotia sweep of the three golds in the canoe finals.

Irvin won the C-1 race by almost six seconds over Quebec's Bob Mathey. Going into strong headwinds, he and his team mate won the C-2 final by four seconds, and he was in the C-4 boat that won the gold, with Newfoundland second.

The first gold medal of the Games went to British Columbia, to Vancouver's Rob Lonergan (10,000) on the new track

at Fort William Stadium. Lonergan came on in the last lap, surging to the lead in the back straight and winning by 30-40 metres over his B.C. teammate Ross Chilton. Paul McCloy, of Newfoundland, who had led much of the way and who battled the B.C. runners into the bell lap, finished third for the bronze.

Assault on Records

Then, day two of the track and field competition brought an assault on the record book, everything the Games organizers could have hoped for, with record-smashers coming from across the country.

d'or et une d'argent, alors que Bernie Irvin, étudiant d'école secondaire de Dartmouth, aida ses coéquipiers à balayer trois médailles d'or aux finales de canotage. Irvin a triomphé de Bob Mathey, du Québec, par environ six secondes dans la course pour C-1. Affrontant un fort vent devant avec son coéquipier, il remporta la finale C-2 avec une avance de quatre secondes, tandis qu'il faisait partie de l'équipage C-4 qui remporta la médaille d'or, devançant l'équipe de Terre-Neuve qui termina deuxième.

La première médaille d'or des Jeux devait aller à Rob Lonergan, de Vancouver (C.-B.) sur la nouvelle surface du Fort

William Stadium. Lonergan donna sa pleine mesure dans le dernier tour de piste, pour triompher de son coéquipier Ross Chilton par une trentaine de mètres environ. Paul McCloy, de Terre-Neuve, qui avait mené depuis le début et qui

avait tenu le pas avec les coureurs de la Colombe-Britannique jusqu'au son de cloche, se mérita la médaille de bronze.

De nouveaux records

Au cours de la deuxième journée, pas moins de neuf nouveaux records ont été établis et, dans la seule course du 1 500 m pour hommes, les cinq premiers finissants ont battu le record précédent des Jeux. C'est Dennis Stark, de Belleville (Ontario) qui a remporté les honneurs de cette course en 3:45:87 et la médaille d'or, réduisant de presque cinq secondes le record précé-

dent. Randy Cox, de Victoria (C.-B.) et Louis Christ, de Saskatoon (Sask.) ont terminé en deuxième et troisième places respectivement. Adrian Shorter, de l'Alberta, et Rolly Knight, de la Colombie-Britannique, ont tous deux brisé le record

All told on that second day, nine records were set and in one race, the men's 1500 metres, all of the first five finishers coasted over the finish line under the previous Games record. Dennis Stark, of Belleville, was the winner of that one, putting up a time of 3:45.87 and clipping almost five seconds off the old mark to claim the gold. Randy Cox of Victoria, B.C., and Louis Christ of Saskatoon were second and third, and under the old mark but out of the medals were Adrian Shorter, of Alberta, and Rolly Knight, of B.C.

The women continued the record battering pace. In their 1500, Allison Wiley, of Toronto, posted a time of 4:22.56, and she, too, nipped almost five seconds off the old mark.

Angela Chalmers, of Shilo, Man., took the silver and Sara Neil, of British Columbia, the bronze. Manitoba's Nancy Rettie also beat the old Games mark, but, finished fourth and out of the medals by a fraction.

On and on went the charge, and then Ottawa's Ann Peel chopped more than a minute off the women's five kilometre walk record with a gold medal time of 24:24.93.

So it was, too, at the magnificent new pool, with records being set in nine out of 10 finals on their first full day of events.

And when the sweat had dried and the towels were all stacked, Ontario had the Games flag and Nova Scotia took home the Centennial Cup.

The Games had cost $13 million, and that included capital and operating costs. The Federal government picked up the $3.3 tab for operating costs, and put in $1.5 million for capital expenditures. The provincial and municipal governments each put in $1.5 million in capital costs and the province of Ontario also put in a $3 million lottery grant. In addition, the

des Jeux, sans toutefois se mériter une médaille.

De leur côté, les dames faisaient elles aussi la chasse aux records. Dans le 1 500 m, Allison Wiley de Toronto, a réussi un chrono de 4:22:56, retranchant elle aussi cinq secondes de l'ancien record.

Angela Chalmers, de Shilo (Manitoba), se méritait la médaille d'argent, tandis que la médaille de bronze allait à Sara Neil de la Colombie-Britannique. Nancy Rettie, du Manitoba, avait elle aussi battu le record précédent, mais sa quatrième place la privait d'une médaille, par une fraction de seconde.

Les records ont continué de tomber. Ann Peel, d'Ottawa, abaissa de plus d'une minute le record pour la marche de cinq kilomètres pour dames, avec un chrono de 24:24:93 qui lui valut une médaille d'or.

Pendant ce temps, le même phénomène se produisait à la piscine. Après la première journée de compétition, des records étaient établis dans neuf des dix finales.

Les Jeux avaient coûté 13 millions $, en tout et partout. Comme le veut la formule établie, le fédéral prit à sa charge les frais d'exploitation de 3,3 millions $, tout en contribuant 1,5 million $ pour les immobilisations. Les gouvernements

Flag Points
Points-drapeau

	Total Points
Ontario	209
Québec	195
British Columbia/ Colombie-Britannique	191
Alberta	149

1 9 **8** 1

Friends of the Games raised $1.8 million, and so they washed out about even.

For that, left behind to enhance the quality of life in Thunder Bay were the grand new pool, a diving tower, a gymnasium, squash and tennis courts, an all-weather track, and a raft of experience for organizers and officials.

And they were left with a corps of volunteers prepared to tackle any undertaking.

After the Games, a comprehensive study was done by a team from Lakehead University at Thunder Bay, including Gerald Phillips and Harry Elmslie from the School of Business Administration,

and Chris Jecchinis and Bernard Beaudreau, from the Department of Economics. Their study was able to put comforting numbers to some long-held beliefs and assumptions.

For example, of the athletes, 74 percent said they had "a positive impression of the people and the City of Thunder Bay."

And 87 percent of them said they would visit Thunder Bay again. Fully 88 percent of them felt the objectives of the Games had been met.

The study also covered volunteers, and established that 7,000 residents had volunteered to work on the Games. Surveyed in 1982, the year after the

Games, 86 percent indicated that the satisfaction they received from being part of the Games more than compensated for the effort expended.

Some volunteers gave 280 hours to the Games, including opening and closing ceremonies and related activities. Most of the volunteers, involved with sports events, devoted an average of 130 hours.

And here is a stunning statistic: using the minimum wage as a conservative estimate of the value of each individual's time, the monetary value of these volunteers would be something more than $6 million.

So were the Games a Thunder Bay a howling success?

Well, ask the athletes. Or the volunteers. They'll tell you.

provincial et municipal versèrent chacun 1,5 million pour les immobilisations, tandis que la province ajoutait une subvention de 3,3 millions $ provenant du programme Wintario. De plus, les Amis des Jeux avaient recueilli 1,8 million $. Revenus et dépenses étaient presque équilibrés.

Comme héritage destiné à améliorer la qualité de vie, les Jeux laissaient donc à Thunder Bay un nouveau centre aquatique avec tour à plongeon, un gymnase, des courts de tennis et de squash, une piste tout-temps, ainsi que toute une liste d'officiels et d'organisateurs expérimentés.

Une étude générale était entreprise après les Jeux par une équipe de l'Université Lakehead de Thunder Bay, comprenant Gerald Phillips et Harry Elmslie de la faculté de gestion des affaires, et Chris Jecchinis et Bernard Beaudreau du Département d'économie. Ils réussirent à jeter de la lumière certaines théories et hypothèses.

Ainsi, par exemple, 74 p,cent des athlètes ont affirmé qu'ils conservaient «une impression positive de la population et de la ville de Thunder Bay.»

Par ailleurs, 87 p,cent des athlètes se disaient certains de revenir à Thunder Bay un jour. En outre, 88 p,cent estimaient

que les objectifs des Jeux avaient été atteints.

L'étude a également porté sur les bénévoles, ce qui a permis de déterminer que 7 000 résidants avaient travaillé d'une manière ou d'une autre pour les Jeux. D'après un sondage mené en 1982, soit un an après les Jeux auprès du même groupe, 86 p,cent des bénévoles affirmaient que la satisfaction qu'ils avaient retirée de faire partie des Jeux avait plus que compensé l'effort qu'ils y avaient mis.

Certains bénévoles avaient consacré 280 heures de travail aux Jeux, y compris les cérémonies d'ouverture et de clôture

et autres activités connexes. Les bénévoles affectés aux compétitions sportives avaient consacré, pour leur part, une moyenne de 130 heures de travail.

Et voici un chiffre surprenant: en utilisant le salaire minimum comme mesure conservatrice de la valeur du temps de chaque individu, la valeur monétaire du travail de ces bénévoles serait de l'ordre de 6 millions $.

Alors, les Jeux de Thunder Bay ont-ils connu le succès?

Demandez-le aux athlètes… ou aux bénévoles. Ils vous diront à quel point.

1983

S etting up and putting on the 1983 Canada Winter Games at Saguenay-Lac St. Jean was a breeze.

"We had no problems, no trouble at all," Games President Roland Gauthier said, "and we finished the Games with close to a half a million dollar surplus."

Any of the usual concerns about things like money, or people?

"Oh no, none at all," Gauthier said. "We had the people who knew what had

Saguenay-Lac-St-Jean

C' est peut-être difficile à croire, mais les préparatifs et la présentation des Jeux du Canada de 1983 se sont déroulés sans incident… si ce n'est une absence totale de neige jusqu'à deux jours avant l'ouverture des Jeux.

«Il n'y a eu ni problème ni contre-temps, nous dit le président Roland Gauthier du Comité organisateur, et les Jeux se sont soldés par un surplus d'un demi-million de dollars environ.»

Mais, pas de soucis au sujet de fonds, ou de bénévoles?

«Mais, pas du tout», dit Gauthier. «Nos gens savaient ce qu'ils avaient à faire; comment y arriver, et ils ont accompli leurs tâches comme des professionnels.

to be done, and how to do it, and we just did it.

"We had a board of directors organized, with six members from each of the four communities, and life was very easy … very nice. There were no mayors, no city managers, no politics, we were completely at liberty and the members were all very responsible."

They hired Jean Claude Larouche as executive director of the Games, and he had been the kingpin in staging the World Canoe Championships at Jonquiere in 1979. Marcel Claveau, a notary public, was named treasurer and

the person in charge of raising funds, "and so," Gauthier said, "things went very well."

While it is true that harmony within the organizing committee was a hallmark of the 1983 event, it is also true that no set of Canada Games were never completely glitch free.

For example, there was the concern of then Sport Minister Ray Perrault when his officials informed him three days before the Games opening that there was no snow in the Saguenay! Perrault - always the optimist -

advised his officials to keep the faith. Hours before the Minister and his staff arrived at Bagottville, the heavens opened and the region was covered with a fresh blanket of powder.

Yet if, as Mr. Gauthier recalls, staging the Games were no trouble, getting them in the first place was a somewhat more worrisome piece of business.

They were bidding against Trois Rivieres, Rimouski and Rouyn-Noranda. All had strong bids. All four bidders had a campus of the University of Quebec and, all four bid-

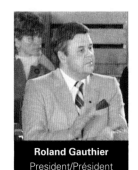

Roland Gauthier
President/Président

ders wanted a new gymnasium on campus. So a multi-million dollar windfall was at stake and each community mounted a most vigourous campaign.

Four Cities

The successful Saguenay-Lac St. Jean bid involved four cities and the surrounding region. The centre was Chicoutimi, with 60,000 people, and immediately adjacent, like a twin, was Jonquiere with 60,000. Then there was Alma with 25,000 and Ville de la Baie, which is made up of three smaller communities around Baie des Ha Ha, with a total of 25,000.

«Notre conseil d'administration comprenait quatre membres de chaque ville en cause et tout a fonctionné sur des roulettes. Pas de maire, ni gérant municipal, ni politique; nous jouissions d'une liberté complète et nos membres étaient tous des gens responsables.»

Jean-Claude Larouche, celui-là même qui avait réussi à présenter les Championnats mondiaux de canotage à Jonquière en 1979, avait été embauché comme directeur exécutif. Le notaire Marcel Claveau était trésorier et responsable de la cueillette de fonds. «Voilà pourquoi tout s'est si bien passé», dit Gauthier.

«Il n'y avait ni crainte ni appréhension, une fois notre soumission choisie», dit Gauthier. «Notre seul souci était d'obtenir les Jeux.»

Trois-Rivières, Rimouski et Rouyn-Noranda avaient également présenté d'excellentes soumissions. Les quatre soumissionnaires pouvaient également compter sur un campus de l'Université du Québec, et chacun anticipait la construction d'un nouveau gymnase. Il s'agissait donc d'une retombée de plusieurs millions de dollars, et chaque communauté y alla d'une campagne vigoureuse.

Quatre villes

Quatre villes et la région adjacente étaient comprises dans la soumission retenue de Saguenay-Lac St-Jean. La ville de Chicoutimi, avec ses 60 000 résidants, en était le centre avec la communauté adjacente de Jonquière, presque ville jumelle, avec 60 000 résidants elle aussi. Il y avait ensuite Alma avec ses 25 000 résidants et Ville de La Baie, formée de trois petites communautés sur la Baie des Ha Ha, avec 25 000 résidants.

«Nous sommes tous très rapprochés, en fait de distance ou autrement», dit Roland Gauthier. «Il y a environ 30 km

de Chicoutimi à Alma, et peut-être 15 km de Chicoutimi à La Baie. Nous n'avons eu aucune difficulté à recruter les 6 000 bénévoles nécessaires.»

Les années de préparatifs arrivaient à un moment où les taux d'intérêt montaient en flèche, ce qui leur facilitait la tâche. Le Comité organisateur se servit des versements anticipés des gouvernements pour investir dans le marché monétaire.

Le taux d'intérêt avait grimpé aussi haut que 22 p,cent, nous rappelait récemment Jean-Claude Larouche. Nous plaçions de l'argent ici pour un mois, puis ailleurs pour les deux mois suivants.

"We are all very close," Roland Gauthier said, "in distance and in other ways too. It is about 30 kilometres from Chicoutimi to Alma, and maybe 15 kilometres from Chicoutimi to La Baie.

"Everyone was in it together, we all wanted everything to succeed and so we had no trouble at all getting volunteers. We had about 6,000 volunteers."

To help put them more at ease, their preparatory years before the Games came at a time of skyrocketing interest rates, and with the money they got from governments as advance payments, they worked the money markets.

"Interest was running as high as 22 percent," Jean Claude Larouche recalled recently, "and we would put money in this place for one month, and in another place for two months, and we kept moving it around to get the most interest. You know, we made $250,000 in one year on interest alone."

Prime Minister Trudeau went up to open the Games, and Roland Gauthier and his directors were "impressed" at how he was received.

"Don't forget," Gauthier said, "that was right after the referendum on separation in Quebec, and we in this region were the only ones to vote yes… to sepa-

rate. That is the way it is here. And when he opened the Games, he gave a message to be united. Well…

"But, everyone was very polite. It is, after all, the Prime Minister, and so the people here, they know how to act, and they received the Prime Minister very well… polite."

The Games cost about $13 million. The proposed budget called for $4.5 million in capital expenses, but that figure grew to $8 million by the time they were ready to open. The Federal, provincial and local governments shared equally in that cost.

The operating costs totalled about $5 million, and the Games President, Roland Gauthier, mentioned that the Trudeau government picked up the greatest portion of that.

Of $8 million in capital costs, close to $4 million went into a sports pavilion with a double gymnasium and a track on campus at Chicoutimi University. Another $30,000 was spent on refurbishing the Georges Vezina Arena and then $60,000 again on building a speedskating oval.

The City of Jonquiere saw close to $1 million put into a major upgrading of their Palais des Sports, $45,000 into ren-

"Interest was running as high as 22 percent… we made $250,000 in one year on interest alone."

«Le taux d'intérêt avait grimpé aussi haut que 22 p,cent… nous avons réalisé en un an un profit de 250 000 $ en intérêt seulement.»

Nous transférions cet argent de place en place pour obtenir le meilleur intérêt. Savez-vous que nous avons réalisé en un an un profit de 250 000 $ en intérêt seulement?»

En tout et partout, le Comité organisateur consacra environ 8 millions $ aux immobilisations, dont 4 millions $ pour un gymnase double sur le campus de l'Université du Québec à Chicoutimi.

Le Premier ministre Trudeau a tenu à ouvrir lui-même les Jeux du Canada. La réception qui lui fut réservée n'a pas manqué d'étonner Gauthier et ses directeurs.

«N'oubliez pas que l'événement suivait de près le référendum sur la séparation du Québec, et que les gens de la région ont été les seuls à voter «oui» pour la séparation. C'est la situation qui prévaut dans notre région. Dans son allocution d'ouverture, il a livré un message d'unité. Eh bien…

«Il a été reçu avec la plus grande politesse. Il s'agissait du Premier ministre, après tout. Les gens d'ici savent comment se comporter. Ils l'ont reçu très poliment.»

Les Jeux ont coûté environ 13 millions $. Le budget prévoyait 4,5 millions $ en immobilisations, mais ce

chiffre avait déjà passé à 8 millions $ au moment où les Jeux s'ouvraient. Les gouvernements fédéral, provincial et locaux se partagèrent le coût également, selon la formule adoptée aux Jeux de Halifax-Dartmouth en 1969.

Les frais d'exploitation se sont élevés à 5 millions $ environ, et le président Roland Gauthier s'empresse d'ajouter que le gouvernement Trudeau en a payé la majeure partie.

Des 8 millions $ en immobilisations, près de 4 millions $ sont allés à un centre sportif comprenant un gymnase double et une piste. Un montant de 30 000 $ a

été consacré à la rénovation de l'aréna Georges Vézina, tandis qu'un nouvel anneau de patinage a été construit au coût de 60 000 $.

La ville de Jonquière a reçu un million de dollars environ pour des rénovations majeures à son Palais des sports et 45 000 $ pour la rénovation de la piscine du CEGEP. À Ville de La Baie, plus de 670 000 $ ont été consacrés à un chalet de ski et à l'aménagement de pistes et 70 000 $ pour des allées de quilles à la salle de la base militaire. Pendant ce temps, on dépensait près de 400 000 $ à Alma pour relever ses installations aux normes des Jeux.

ovations to the swimming pool at the CEGEP and about $70,000 into the bowling alleys on the military base. At Ville de la Baie, more than $670,000 was put into a ski chalet and nordic ski courses and close to $400,000 went in to the City of Alma to bring their sites up to Games standards.

Friends of the Games, always a vital ingredient in the whole winning mix, put $1,156,707 in money, goods and services into the pot.

And when it was all over, they had a surplus of about $350,000 to give back to the host cities with the greater portion of it going into their TIMI Foundation, an

organization set up back in 1970 from the proceeds of the Quebec Games in that region. The Foundation is designed to help athletes and sports, and a variety of cultural endeavours and Gauthier said it is running now with almost half a million dollars in the fund.

Figure Skating First

Of the 18 sports competitions they conducted in these Winter Games, figure skating proved the most popular, drawing more than 21,000 fans and about $45,000. Hockey, another traditional favourite, placed second with

Les Amis des Jeux, cet élément vital de succès, ont recueilli 1 156 707 $ en argent, produits et services.

À la toute fin, il y avait un surplus d'environ 350 000 $ à répartir entre les communautés participantes, la majeure partie étant versée à leur fonds TIMI, créé en 1970 grâce aux profits réalisés par les Jeux du Québec dans la région. Son but est de venir en aide aux athlètes et aux sports, ainsi qu'à une variété d'initiatives culturelles. Gauthier estime que le fonds dispose maintenant d'un demi-million de dollars.

Popularité du patinage artistique

C'est le patinage artistique qui a été le plus populaire des 18 sports au programme des Jeux, attirant plus de 21 000 spectateurs et produisant des recettes d'environ 45 000 $. Le hockey, un autre sport favori, s'est classé deuxième avec 16 664 spectateurs payants et des recettes de plus de 33 000 $. Les cérémonies officielles ont attiré le troisième plus grand nombre de spectateurs. La cérémonie de clôture a produit des recettes de 23 550 $, tandis que la cérémonie d'ouverture accusait des profits de 19 974 $.

16,664 paying customers and more than $33,000 at the gate and the formal ceremonies were next in the ranking of "pull" at the gate. The closing ceremonies brought in $23, 550 and the opening ceremonies $19,974.

Gymnastics, volleyball and boxing ranked third, fourth and fifth in attendance, the gymnasts attracting more than 7,000 spectators while volleyball and boxing each had more than 5,000 over the course of the Games. Then the remaining sports drew fewer than 3,000 each.

Total attendance at all events, 79,192; total revenue, $196,101.

Those who attended the opening ceremonies were treated to a bona fide spectacular. It was built around six themes: nature, Amerindians, colonization, The Great Fire, industrialization and what they called Present Day.

The section on the Great Fire was staged in deference to the agony suffered

in the region back in 1912 when a bush fire raged for more than two weeks, blackening a wide swath for more than 100 kilometres, from St. Felicien to Chicoutimi, charring everything in its path… farms, villages and towns.

The musical impact of the show was stunning with 400 voices from 10 different choral groups uniting in harmonious splendour, with music provided by the Orchestre Symphonique du Lac-St. Jean and the invariably stirring sounds of the band of the Royal 22nd Regiment.

There was the parade of athletes to the strains of "La remontée de l'Adanak," a musical account of the salmon's difficult

journey upriver, and in the mind of the show's creator, comparing it to the arduous journey of the athletes to get to this threshold of the Canada Games '83.

The flame was lit in a brand new state-of-the-art, Games caldron that had

La gymnastique, le volleyball et la boxe étaient respectivement troisième, quatrième et cinquième en fait de popularité, la gymnastique attirant plus de 7 000 spectateurs, tandis que le volleyball et la boxe attiraient chacun plus de 5 000 partisans au cours des Jeux. Les autres sports ont attiré moins de 3 000 spectateurs chacun.

L'assistance totale aux événements s'est chiffrée par 79 192, les revenus s'établissant à 196 101 $.

Ceux et celles qui ont eu la bonne fortune d'assister à la cérémonie d'ouverture ont été témoins d'un spectacle grandiose, dont les six thèmes étaient la

nature, les Amérindiens, la colonisation, le Grand incendie, l'industrialisation et le temps présent.

Le tableau sur le Grand incendie a décrit les souffrances endurées dans la région en 1912 lorsqu'un feu de brousse a fait rage pendant plus de deux semaines, calcinant une vaste étendue

de terrain sur plus de 100 kilomètres, de Saint-Félicien à Chicoutimi, détruisant tout sur son passage… fermes, hameaux et villages.

La partie musicale du spectacle était sublime : 400 voix de dix chorales locales, chantant en parfaite harmonie, accompagnées de l'Orchestre symphonique du Lac Saint-Jean et de la musique entraînante du Royal 22e Régiment.

Le défilé des athlètes s'est déroulé au son de «La remontée de l'Adanak», une émouvante description musicale du saumon remontant la rivière laquelle, dans l'esprit du directeur du spectacle, faisait le parallèle avec les efforts déployés

par les athlètes pour atteindre le plateau des Jeux du Canada de 1983.

Le flambeau Alcan alluma la flamme des Jeux, le serment des athlètes fut prêté, le Premier ministre Trudeau donna son allocution sur l'unité nationale et la soirée prit fin avec L'hymne national «O Canada» entonné par le choeur de 400 voix.

Les athlètes se dispersaient ensuite dans les divers lieux de compétition. Chacun et chacune voulait donner le meilleur de soi-même et atteindre un nouveau sommet.

Au compte final, deux semaines plus tard, c'est l'Ontario qui remportait les honneurs.

been especially constructed by the workers of the local Alcan plant for the Saguenay event that has been used ever since at all Canada Games openings. The oaths were taken, and Prime Minister Trudeau delivered his message of Canadian unity, and the emotional evening closed with a glorious 400 voice rendition of O' Canada.

And they were into it, the young athletes dispersed over 18 sites and reaching for gold. Or silver. Or bronze. Or, a personal best. But reaching, to the best of their ability.

In the final count, two weeks later, Ontario stood on top for the Games flag.

See Saw Struggle

T he perennial powers managed to pull it out when they had to. In the hockey for example, they went into the gold medal game against British Columbia before a standing-room-only house at the Palais des Sports in Jonquiere.

As the clock wound down to the final ticks, the bigger B.C. team led 3 to 2. With just over a minute remaining, Ontario's Robert Bryden tied the score, forcing overtime. The crowd was into it now, and Ontario dug down for that final, frantic fling. In the overtime period,

Gold... silver... bronze
Or... argent... bronze

Une lutte serrée

L es puissances traditionnelles ont su tirer leur épingle du jeu en temps opportun. Au Palais des Sports de Jonquière, par exemple, où il ne restait aucune place libre, l'Ontario affrontait la Colombie-Britannique dans la finale pour la médaille d'or au hockey.

L'équipe plus costaude de la Colombie-Britannique menait 3-2 alors que le match tirait à sa fin. Robert Bryden, de l'équipe ontarienne, égalisait le compte alors qu'il restait un peu plus d'une minute de jeu, forçant le match en prolongation. La foule était excitée à

souhait, presque autant que les joueurs de l'Ontario qui se préparaient à livrer l'assaut final. Warren Block donna l'avance à l'Ontario à 6:14, puis Pat Ryan ajoutait un autre but pour assurer une victoire de 5-3, et la médaille d'or, à l'Ontario.

Au début des Jeux, le Québec avait causé une surprise en remportant des médailles d'or au badminton masculin et féminin, et c'est au nouveau centre sportif à l'UQC qu'on assista au match le plus sensationnel chez les femmes. Chantal Jobin, du Québec, avait affronté Nancy Little de l'Ontario en trois occasions et perdu chaque fois. Rendues en

Warren Bullock scored for Ontario at 6.14 and then Pat Ryan added an insurance goal to give Ontario the gold, 5 to 3.

Quebec, earlier in the Games, had surprised with golden victories in men's and women's badminton, and perhaps the keynote match in those keenly-contested struggles at the new complex at Chicoutimi University came in women's play. Chantal Jobin, of Quebec, had played Ontario's Nancy Little three times and had lost, three times. In the final, however, Nancy Little won the first set and then Chantal Jobin mounted a spirited charge to win 11-5 and then 11-6.

Quebec won the boxing too, with a gold and seven silvers. Ontario took four gold and two bronze, including a gold in the over 81 kg. class by Lennox Lewis, 1988 Olympic gold medalist, who is now rated among the top ten professional heavyweights in the world.

And, no surprise at all, Quebec women won the volleyball gold. With three Jonquiere women in the lineup, the victory before the home town fans was the most popular of the Games and the three local women, Josée Lebel, Lise Martin and Nathalie Pelletier, were mobbed by admirers after they knocked off Alberta.

And Quebec dominated the water polo. The day of the final battle was cold with wind-driven snow, and the players requested the water temperature be raised a few degrees.

It was not a day for fans in big boots and full winter gear to sit around a steamy pool, but they had been reminded that in the last Winter Games final, Ontario came from behind to beat Quebec in the final minutes.

So the bleachers were filled, and with a huge performance by Quebec goalie Robert Dallago, the home side moved comfortably to a 9-4 victory.

finale, cependant, après que Nancy Little eut remporté le premier set, Chantal revenait à la charge pour enlever les deux autres 11-5 et 11-6.

Le Québec fut également victorieux à la boxe, avec une médaille d'or et sept médailles d'argent. Pour sa part, l'Ontario devait remporter quatre médailles d'or et deux médailles de bronze, y compris la médaille d'or de Lennox Lewis dans la catégorie des 81 kg, maintenant classé parmi les dix meilleurs poids-lourds professionnels au monde.

Personne n'a été surpris de la médaille d'or remportée par les Québécoises en volleyball. Du fait que l'équipe du

Québec comptait trois représentantes de Jonquière, la victoire devant les partisans locaux fut la plus populaire des Jeux. Josée Lebel, Lise Martin et Nathalie Pelletier se virent entourées d'admirateurs et d'admiratrices après leur victoire sur l'Alberta.

Le Québec a également dominé au water-polo. Il faisait froid, avec des bourrasques de neige le jour de la finale, et les joueurs ont demandé que la température de l'eau soit haussée de quelques degrés.

Ce n'était pas réellement une journée pour se trouver en chauds vêtements d'hiver autour d'une piscine d'où s'échappait un nuage de vapeur, mais les parti-

Flag Points
Points-drapeau

	Total Points
Ontario	211
Québec	209.5
British Columbia Colombie-Britannique	173.5
Alberta	169

1 9 8 3

sans se rappelaient que, aux derniers Jeux d'hiver, l'Ontario était venue de l'arrière pour triompher du Québec dans les dernières minutes de jeu.

Les spectateurs qui remplissaient les gradins ont vu le Québec triompher par la marge confortable de 9-4, grâce à la superbe tenue du gardien Robert Dallago du Québec.

Du côté des femmes, le Québec n'a pas subi la défaite, triomphant magistralement de Terre-Neuve par 29-0, de l'Ontario par 15-1, et de la Nouvelle-Écosse par 14-1.

Par ailleurs, les athlètes de l'Ontario donnaient le meilleur d'eux-mêmes et se rapprochaient de la tête. La superbe gym-

The Quebec women were masterful, putting on a powerful demonstration to remain undefeated throughout the Games, swamping Newfoundland 29-0, Ontario 15-1 and Nova Scotia 14-1.

But Ontario's athletes were driving hard, and hanging near the top. Ontario's Andrea Thomas, a polished gymnast, won four gold and a silver to lead her team to the title. Ontario won wrestling gold and took a silver in synchronized swimming and Ontario's Chantal Cote found the brand new speedskating oval suited her stride nicely, and she set Games records in winning the 1, 000 metres and the 1500. And in the 1500, she posted an attractive time of 2:26:19, shattering the mark of 2:34:19 set by Quebec's Sylvie Daigle in the Canada Games in Brandon in 1979.

The glory in figure skating, the most popular competition in the Games, was spread right across the country. Medals of one colour or another went to nine different provinces. But the most impressive assortment was gathered by Quebec, five gold and three silver.

In the final compilations, however, the faithful rooters of the Saguenay saw the Quebec team in second place to the flag winners from Ontario.

And when the flag was presented to Ontario during the closing ceremonies, 5,000 sports fans stood and cheered as the Ontario athletes made their triumphal march around the Georges Vezina Arena.

The honour of presenting the Centennial Cup, emblematic of the most improved team in the Games, was given to four of the volunteers, representing the 6,000 who had given so freely of their time and talent to make it all work. They turned the trophy over to Saskatchewan.

Except for the formalities then, the great show was over. And Sports Minister Raymond Perrault looked after that part of it, and before closing down the Games, he told the gathering:

"I offer you a thousand thanks. You have shown us the real meaning of hospitality."

Everything had gone without even the suggestion of a hitch.

"No. . .no problems," President Roland Gauthier said. "Not preparing for the Games, not during the Games. It was a big undertaking, of course. You expect that. But, life was very nice. And we had a surplus. That was very nice too."

naste Andrea Thomas se mérita quatre médailles d'or et une médaille d'argent pour assurer le titre à l'équipe ontarienne. L'Ontario remporta l'or à la lutte et l'argent à la nage synchronisée, tandis que Chantal Côté de l'Ontario trouvait l'anneau de patinage de vitesse de son goût, établissant des records des Jeux au 1 000 m et au 1 500 m. Dans cette dernière épreuve, elle réalisait un chrono surprenant de 2:26:19, pulvérisant le record de 2:34:19 établi par Sylvie Daigle du Québec aux Jeux du Canada de Brandon en 1979.

Au patinage artistique, sport le plus populaire des Jeux, les honneurs ont été partagés à travers le pays. Des représentants de neuf provinces se sont mérité des médailles, mais c'est quand même le Québec qui s'assurait le total le plus impressionnant : cinq médailles d'or et quatre médailles d'argent.

Malheureusement pour les partisans du Saguenay-Lac-St-Jean, c'est au deuxième rang que l'équipe du Québec se retrouvait au compte final, derrière l'Ontario qui remportait le Drapeau des Jeux.

Mais lorsque le Drapeau a été présenté à l'équipe de l'Ontario lors de la cérémonie de clôture, les quelque 5 000 sportifs se sont levés dans l'aréna Georges Vézina et ont ovationné les ath-

lètes ontariens qui entreprenaient leur marche triomphale.

L'honneur de présenter la Coupe du Centenaire, remise à l'équipe la plus améliorée des Jeux, avait été réservé à quatre bénévoles représentant leurs 6 000 collègues qui avaient si généreusement contribué de leur temps et leurs efforts pour assurer la bonne marche des Jeux. C'est aux représentants et représentantes de la Saskatchewan qu'ils ont remis le trophée.

Le spectacle tirait à sa fin; à part quelques formalités d'usage auxquelles présidait le ministre du Sport amateur, Ray Perrault, qui s'est ainsi exprimé :

«Je vous offre mille mercis. Vous nous avez donné un véritable exemple d'hospitalité.»

Tout s'était déroulé sans incident, dans le plus bel entrain et dans la plus grande harmonie.

«Pas un seul petit problème», a dit le président Roland Gauthier, «ni en cours de préparation ni durant les Jeux. Il faut généralement s'y attendre au cours d'un si grand événement. Tout s'est bien passé et nous avons même réalisé un surplus… ce qui n'est pas à dédaigner.»

1985

Saint John, New Brunswick

Saint-Jean, Nouveau-Brunswick

August 11-24 août, 1985

10

T his 200-year-old City of Saint John on the New Brunswick shore of the Bay of Fundy has been called the "drowsy dowager of Eastern Canada."

By many outsiders she was seen as grey, standing still in a shroud of Fundy fog. Even to many insiders, Saint John was considered a quiet city, staid and conservative and for many years, largely uneventful. People of the old city seemed

Saint John
Saint-Jean

S ise sur les rives de la Baie de Fundy au Nouveau-Brunswick, l'historique ville de Saint-Jean, dont les origines remontent de deux siècles dans le temps, a été longtemps considérée comme «la douairière de l'est du Canada», assoupie dans le brouillard de la Baie de Fundy.

Richard Oland, homme d'affaires actif de Saint-Jean, était décidé à changer les cette conception.

Il fallait quelque chose de grandiose et de sensationnel, un événement à multi-

shot through with a comfortable negativism that militated against any brash or aggressive forward thrusts.

Richard Oland, a native son and a successful business executive, recognized that prevailing attitude and decided to do something about it.

But how does one bring sufficient influence to a city's mindset to reverse the very thought patterns of the people?

There has to be a vehicle, something big, something sensational, something with enough tentacles to gather in and involve a significant portion of the population.

The Canada Games!

Saint John had bid for the Canada Games of 1977 and thought at the time that they had covered all the angles and touched all the bases. There was heavy disappointment when they learned the Games had been awarded to St. John's, Newfoundland.

This time however, it was acknowledged beforehand that it was New Brunswick's turn, and Saint John competed against Fredericton, and won.

Dick Oland
President/Président

City Council wanted a person to assume the enormous responsibility of the Games presidency, a prominent person with local clout, a strong sense of command and organization, and the required boldness and enthusiasm to jar the citizenry from ancient slumbers.

They appointed Dick Oland. Not only did Council make him the boss, they gave him full powers to pick his own executive team, to act as agent between the three levels of government, federal, provincial and municipal, and to determine in his committees who was responsible for what.

He selected an executive committee of 15, with eight vice-presidents and he remembers:

"We set about to change people's attitudes. You remember that Big Apple program they put on in New York? They campaigned any way they could to boost their Big Apple, I love New York ads, slogans and all the rest of it. So we started years before the Games… Super Saint John. We were coming up to the city's bicentennial and we tied into that… a great place to live, great location, great people. We brought in all the media and we started a marketing campaign. "Get away from all this negative attitude business, and let's get on with it. The Canada Games are coming."

---

ples activités pour rapprocher les gens et en engager un bon nombre directement dans cet événement.

Les Jeux du Canada!

La ville de Saint-Jean avait répondu à l'appel d'offres pour les Jeux d'été de 1977 et le comité de la soumission croyait alors avoir répondu à toutes les attentes. C'est avec regret qu'on apprit que les Jeux avaient été accordés à une autre ville du nom de St-Jean, mais à Terre-Neuve.

Mais cette fois, c'était un fait bien reconnu que les Jeux devaient revenir au Nouveau-Brunswick. Les villes de Saint-Jean et de Fredericton étaient en lice… mais c'est Saint-Jean qui fut choisie.

Le Conseil municipal voulait confier les innombrables responsabilités de la présidence des Jeux à une personne compétente, possédant beaucoup d'influence locale, douée d'un sens inné d'organisation, et capable de secouer la population de sa léthargie.

Cet homme, c'était Richard Oland. Non seulement le Conseil le nomma-t-il président, mais l'autorisa à choisir son propre exécutif comme intermédiaire entre les paliers de gouvernement fédéral, provincial et municipal, ainsi que pour décider qui, dans ses nombreux comités, serait responsable de chacun des domaines.

«Nous avons entrepris de changer l'attitude des gens. Vous vous souvenez du programme Big Apple à New York? Ils ont pris tous les moyens imaginables pour faire connaître le Big Apple, tels les annonces et le slogan «I Love New York», et tout le reste.

«Nous nous sommes mis à l'oeuvre plusieurs années avant les Jeux avec notre… Super Saint-Jean. La ville devait bientôt célébrer son bicentenaire et nous y avons relié notre campagne… un super endroit où vivre, une topographie excitante, des gens hospitaliers. Nous y avons intéressé tous les médias et lancé une grande campagne de marketing.

«Il est temps de se débarrasser de cette attitude négative et de passer à l'action. Les Jeux du Canada s'en viennent.»

Le message voulait faire taire les «C'est impossible à Saint-Jean» et adopter plutôt «Oui, Saint-Jean est à l'honneur et nous nous mettons au travail dès maintenant!» Le message a frappé droit au but. Non seulement les gens de Saint-Jean ont-ils adopté ce nouveau sens de l'humour, mais ils ont créé ce que les médias ont

The message was to forget the shop-worn replies about "it can't happen in Saint John", but rather open up and move on to, "it's going to happen in Saint John, and it starts now."

The message struck home. It worked. Not only did the people of Saint John embrace the new humour, they created what the newspapers of the day called "an enchanted city" for the two weeks of the Games.

The Canada Games are a sports-driven pageant, but a major component is the cultural ingredient. Saint John's Festival by the Sea was that instrument of enchantment, colouring and enlivening the days and brightening the summer evenings to a sparkle they had never known.

Festival Carries On

It was so successful," Oland said, "that it has been carried on. That's what we wanted. The Games bring a pride and self-esteem to the people. There is a very big psychological impact. Now, if you walk down the streets today, the high is not the same as it was in 1985. But it is a great deal better than it was in 1981. Much, much better."

George Fraser, who was general manager of the Games in Saint John, said:

Saint John's Festival by the Sea was that instrument of enchantment, colouring and enlivening the days and brightening the summer evenings to a sparkle they had never known.

Le «Festival-sur-mer» provoqua l'enchantement, donnant aux journées ensoleillées et aux soirées sous les étoiles cette étincelle que la ville de Saint-Jean n'avait jamais connue.

---

alors décrit comme «ville enchantée» pour les deux semaines des Jeux.

Les Jeux du Canada sont avant tout un événement sportif, mais le côté culturel y occupe aussi une place importante. Le «Festival-sur-mer» provoqua l'enchantement, donnant aux journées ensoleillées et aux soirées sous les étoiles cette étincelle que la ville de Saint-Jean n'avait jamais connue.

Le festival continue

«Le Festival a remporté un tel succès qu'il se poursuit encore aujourd'hui», dit Oland. «Je me souviens avoir parlé au maire de Saskatoon, qui tentait alors d'obtenir ses deuxièmes Jeux. Il m'a confié que les premiers Jeux avaient laissé Saskatoon dans un état d'extase qui commençait à se dissiper. Il espérait qu'une deuxième série de Jeux viendrait ranimer cet esprit.

«C'est exactement ce que nous cherchions. Les Jeux donnent un sens de fierté et d'orgueil aux citoyens. L'impact psychologique est considérable. En déambulant aujourd'hui dans nos rues, on s'aperçoit que ce n'est plus l'état d'esprit de 1985… mais c'est beaucoup mieux qu'en 1981, à n'en pas douter.»

"Things are moving here. Construction of a new civic centre is to begin this summer and that will be a $26 million operation. Then we hope to get an American Hockey League team. So things are happening."

The new rink will also be hooked into the Pedways system, a network of covered walks covering the downtown area.

Almost Called Off

And it all came within a whisker of not happening at all. Not many people were fully aware of it even at the time, and once a solution was found and the spectacular began, all was forgotten. But at the 11th hour, Dick Oland faced the prospect of calling the whole thing off, cancelling the Games.

The city was gripped in a labour dispute. This was not the first time that labour unrest had visited Games host cities during their preparation periods. It happened in Brandon, and it happened in Thunder Bay. But this was the first time that a strike loomed as nothing short of calamitous.

In the days before the scheduled opening ceremonies, union leaders threatened to withdraw all services, buses, garbage, everything, if their demands were not met. They also threatened to promote a boycott of the Games among their members, and the family and friends of members. Union officials estimated that 30 percent of the volunteer corps was made up of their members. Saint John Mayor Elsie Wayne issued a call for public support and volunteers were calling city hall and Games headquarters, offering to drive buses or do any work required.

The New Brunswick Senior Citizens Federation invited its 30,000 members to help in any way they could. The Saint John Central Business Development Corporation was busy distributing 100 heavy duty push brooms to businesses on the streets. They wanted merchants and others to sweep the streets in front of their businesses.

The publisher of the Saint John Telegraph Journal penned an "appeal for fair play." The appeal called it a "sad and sick performance" and said "they hope to use the Canada Games and the support of their fellow unionists to bring the city to its knees."

Oland appealed publicly for cooler heads. It was the last week, and time was running out. Despite protestations from various sources that the Games would go on regardless, Oland knew better.

Presque contremandés

Peu de gens étaient au courant à l'époque, mais, à la onzième heure, Dick Oland avait sérieusement considéré la possibilité d'annuler les Jeux.

La ville était aux prises avec un conflit de travail. Ce n'était pas la première fois qu'un tel conflit avait affecté les villes hôtes au cours de leurs préparatifs. C'était arrivé à Brandon et à Thunder Bay. C'était pourtant la première fois qu'une grève semblait aussi imminente et désastreuse.

Quelques jours seulement avant la cérémonie d'ouverture, les dirigeants syndicaux ont menacé de retirer tous leurs services, y compris les autobus et l'enlèvement des ordures, si leurs demandes étaient rejetées. Ils menacèrent également d'encourager un boycott des Jeux. Ils affirmaient que 30 p,cent des bénévoles étaient membres de syndicats.

Le maire Elsie Wayne de Saint-Jean a lancé un appel au public et des bénévoles ont communiqué avec la mairie et le quartier général des Jeux, offrant de conduire des autobus ou de faire toute autre tâche requise. La Fédération des aînés du Nouveau-Brunswick a invité ses 30 000 membres à prêter leur concours de quelque façon que ce soit. La Société centrale de développement des affaires à Saint-Jean a distribué une centaine de balais de rue aux commerçants, les invitant à balayer la rue en face de leur maison d'affaires.

L'éditeur du Saint John Telegraph Journal a publié «un appel au fair-play.» L'appel qualifiait la menace de «manoeuvre triste et déplorable», et qu'on tentait de «se servir des Jeux du Canada et des membres de syndicats pour intimider la ville.»

Oland fit appel au bon sens. On en était rendu à la dernière semaine et il restait peu de temps.

«Je n'avais aucune intention de faire venir des jeunes de tous les coins du pays et voir quelqu'un jeter une brique dans une fenêtre d'autobus. Il ne fallait pas courir ce risque. Il fallait aussi être au fait de la situation, de façon à pouvoir avertir les responsables à travers le pays que l'événement était annulé et de ne pas faire le voyage inutilement.

«Il me fallait savoir avant jeudi de cette dernière semaine si l'on devait tout annuler. J'ai donc organisé une réunion et l'on a discuté jusqu'à très tard dans la nuit.

«Nous en sommes finalement venus à une entente le vendredi matin.»

L'accord a été ratifié le vendredi et les Jeux débutaient le dimanche. Sans cette

"I wasn't going to bring in kids from across the country and put them on buses, and then have somebody throw a brick through a window. We couldn't take a chance on anything like that. And we had to know in time to tell people, right across the country, not to put their athletes on planes, that it was off. I had to know by Thursday of that last week, whether to cancel."

entente, Oland estime qu'il n'aurait eu d'autre choix que d'annuler les Jeux.

La météo était une autre source d'inquiétude. Au mois de juillet, un épais brouillard venu de la Baie de Fundy avait recouvert la région pour deux semaines. C'est toujours un facteur quand il s'agit d'activités extérieures à Saint-Jean.

Fort heureusement, en ce dimanche d'ouverture des Jeux, le soleil brillait de tout son éclat et est réapparu chaque jour pour agrémenter l'événement. Dans le

A meeting was called with all parties, and there was talk until three or four o'clock in the morning on Friday. Finally, agreement was reached.

The agreement was ratified on Friday. The Games opened on Sunday. Had agreement not been reached on that Friday, Oland says he would have had little choice but to pull the plug.

Weather was another concern in the backs of many minds. In July that year, fog had rolled in off the Bay of Fundy and stayed for two solid weeks. The Fundy fog is always a consideration for outdoor activities in Saint John.

On that opening Sunday however, a great, brassy sun hung up there and it stayed to warm the pageant on every day. Under the sun, in the nifty new Canada Games Stadium overlooking the picturesque Kennebecasis River, Prime Minister Brian Mulroney declared the Canada Summer Games officially underway.

It was a 2 1/2 hour blast of music, dance, song and colour, and after an intricate "ballet of peace", hundreds of pigeons were released to flutter over the more than 12,000 fans, and out of the park.

The Games torch was lit by New Brunswick field hockey player Brenda Guitard and a surprise guest, Steve

Fonyo, the courageous one-legged runner who bounced across Canada to capture the imagination of the country and collect more than $9 million for cancer research.

The two runners entered the stadium flanked by 15 New Brunswick athletes, one in a wheelchair, who had carried the torch from Fredericton where it was ignited the previous day with a spark from the province's centennial flame. The two runners nimbly mounted the dozen steps to the big receptacle, and as the flame burst into life, the 300-voice Canada Games choir delivered a stirring rendition of, "Let there be peace on earth, and let it begin with me."

the courageous one-legged runner: **Steve Fonyo** : le courageux coureur unijambiste

nouveau Stade des Jeux du Canada surplombant la pittoresque rivière Kennebecasis, baigné par un chaud soleil d'août, le Premier ministre Mulroney procédait à l'ouverture officielle des Jeux d'été du Canada.

La foule assista à un spectacle haut en couleurs de musique, de danse et de chants et, après un spectaculaire «ballet de la paix», on lâcha des centaines de pigeons qui survolèrent la foule de 12 000 spectateurs avant de disparaître à l'horizon.

La flamme des Jeux fut allumée par la joueuse de hockey sur gazon Brenda Guitard du Nouveau-Brunswick, accompagnée d'un invité surprise, Steve Fonyo,

le courageux coureur unijambiste qui avait traversé le Canada, capturant l'admiration des Canadiens tout en recueillant plus de 9 millions $ pour la recherche sur le cancer.

Les deux coureurs ont fait leur entrée dans le stade, accompagnés de 15 athlètes du Nouveau-Brunswick, dont un en fauteuil roulant, qui avaient transporté le flambeau de Fredericton où il avait été allumé le jour précédent par une étincelle de la Flamme du Centenaire de la province. Au moment où ils allumaient la flamme, le choeur de 300 voix des Jeux du Canada entonna «Que la paix règne sur la terre, en commençant par moi.»

Une grande émotion

Quelques athlètes du Nouveau-Brunswick sortirent de leurs rangs, faisant fi des préposés à la sécurité, pour venir serrer la main du Premier ministre Mulroney et offrir à son fils Mark un chapeau des Jeux du Canada.

Le Premier ministre a expliqué à son vaste auditoire que les Jeux du Canada ont servi de «creuset où plusieurs athlètes olympiques ont été moulés.» S'adressant aux athlètes, il leur décrivit les «liens d'amitié durables» qu'ils établiraient, et que «ces liens d'amitié assureraient la force de notre pays.»

Not a Dry Eye

Hardened veterans reported: "Buttons popped and eyes filled."

Prime Minister Mulroney told the packed house that the Canada Games had proved to be a "crucible in which many Olympic athletes have been forged." He told them that "lasting friendships" would be formed, "and through those friendships, the strength of our nation will be reinforced and in many ways enhanced."

Mayor Elsie Wayne told the gathering: "I think I must be the happiest and proudest mayor there is in the whole of Canada."

Not long ago, she remembered, and said:

"That's right. And I still am. Everything came together under one roof for those two weeks. The weather was perfect. And the opening and closing ceremonies are most vivid in my mind. And so many people worked so hard to organize the whole thing and it was all done professionally. We were all so proud."

The "so many people" Mayor Wayne referred to were the volunteers and George Fraser said:

"Including all those who took part in the opening and closing ceremonies, we had a total of about 8,000 volunteers."

All that in a city of 75,000, with perhaps 125,000 if the area and suburbs are included.

Don Cayo, a Canadian Press writer re-visiting the city for the Games after an absence of five years, wrote:

"The redeveloped waterfront, of course, is the magnet that holds my attention and makes my head spin when I recall what used to be. But the difference in the Saint John that I left and the one I came back to is more than physical. And it's more than just the sense of fun and involvement inspired by the Canada Games.

"Saint John and Saint Johners have discovered something that perhaps too many had not known they could have. For lack of better words that could say it all, let me call it pride."

Another writer, speaking of the "enchanted city", said:

"Make no mistake about it, there is magic in Old Saint John as the Canada Games and its accompanying Festival by the Sea polish up our pride and expand our self esteem.

"These are days and nights you will tell your grandchildren about. There may never be anything quite like them again."

The Festival brought together musical groups and entertainers from every

«Je suis sans doute le maire le plus heureux et le plus fier au Canada», dit le maire Elsie Wayne de Saint-Jean.

Faisant un retour sur le passé, elle affirmait récemment :

«Tout est tombé en place pour une période de deux semaines. La température était idéale et les cérémonies d'ouverture et de clôture sont encore très vivantes dans mon esprit. Nous avions déjà assisté à des cérémonies semblables mais, pour nous, rien ne rivalisait avec notre spectacle. Tant de gens ont travaillé de façon professionnelle à l'organisation. Nous étions tellement fiers.»

Le maire Wayne parlait naturellement des bénévoles, et George Fraser ajoute :

«Si nous ajoutons ceux et celles qui ont participé aux cérémonies d'ouverture et de clôture, nous en arrivons à un total d'environ 8 000 bénévoles.»

Pas si mal pour une ville de 75 000 âmes, et une population totale de 125 000 si l'on ajoute les faubourgs et la région.

Un journaliste de la Presse Canadienne, en visite à Saint-Jean cinq ans après les Jeux, nous confie :

«Les rénovations qui ont été apportées à la région portuaire m'impressionne toujours, quand je songe à son ancien état. Mais la différence entre le Saint-Jean que

j'ai quitté et celui que j'ai retrouvé est beaucoup plus que physique.

«La ville de Saint-Jean et ses citoyens ont découvert ce que plusieurs jugeaient hors de portée. Faute de mieux, j'appellerais ça de la fierté.»

Un autre journaliste, décrivant «la ville enchantée», a déclaré :

«À n'en pas douter, il existe une atmosphère enchanteresse dans le Vieux Saint-Jean, alors que les Jeux du Canada et le Festival-sur-mer font revivre notre fierté et notre orgueil.»

Le Festival a réuni plus de 300 figurants, ensembles musicaux et artistes, de chaque province et territoire. Il y avait de

la musique et des divertissements dans tous les lieux de compétition, et à tous les soirs dans la place du port.

Une nouvelle piste rapide

Les foules aux compétitions sportives ont dépassé toutes les attentes. Les sportifs qui se sont rendus aux épreuves d'athlétisme ont été témoins de performances extraordinaires.

Raffolant de la nouvelle piste, les athlètes n'ont pas tardé à établir de nombreux nouveaux records. Au total, 18 nouveaux records ont été établis sur la nouvelle surface, l'Ontario battant la marche.

play **ball!** *au jeu***!**

province and the territories, more than 300 in all.

There was music and entertainment at all the sports venues, and every evening in the plaza. In addition, buskers (street entertainers) strolled the downtown area, the malls and through King Square, making music. Everybody was turned on and tuned in.

Fast New Track

And the crowds at the sports events exceeded all expectations. Fans who turned out for track and field competitions were treated to extraordinary performances.

Games records were set one after another as the athletes took to the new track, and loved it.

In all, 18 Games records were set on the new state of the art surface, with Ontario athletes leading the charge.

Ontario won the baseball gold too, with an extra innings 10-9 win over Manitoba.

In a surprising, powerhouse performance, Nova Scotia men swept the gold in diving.

But in the final tally, Ontario won the flag again. The host team was seventh at 119.5 points.

New Brunswick also took the first Jack Pelech Award as the team best dis-

playing sportsmanship. Manitoba won the Centennial Cup as the most improved team since the last Canada Summer Games.

Too soon, the Games were over, the magic gone. But, left behind in old Saint John were $15 million in facilities, giving the city an enormous leg up. The new Aquatic Centre took more than $9 million and it is hooked into the Pedway system. The new stadium and track cost about $3.5 million. New field hockey sites were built, along with soccer fields and softball facilities.

Of the capital costs, the Federal government paid about $5 million. Then

there was another $6 million in operating costs. Total budget ran about $22 million, and a heavy piece of that was picked up by corporate sponsors.

"The five main corporate sponsors contributed $1 1/2 million," GM George Fraser said.

Friends of the Games raised an additional $3.2 million and when they got to the bottom line, they had a surplus of $2.2 million.

Nothing lends more sheen to a happy party than a handsome profit, and old Saint John had created a fine lustre about itself.

It was indeed, an enchanted city.

L'Ontario a également remporté l'or au baseball, en triomphant du Manitoba par 10-9.

Surprenant les athlètes autant que les experts, les plongeurs de la Nouvelle-Écosse ont balayé les médailles d'or au plongeon.

Pourtant, à la toute fin, c'est l'Ontario qui arrachait de nouveau le Drapeau des Jeux. L'équipe du Nouveau-Brunswick terminait en septième place, avec une belle récolte de 119,5 points.

Le Nouveau-Brunswick s'est également mérité le premier Prix Jack-Pelech pour avoir fait preuve du plus bel esprit sportif. Pour sa part, l'équipe du

Manitoba se voyait décerner la Coupe du Centenaire, en qualité d'équipe la plus améliorée depuis les derniers Jeux d'été du Canada.

Les Jeux, ont pris fin trop rapidement, mais la ville de Saint-Jean a conservé un héritage de 15 millions $ en installations, ce qui lui a donné un nouvel essor. Le nouveau centre aquatique a coûté plus de 9 millions $, et le nouveau stade avec sa piste, près de 3,5 millions $. De nouvelles installations de hockey sur gazon, de soccer et de softball ont été également aménagées.

Le gouvernement fédéral a payé environ 5 millions $ des coûts d'immobilisa-

Flag Points Points-drapeau	Total Points
Ontario	225
Québec	203.5
British Columbia/ Colombie-Britannique	202
Alberta	176

1 9 8 5

tions. Les frais d'exploitation avaient atteint les 6 millions $. Au total, le budget des Jeux avait été d'environ 22 millions $, dont une large partie fut payée par des commanditaires privés.

«Les cinq principaux commanditaires ont versé 1,5 million», nous explique le directeur général George Fraser.

En outre, les Amis des Jeux ont recueilli 3,2 millions $. À la toute fin, en bas de page, le Comité organisateur inscrivait un surplus de 2,4 millions $.

En vérité, une ville vraiment enchanteresse!

1987

ape Breton was a natural to host a Canada Games.

Cape Bretoners have their own distinctive culture, their own songs and dance, and mining, industry and sports, wild, rocky shores and a harsh land and climate, all of it shot through with a seaside and celtic flavour. Those ingredients translate into a set of down home values with a strong work ethic, great integrity

Cape Breton
Cap-Breton

e Cap-Breton était un endroit tout indiqué pour la tenue des Jeux du Canada!

Les gens du Cap-Breton ont leur culture particulière, leurs propres danses et chansons, leur industrie minière, une véritable passion pour les sports, des rives sauvages et escarpées, une terre difficile à cultiver et un climat rigoureux… le tout baigné d'une saveur maritime et celte. Tous ces éléments se traduisent par un amour du terroir et du travail, une intégrité à toute épreuve et une fierté

and an absolutely enormous pride… in self, family, and the Island.

Canada Games on Cape Breton Island would be colourful, professional and successful, simply because the people wouldn't have it any other way.

When the Canada Winter Games for 1987 were awarded to Cape Breton in July of 1983, there were, inevitably, some doubters. Cape Breton was one of five bidders for the Games and they won out over Halifax (which had teamed with Dartmouth to host the Canada Summer Games in 1969), Truro, Amherst and The Annapolis Valley.

There were even fleeting doubts in the minds of Cape Bretoners, and Games General Manager Russ MacNeil, now a member of the Nova Scotia legislature, admitted recently that some of the problems looked "terrifying" at first glance.

But "heads down and dig," they buried the problems, one by one.

Prime Minister Brian Mulroney, in his remarks at the opening ceremonies, noted that extraordinary pride:

"For those who return here, as for those who remained, they retain their down-home virtues and values, their profound attachment to the land.

"Whether here or on the mainland or anywhere in Canada, you are always proud to be called Cape Bretoners. I learned that decades ago in Antigonish, and I salute you again today."

Dr. Carl Buchanan, president of the Games Society, after the opening ceremonies made gentle reference to the image of Cape Breton beyond the island, and he said:

"I think it made a point that we could do something on this scale and do it very, very well. In our community, sometimes they have a tendency, in all due respect to the media, to think of us as not being able to accomplish some of these things. So, it was a dream come true."

This was also the first time a province went into the records as hosting both a Canada Summer and Winter Games. Nova Scotia put on the first ever Canada Summer Games at Halifax-Dartmouth in 1969.

As for the problem of dealing with all the scattered venues, Dr. Buchanan said:

"From the very beginning, we thought it would be good for the whole of Cape

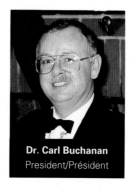

Dr. Carl Buchanan
President/Président

heads down and dig

colossale…envers soi, la famille et l'île. Les Jeux du Canada dans l'île du Cap-Breton seraient donc hauts en couleur, professionnels et réussis, tout simplement parce que les gens ne voudraient pas qu'il en soit autrement.

Lorsque les Jeux d'hiver du Canada de 1987 ont été accordés au Cap-Breton en 1983, il y avait inévitablement des sceptiques. Le Cap-Breton était l'un des cinq candidats et il fut choisi de préférence à Halifax (qui s'était jointe à Dartmouth en 1969 pour accueillir les Jeux d'été du Canada), Truro, Amherst et la Vallée, la région entourant l'Université Acadia.

Il y avait même des doutes dans l'esprit de certaines gens de l'île et le directeur général des Jeux, Russ MacNeil, maintenant député à l'Assemblée législative de la Nouvelle-Écosse, admettait récemment que certains problèmes semblaient «terrifiants» à première vue.

Mais, à force de bêcher, ils ont enterré les problèmes les uns après les autres.

Dans son mot d'ouverture, le Premier ministre Brian Mulroney a fait remarquer, avec une fierté extraordinaire: «Les gens qui retournent au Cap-Breton, comme ceux et celles qui ont choisi d'y rester, ont conservé leur grandeur d'âme et leurs valeurs, ainsi que leur attachement pour l'île…

«Que vous soyez sur les lieux mêmes, sur la terre ferme ou même partout ailleurs au Canada, vous êtes toujours fier d'être fils ou fille du Cap-Breton. J'ai appris cela à Antigonish il y a des décennies et c'est avec fierté que je vous salue aujourd'hui.»

Le Dr Carl Buchanan, président du Comité organisateur, a fait une gentille allusion à l'image qu'on se fait du Cap-Breton:

«Tous ont compris, je crois, que nous pouvions entreprendre un projet de cette importance et le mener à bien. Nous avons souvent tendance dans notre communauté, n'en déplaise aux médias, de croire que nous ne pouvons entreprendre quelque chose d'aussi grand. C'est donc un rêve qui est devenu réalité.»

C'était aussi la première fois qu'il était donné à une province de présenter des Jeux d'été et d'hiver. On se souviendra que les villes réunies d'Halifax-Dartmouth avaient présenté les Jeux d'été du Canada en 1969. Quant au problème d'éparpiller les compétitions dans plusieurs endroits, Buchanan avait répondu ce qui suit:

«Nous avons toujours estimé, depuis les tout débuts, qu'il serait souhaitable que l'ensemble du Cap-Breton participe à la présentation des Jeux. Une fois notre

Breton to try an Island concept. Later, after we had the bid accepted, we were able to put a cultural package in place where some of the communities that may not benefit directly from the athletic events now have some cultural aspects."

The Eastern Lights

He was referring to the Eastern Lights Festival which played to packed houses in school basements and auditoriums, church halls and community arenas all over the Island in places like Arichat, Baddeck, Cheticamp, Christmas Island, Dingwall, Dominion, Donkin, Florence, Glace Bay, Ingonish, Inverness, Louisbourg, Neil's Harbour, New Waterford, North Sydney, Port Hawkesbury, St. Peter's, Sydney, Sydney Mines and Whitney Pier.

The Eastern Lights were able to fan out and cover the Island because each province and the two territories sent entertainers.

For example, Ontario sent a steel band. Manitoba was represented by a 24-member Mennonite girls' choir. Saskatchewan sent the Wheatland Express, a western/pop music group. Newfoundland was represented by a 15-member group doing traditional Scottish and Irish songs and dance.

Every show was different, and every show was complemented by home-grown talent, including the Canada Games Pipe Band, theatre groups and crafts artists. And every show was standing room only. Kenzie MacNeil, who co-ordinated all the concerts, admitted that the turnouts were a delight, but also a major surprise:

"Traditionally on the Island, you don't get the crowds we've had," he said. "We've had huge crowds, particularly at the Savoy Theatre in Glace Bay. That is unheard of for this time of year. In the past, we've had big name acts come in and lose money at this time of year."

David Dingwall, MP (Cape Breton-East Richmond) was one of the originals who conceived the idea of bringing the Games to Cape Breton, and he was one who had never entertained any doubts about the Island's capacity to do it.

"I thought the Games in Cape Breton would be the most positive thing we could do for the people of Cape Breton. And with prudent management and good organization, it was. Everything was realized, and the Games left a great legacy. I thought it would be a great success, and it was."

... à force de bêcher

candidature acceptée, nous avons conçu un programme culturel en vertu duquel les communautés qui ne pouvaient profiter directement des compétitions sportives bénéficieraient quand même des aspects culturels.»

Festival «Eastern Lights»

Buchanan faisait allusion, non pas à des aurores orientales, mais au Festival Eastern Lights, qui se produisit devant des salles combles dans des sous-sols et auditoriums d'écoles, des salles paroissiales et des arénas dans diverses localités de l'île, telles qu'Arichat, Baddeck, Chéticamp, Christmas Island, Dingwall, Dominion, Donkin, Florence, Glace Bay, Ingonish, Inverness, Louisbourg, Neil's Harbour, New Waterford, North Sydney, Port Hawkesbury, St.Peter's, Sydney, Sydney Mines et Whitney Pier.

Les Eastern Lights ont pu se rendre un peu partout dans l'île parce que chaque province et territoire y délégua des artistes. Ainsi, par exemple, l'Ontario y détacha un ensemble de tambours d'acier, alors que le Manitoba était représenté par un choeur de 24 jeunes filles Mennonites. La Saskatchewan y délégua son Wheatland Express, un groupe Western/pop. Terre-Neuve était représentée par un groupe de 15 artistes qui exécutaient des danses et chansons folkloriques écossaises et irlandaises.

Chaque spectacle était différent et agrémenté de talents locaux, y compris la Fanfare des cornemuseurs des Jeux du Canada, des groupes de théâtre et des artisans de toutes sortes. On jouait toujours à guichets fermés. Kenzie MacNeil, coordonnateur des concerts, a avoué que les auditoires étaient surprenants.

«Il n'est pas coutumier de voir de si vastes auditoires dans l'île, dit MacNeil. Les gens sont venus en foule, particulièrement au Savoy Theatre de Glace Bay. C'est un phénomène rare à ce temps-ci de l'année. Des artistes connus sont déjà venus à cette époque de l'année, mais les imprésarios ont perdu de l'argent.»

Le député libéral David Dingwall, de Cape Breton-East Richmond, était parmi les premiers à vouloir accueillir les Jeux au Cap-Breton et n'avait jamais douté de la capacité des gens de l'île.

«J'ai toujours cru que présenter les Jeux au Cap-Breton était la décision la plus positive que nous puissions prendre pour la population de Cap-Breton. Nous avons réussi grâce à une gestion prudente et une saine administration. Les Jeux nous ont laissé un bel héritage. Je savais que nous réussirions.»

They had capacity attendance at all venues beginning with the opening ceremonies in Sydney at the brand new Centre 200.

The new rink, with seating for about 4,000, was planned by the City of Sydney for its bicentennial, apart from the Canada Games.

However, construction was given an extra measure of propulsion by the Games, and the building was finished just weeks prior to the opening ceremonies. The arena cost Sydney $14 million, and Russ MacNeil said "about a million" of that came out of the Games budget.

Long Term Benefit

And as a consequence of the building, Sydney acquired an American Hockey League franchise, affiliated with the Edmonton Oilers. Every game since has been a near-sellout.

Built for the Games was a new arena with an Olympic-sized ice surface, with seating for 1,800, on the campus of the University College of Cape Breton.

The remainder of the capital budget of $8.5 million was used to upgrade and refurbish existing facilities at sites all over the Island. The federal government paid the operating costs of $4.8 million and

shared capital expenditures with the province and the host municipality. And for the record, the host municipality was not Sydney but the Municipality of the County of Cape Breton, which has 20 districts and which includes Sydney and other communities. The Warden of the County Joe Wadden, assured taxpayers prior to the Games that "we've kept a handle on spending and I do not believe there will be any deficit."

And, of course, there wasn't. Friends of the Games, under the steady hand of George Unsworth, raised

a tidy $3.5 million, so they washed out at the end with a profit of $1.9 million. That was dispersed around the Island into things like scholarships, help for a hospital for eye injuries, and cultural pursuits as well as sports.

Sound Nova Scotia frugality made these 1987 Canada Winter Games a rare bargain in a time of wildly escalating costs.

It should also be mentioned that Games officials tapped the Federal Department of Communications, and

Sound Nova Scotia frugality made these 1987 Canada Winter Games a rare bargain in a time of wildly escalating costs.

La saine frugalité néo-écossaise a assuré le succès des Jeux d'hiver de 1987, à une époque où les coûts montaient en flèche.

Les partisans sont venus en foule à tous les lieux de compétition, sans compter la cérémonie d'ouverture au nouveau Centre 200 à Sydney.

La nouvelle aréna de 4 000 places environ avait été projetée par la ville de Sydney, mais à l'extérieur du cadre des Jeux du Canada.

Cependant, sa construction a été propulsée par la tenue des Jeux et l'édifice a été complété quelques semaines à peine avant les Jeux. La ville de Sydney a payé 14 millions $ pour son aréna, dont

«environ un million de dollars» provenait du budget des Jeux, selon MacNeil.

Avantages à long terme

Possédant une nouvelle installation, la ville de Sydney a pu obtenir une équipe dans la Ligue américaine de hockey, affiliée aux Oilers d'Edmonton, et on fait presque toujours salle comble. Par ailleurs, une nouvelle aréna de 1 800 places aux normes olympiques a été construite sur le campus du University College of Cape Breton.

Ce qui restait du budget de 8,5 millions $ pour les immobilisations a servi à rénover les installations existantes. Le gouvernement fédéral a payé les frais d'exploitation de 4,8 millions $ et partagé le coût des immobilisations avec la province et la région hôte, non Sydney mais la Municipalité du comté du Cap-Breton, qui regroupe 20 districts et qui comprend Sydney et autres municipalités. Le préfet Joe Wadden avait assuré les contribuables avant les Jeux qu'on avait «tenu les rênes sur les dépenses et qu'il n'y aurait probablement pas de déficit».

Et de déficit, il n'y en eut point. Les Amis des Jeux, sous l'habile direction de

George Unsworth, recueillirent 3,5 millions $, de sorte que les Jeux se sont soldés par un surplus de 1,9 million $. Le montant a été réparti à travers l'île à diverses fins telles que des bourses, une aide financière à un hôpital pour les blessures oculaires, des programmes culturels, et le sport.

La saine frugalité néo-écossaise a assuré le succès des Jeux d'hiver de 1987, à une époque où les coûts montaient en flèche.

Il y a lieu de mentionner que les directeurs des Jeux ont obtenu une subvention de 170 000 $ du ministère fédéral des Communications, fief de Flora

145 kg

Flora MacDonald, for a grant of $170,000 to help finance their cultural shows, the Eastern Lights Festival. This was the first time a cultural festival, covering a broad area, had been held in conjunction with a Canada Winter Games and all the shows had to be held indoors.

Schools Closed

To beat the transportation problem, Games organizers prevailed upon all the schools to shut down for the two weeks of the Games. This gave them access to school buses. Then, with vehicles from corporate sponsors, and with

weight on bar poids à la barre

MacDonald, pour aider à financer le Festival Eastern Lights. C'était la première fois qu'un festival culturel avait lieu dans le cadre des Jeux du Canada. Tous les concerts ont eu lieu en salle.

Recours aux autobus scolaires

Le problème du transport a été réglé grâce à la fermeture des écoles pour une période de deux semaines. C'est ainsi qu'on put se servir des autobus scolaires pour le transport des athlètes. Les véhicules gracieusement prêtés par les commanditaires privés et les Forces armées ont également assuré le transport du personnel et de l'équipement.

Selon Paul Lamey, adjoint exécutif du président Buchanan, les Jeux avaient lieu dans «le secteur industriel du Cap-Breton». Les compétitions avaient donc lieu à Sydney, Sydney Mines, New Waterford, Glace Bay, North Sydney et Dominion, alors que les compétitions de ski avaient lieu à Cape Smokey, près d'Ingonish, à plus de 100 km du centre des Jeux à Sydney. Les épreuves de ski

nordique ont eu lieu à Cape North, à l'extrémité nord de l'île. Lamey explique qu'on a réglé l'épineux problème du transport en créant un deuxième Village des athlètes à Ingonish.

Les lecteurs se souviendront qu'on avait connu des circonstances semblables aux Jeux d'hiver de 1975 à Lethbridge, alors que les compétitions étaient réparties à travers le sud de l'Alberta et qu'on avait

créé un village spécial, à proximité de la montagne, pour les athlètes.

Grâce à plus de 5 000 bénévoles venus de partout dans l'île, aux conditions excellentes pour le ski, et au temps idéal qu'il a fait dès le début des Jeux, les compétitions dans les 17 sports et le Festival Eastern Lights se sont déroulés sans le moindre accroc.

Le tout a débuté avec éclat au Centre 200, en ce dimanche de la mi-février. Le

the Canadian army and militia lending vehicles, personnel and equipment everyone was moved smartly, and on time.

The Games covered what Paul Lamey, executive assistant to President Dr. Buchanan, calls "industrial Cape Breton." That included holding events in Sydney, Sydney Mines, New Waterford, Glace Bay, North Sydney, Dominion. The ski competitions were staged up at Cape Smokey near Ingonish, more than 100 kilometres from the Games centre at Sydney. The nordic ski competitions were held at Cape North, up at the very northern tip of the Island. Lamey recalled that they discounted the travelling

problem for the skiers by establishing an athletes' village up at Ingonish.

The same circumstances prevailed for the Lethbridge Winter Games in 1975 when the Games were scattered over Southern Alberta and the skiers were installed in their own village close to the mountain.

With more than 5,000 volunteers, from all over the Island, with excellent snow conditions for the skiers and ideal weather from that opening Sunday, the whole pageant of 17 sports, and the Eastern Lights Festival, ran off without as much as a hiccup.

It started in high gear with opening ceremonies at Centre 200 on that mid-February Sunday. The rink filled early, with many Cape Bretoners coming to see the new facility for the first time.

Dr. Buchanan reminded all the visitors to move around the Island and "discover the differences and the charm of our part of Canada."

Then it was the athletes' turn to come on, and as has been the case in all Games, they provided the explosive climax to the two-hour spectacular. The Nova Scotia team, led by Halifax boxer Ray Downey, emerged through clouds of dry-ice smoke to a standing ovation.

The Games torch was carried into the rink by judo team manager Cindy Northern and 12-year-old weightlifter Jim Dan Corbett, and enthusiastic Cape Bretoners ricocheted their volume off the new rink girders when the Games torch flared into life.

The Canada Games Pipe Band, garbed in the brand new, predominantly blue Canada Games tartan, provided the background. A well-rehearsed collection of musicians from the Glace Bay and Sydney high school bands and the Cape Breton Chorale, an impressive blending of 60 voices, provided the musical energy and

Sydney New Waterford Sydney Mines Glace Bay North Sydney Dominion

Centre était rempli à craquer et beaucoup de résidants y pénétraient pour la première fois.

Le président Buchanan du Comité organisateur a invité les visiteurs à faire le tour de l'île et à «découvrir les aspects particuliers et le charme de notre partie du Canada».

Ce fut ensuite le défilé des athlètes, qui fut le clou de la cérémonie comme partout ailleurs. L'équipe de la Nouvelle-Écosse fit son entrée à travers un nuage de glace sèche, au son des applaudissements de ses partisans.

Le flambeau des Jeux a été porté dans l'aréna par Cindy Northern, gérante de

l'équipe de judo, et le jeune haltérophile Jim Dan Corbett, âgé de 12 ans, alors que la Fanfare des cornemuseurs des Jeux du Canada, portant son nouveau tartan où le bleu prédominait, fournissait la musique de fond. Un groupe choisi de musiciens des fanfares des écoles secondaires de Glace Bay et de Sydney, ainsi que la Chorale du Cap-Breton, une heureuse harmonie de 60 voix, fournissaient le programme musical et le charme insulaire, pour l'ouverture de ce que les médias ont qualifié de «plus grand événement à jamais être présenté au Cap-Breton».

Première médaille d'or pour la province hôte

C'est seulement une semaine après le début des Jeux que la province hôte a réussi à arracher sa première médaille d'or. Les danseurs novices Angie Coady et Glenn MacCara, tous deux âgés de 16 ans, ont terminé premiers dans les figures imposées, puis ont surmonté leur nervosité dans la danse libre pour se mériter la médaille d'or.

Pour couronner le tout, l'équipe de basketball de la Nouvelle-Écosse a triomphé du Québec par 91-76 devant une foule en délire, le dernier jour des compétitions au Breton Education Centre de

Cape Smokey Cape North Ingonish

the Island warmth in the "biggest thing ever to happen in Cape Breton," according to the reports of the day.

First N.S. Gold

T hen it was on, and it was almost a week later that the home side won its first gold. Nova Scotia novice dancers Angie Coady and Glenn MacCara, both 16, finished first in the figure skating compulsories and fought off an attack of the jitters to put in the golden skate in the variation dance to win it all.

To finish it off, a full house at the Breton Education Centre in New

Waterford rooted the Nova Scotia men's basketball team to a 91-76 victory over Quebec in the gold medal game on the final day of competition.

Along the way, young Jim Dan Corbett, who had helped light the Games torch in the opening ceremonies, unexpectedly grabbed a bronze medal. Light middleweight boxer Ray Downey won gold for the home side, but across the board, Newfoundland fighters dominated and the special kinship between Cape Bretoners and Newfoundlanders showed at ringside. When the home side fighters were eliminated, the fans rallied behind their Atlantic neighbours.

However, in the final reckoning, it was Ontario again on top for the flag for the fourth Games in a row. Quebec won the Centennial Trophy as the most improved team since the last Canada Winter Games. The Jack Pelech Award for the team best combining sportsmanship, competitive performance, a spirit of fair play, co-operation and friendship, was concluded in a tie for the first time, Nova Scotia and Newfoundland.

Sydney Board of Trade President Eric Schibler figured about $1 million was pumped into the Cape Breton economy during the weeks of the Games.

And besides the legacy of facilities, the Island was left with a corps of volunteers and an attitude of "we can do it" which led, in the years since, to their hosting the National Badminton Championships, the Atlantic Figure Skating Championships, the Canadian Junior Basketball Championships, the National Cross Country Ski Championships and the World Power Lifting Championships, among other things.

"The people here, after the Canada Games, are not afraid to tackle anything," Russ MacNeil said. "They know they can do it. The Canada Games removed all doubts."

New Waterford, pour remporter la médaille d'or.

Le jeune haltérophile Jim Dan Corbett, qui avait aidé à transporter le flambeau lors de la cérémonie d'ouverture, a gagné la médaille de bronze dans sa catégorie. Le boxeur poids-moyen léger Ray Downey s'est mérité l'or dans sa catégorie, mais les boxeurs de Terre-Neuve ont affirmé leur suprématie. Les étroites relations entre populations insulaires étaient évidentes au bord de l'arène. Lorsqu'ils étaient défaits, les boxeurs néo-écossais s'empressaient d'aller encourager les Terre-Neuviens.

Les athlètes de la Nouvelle-Écosse, avec leurs 101.5 points, n'avaient rien à se reprocher. Au compte final, cependant, c'est l'Ontario qui triomphait de nouveau.

Le Québec a remporté la Coupe du Centenaire. Le Prix Jack-Pelech, présenté à l'équipe qui combine le mieux la performance, un bon esprit sportif, la loyauté, la collaboration et l'amitié, a été présenté conjointement à l'équipe hôte de Nouvelle-Écosse et l'équipe de Terre-Neuve.

Le président Eric Schibler du Board of Trade de Sydney estime qu'un montant d'environ un million de dollars est venu s'ajouter à l'économie du Cap-Breton au cours des deux semaines des Jeux.

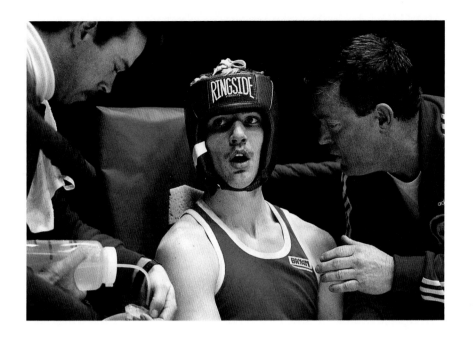

Flag Points Points-drapeau	
	Total Points
Ontario	211
Québec	210
British Columbia/ Colombie-Britannique	179
Saskatchewan	150

1 9 **8** 7

In closing down the grand show, Governor General Jeanne Sauve told the athletes:

"I urge you to hold on to the sense of unity and fraternity that the Games have inspired, and build upon those experiences. . .

"The exercise of nation building begins with moments such as this."

And while extinguishing the Games torch, she added:

"Although the symbol of these Games must die, I urge you to hold fast to the spirit of the Games and to keep that flame burning in your hearts."

En plus d'hériter de superbes installations, le Cap-Breton s'est retrouvé avec une armée de bénévoles et un vent de positivisme qui a permis dans les années subséquentes d'accueillir, entre autres événements, les Championnats nationaux de badminton, les Championnats de patinage artistique de l'Atlantique, les Championnats canadiens juniors de basketball, les Championnats nationaux de ski de fond, et les Championnats mondiaux d'haltérophilie.

«Après avoir réussi à présenter les Jeux du Canada, les gens d'ici sont convaincus de leur talent, dit Russ MacNeil. Ils savent qu'ils peuvent venir à bout de tout. Ils l'ont prouvé au cours des Jeux du Canada.»

Présidant à la cérémonie de clôture, le gouverneur général Jeanne Sauvé a dit aux athlètes:

«Conservez ce sens d'unité et de fraternité que les Jeux vous ont inspirés, et profitez de cette magnifique expérience.

«C'est à partir d'événements comme celui-ci qu'on bâtit une nation.»

Puis, en éteignant la flamme des Jeux, Madame Sauvé ajoutait:

«Il faut que ce symbole des Jeux s'éteigne, mais je vous engage à conserver l'esprit des Jeux bien vivant et à garder cette flamme dans vos coeurs.»

1989

Saskatoon, Saskatchewan

August 13-26 Août, 1989

*"The essence of the Canada Games is
the legacy of cherished memories of
sharing, achievement and lasting
friendships."*

*«L'essence même des Jeux du Canada,
ce sont les précieux souvenirs de
partage, d'exploits et d'amitiés
durables qu'ils lèguent.»*

T his was the second time around
for Saskatoon, the only community
in the country to host two sets of Games,
Winter in 1971 and Summer in 1989.

Consequently, one would suspect that
it should have been easier, and it was,
but the extraordinary complexity of the
Games precludes anything like a "simple
task" description.

First of all, it had been 18 years since
they had first organized to stage the

Saskatoon

A yant déjà accueilli les Jeux d'hiver
de 1971, Saskatoon devenait la
première ville canadienne à accueillir les
Jeux une deuxième fois en 1989, mais il
s'agissait cette fois-ci des Jeux d'été.

On pouvait donc s'attendre, avec raison, que l'expérience facilite les choses,
mais la complexité incroyable des Jeux
nous empêche de prétendre qu'il s'agit
d'une «tâche simple.»

Dans un premier temps, il y avait dix-
huit ans qu'on avait organisé les premiers
Jeux, érigé une montagne à partir du sol,
et converti un magasin à rayons abandonné en Village des athlètes.

Dans un deuxième temps, le président
des Jeux, Tony Dagnone, et ses hommes-

Games, built a mountain and converted an abandoned department store into a Games Village.

Secondly, Games President Tony Dagnone and his key people concluded right out of the blocks that they should draw on past experience where they could, but that they should also have a clear objective of setting up a whole new generation of volunteers.

Dagnone, who is president of the University Hospital in Saskatoon, views volunteer work not as a burden to be

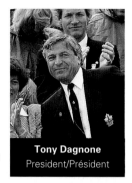

Tony Dagnone
President/Président

assumed with foot-dragging reluctance, but as a privilege and an opportunity to be plunged into and enjoyed as a service to community and province and country.

"I just don't think that Canada can be taken for granted," he said, "and it just irritates me when people seem to be doing that. People in Saskatoon, most of them anyway, don't do that.

"One thing I keep in mind; I came here as an immigrant, with my parents, from Italy, and had to learn the language

and all the rest of it, and I cherish the opportunities that were given us in Canada. We have problems here, of course. But the problems are so small when compared to so many other countries.

"The opportunities are here, and we just cannot take everything for granted. We have to take on our responsibilities and by volunteering time and talents we can make a better quality of life for everyone. And the Canada Games have done a wonderful job in that… in getting people out, and working for their communities, and their country… a wonderful job."

8500 Volunteers

A s a consequence of that philosophy, the Saskatoon Summer Games of '89 gave that "opportunity to contribute" to a Games record 8,500 volunteers.

The people of Saskatoon were fully aware of the enormous legacy of Canada Games. So they fashioned the whole design to wring maximum value from the physical assets and the human resources developed for the Games.

They had observed that more often than not, for Summer Games, the meat end of the capital budget went to swimming facilities. However, Saskatoon

R e c o r d

Volunteers: **8 500** : bénévoles

clés avaient décidé, au départ, qu'il fallait profiter de l'expérience passée, tout en réunissant une nouvelle génération de bénévoles.

Dagnone, président du University Hospital de Saskatoon, estime que le travail des bénévoles ne doit pas être perçu comme un lourd fardeau qu'on doit accepter à contre-coeur, mais comme un privilège et une occasion de se porter au service de la communauté, de la province et du pays.

«Il ne faut pas prendre le Canada pour acquis», dit Dagnone, «et je suis fâché de voir des gens adopter une telle attitude.

Les gens de Saskatoon, la majorité du moins, ne se comportent pas ainsi.

«Il y a une chose que je garde toujours à l'esprit : je suis arrivé d'Italie au Canada comme immigrant avec mes parents et j'ai dû apprendre la langue et un nouveau mode de vie. Nous chérissons les occasions qui se sont offertes au Canada. Nous avons des problèmes, c'est certain, mais ils sont petits comparés à ceux d'autres pays.

«Les occasions sont là, mais il ne faut rien prendre pour acquis. Il faut accepter des responsabilités, offrir son temps et ses talents pour améliorer la qualité de vie de tous. Les Jeux du Canada ont fait un beau

travail à ce chapitre. Ils ont été une source de bénévolat pour les communautés et le Canada tout entier.»

8 500 bénévoles

M ettant cette philosophie en pratique, les Jeux d'été de 1989 à Saskatoon ont donné cette «occasion de contribuer» à quelque 8 500 bénévoles, un record des Jeux.

Les gens de Saskatoon connaissaient déjà la magnitude de l'héritage des Jeux du Canada; ils ont tiré le plus grand profit des installations physiques et des

ressources humaines développées pour les Jeux.

Ils avaient observé que, plus souvent qu'autrement dans le cas des Jeux d'été, la majeure partie du budget était consacrée aux installations aquatiques. Mais Saskatoon avait déjà son centre aquatique Harry Bailey et, bien qu'il ne répondait pas aux critères des Jeux du Canada, on s'est rendu compte qu'il était possible d'économiser en défaisant les murs et en reconstruisant la piscine.

Une piscine de réchauffement était nécessaire et il fallait de l'espace pour les services de soutien, les salles d'habillage

already had a pool complex, the Harry Bailey facility, and while it was not adequate for a Canada Games, they figured a considerable saving could be realized by tearing out walls and redesigning the existing pool.

A warmup pool was required, and space had to be built for support services, dressing rooms and so on. They saved as much of the old as they could, added the new and all at a total cost of $3.5 million. Even the old name, the Harry Bailey Centre, was kept, in deference to a long-time advocate and booster of swimming whose energy and interest had kept the spark alive in Saskatoon over the years.

The South Saskatchewan river, a becomingly unhurried stream through the prairie landscape, was in need of thoughtful attention to make it suitable for paddling and rowing.

The South Saskatchewan was too shallow; the so-called channel was too wide, up to 350 metres, and the sand and silt bottom tended to move about. So the channel had to be dredged out, and narrowed and constrained to accommodate sufficient flow to prevent sandbars from forming.

On River Science

Orville Shaw was given the task of this "river engineering." He set up a computer model of the river, and then designed underwater spurs to direct the water. These spurs were like dikes, built of stone and concrete rubble, and they had to be installed in such a manner that the water velocity was the same in all lanes of the race course.

"We could have built more aggressive spurs," Shaw said, "and in that way, forced the river to clean itself.

"But that would have taken more time than we had. So we dredged out the channel and then made the spurs aggressive enough to maintain the channel and it has worked very well. They're still using it and the channel has remained fairly constant at a depth of about two metres."

The flow of the water is controlled from the dam on Lake Diefenbaker which is really just a widening of the river about a two-hour drive south of Saskatoon.

et autres services. Les organisateurs ont conservé tout ce qu'ils pouvaient, puis ajouté le nouvel équipement, le tout au coût de 3,5 millions $. On a même conservé l'ancien nom, Harry Bailey Centre, en mémoire d'un ardent partisan de la natation, dont l'énergie et l'intérêt avaient préservé l'étincelle de la natation bien vivante.

D'autre part, il fallait porter une attention toute spéciale à la rivière South Saskatchewan, qui coule paresseusement dans la prairie, pour l'aménager en vue des compétitions d'aviron et de canotage.

La South Saskatchewan n'était pas assez profonde; le prétendu chenal était trop large, 350 mètres en certains endroits, et le fond de sable et de vase avait tendance à se déplacer. Il fallut donc creuser le chenal, le rétrécir et restreindre le flot pour empêcher la formation de bancs de sable.

Un expert en cours d'eau

C'est à Orville Shaw qu'on a confié cette tâche d'ingénierie en cours d'eau. Il créa un modèle informatisé de la rivière, puis conçut des embranchements sous-marins pour diriger le courant. Ces embranchements ressemblent à des digues, construits de roche et de débris de béton, et il fallait les installer de façon à ce que la vélocité du courant soit la même dans tous les couloirs.

«Nous aurions pu construire des embranchements plus agressifs», dit Shaw, «et ainsi forcer la rivière à se nettoyer d'elle-même.

«Mais cela aurait demandé beaucoup trop de temps. Nous avons donc creusé le chenal, puis érigé des embranchements suffisamment agressifs pour protéger le chenal. Tout a bien fonctionné. Ils s'en servent toujours et la profondeur est demeurée à deux mètres environ.»

Le courant est contrôlé à partir du barrage du Lac Diefenbaker, qui n'est en réalité qu'un élargissement de la rivière, à deux heures de route au sud de Saskatoon.

Les aménagements et les aires de compétition compris, le site du canotage et des épreuves d'aviron a coûté environ 1 million $. Les terrains de baseball ont été améliorés, le Griffith Stadium a été modernisé, les terrains de soccer ont été

What with buildings and staging areas and the lot, the rowing and paddling site used up about $1 million. Baseball fields were upgraded; Griffith Stadium was given a boost into the new world; soccer pitches took up more than $1 million and money was spent to bring the gymnasium at Saskatchewan University up to standard.

"Altogether, capital expenditure came to $9 million", Dagnone said, "and we were very careful to spread it around among all the sports. Operating expenses were another $8 million."

Friends of the Games raised a whopping $4.5 million, with Dagnone in the vanguard and Moira Birney as vice-president in charge of raising corporate and business dollars.

Surplus of $1.6 Million

Also, a particular point of pride developed in the bottom line – a surplus of more than $1.6 million. All the surplus was put into a foundation – the Jeux Canada Games Foundation – and the money, and the interest from it, is used to advance amateur sports in Saskatchewan.

The executive committee also had the inspirational thought, right at the root of their preparations, that there should be something special left behind from these Summer Games in Saskatoon.

In addition to, but still somewhat apart from, the upgraded sports facilities, they had in mind to put in place some kind of Canada Games memorial, a permanent reminder to the people, and particularly to the 8,500 volunteers who made it all work.

During the weeks of the pageant, there was a space set up as the Games Plaza. Each province and territory had been invited to bring along a musical group or singers or dancers to put on a show reflecting the culture of their home ground.

The show went on every evening and the Games Plaza was THE place to be, to meet and greet and share, to trade pins, and mingle and enjoy. It became one of those deals… everybody went to the Plaza.

Early in the planning, the idea of the plaza, right on the river shore in downtown Saskatoon, brought forth the scheme to build a promenade, a park setting, on a picturesque stretch of river shore right in the downtown core.

There is a semi-circular wall at one end, brick and limestone, with bronze plaques bearing the names of the corporate sponsors. The area is equipped with

rénovés au coût d'un million de dollars, et le gymnase de l'Université de la Saskatchewan a subi des travaux pour répondre aux critères des Jeux.

«Le coût des immobilisations a atteint les 9 millions $», dit Dagnone, «et nous nous sommes assurés que chacun des sports recevrait sa part. Les frais d'exploitation, pour leur part, se sont élevés à 8 millions $.»

Les Amis des Jeux, sous l'égide de Dagnone et de Moira Birney, vice-présidente en charge de la sollicitation auprès des corporations et du secteur privé, avaient recueilli le montant impressionnant de 4,5 millions $.

Surplus d'un million $

Le surplus de 1.6 million $ figurant en bas de page était l'objet d'une fierté particulière. Grâce à ce surplus, on créa le Fonds de fiducie des Jeux du Canada, dont le capital et l'intérêt serviraient au développement du sport amateur en Saskatchewan.

De son côté, le comité exécutif avait exprimé dès le départ son désir de laisser quelque chose de très spécial au terme des Jeux d'été à Saskatoon.

En plus d'installations sportives modernes, et modernisées, les membres de l'exécutif songeaient à un genre de monument des Jeux du Canada qui serait un souvenir perpétuel, particulièrement pour les 8 500 bénévoles qui en avaient assuré le succès.

Un genre de place publique avait été aménagée pour les Jeux du Canada. Les provinces et territoires avaient été invités à y déléguer des ensembles musicaux, des chanteurs et des danseurs qui feraient connaître la culture de leur région.

Le spectacle fut présenté chaque jour et la Place des Jeux devint l'endroit le plus populaire, le lieu de rencontre où l'on pouvait converser et échanger des épinglettes.

À l'origine, l'idée d'un parc sur les berges de la rivière, au centre-ville de Saskatoon, engendra le projet d'une promenade, dans un cadre enchanteur, sur une section pittoresque de la rivière.

Il y a un mur semi-circulaire à une extrémité, orné de plaques de bronze portant les noms des commanditaires; l'endroit est doté de bancs et il est vite devenu un lieu préféré des pique-niqueurs. On y trouve une haute tour avec horloge et, à l'autre extrémité de la promenade, se trouve une attrayante sculpture de bronze en hommage à la jeunesse, oeuvre du réputé sculpteur Bill Epp de Saskatoon. La sculpture a été dévoilée par le duc et la duchesse d'York, le prince Andrew et Sarah, lors d'une grandiose cérémonie précédant les Jeux.

benches and has become a favourite spot for brown-baggers to lunch. There is a large clock tower, and at the other end of the walkway there is a fine bronze sculpture, a tribute to youth, wrought by renowned Saskatoon artist Bill Epp. That piece was unveiled by the Duke and Duchess of York, Prince Andrew and Sarah, in a grand ceremony prior to the Games.

A Popular Spot

The promenade, about 800 metres long, is paved with interlocking brick and Prime Minister Brian Mulroney placed the last bricks. The bricks were "suitably engraved" and to prevent destructive souvenir hunters or other mischief makers from spoiling this finishing touch, the bricks were "nailed down" in a special way.

Brian Hansen, the general manager of the '89 Games, also mentioned that a number of trees, lost along the riverbank over the years, had to be replaced, and each tree is surrounded at its base by a steel grid, engraved "89 Jeux Canada Games."

And he said the Jeux Canada Games Promenade sees a "constant stream of people… walking about. It is a very heavily travelled area."

Un endroit populaire

La promenade d'environ 800 mètres de longueur est pavée de briques entrelacées, et c'est le Premier ministre Mulroney qui a mis les dernières briques en place. Les briques portent des inscriptions appropriées et elles ont été fixées en place d'une façon particulière pour dérouter les vandales et les chasseurs de souvenirs.

Le directeur général des Jeux de 1989, Brian Hansen, mentionne également qu'il a fallu remplacer un certain nombre d'arbres au cours des ans le long de la rive. Chaque arbre est entouré à la base d'une grille de fer portant l'inscription «89 Jeux Canada Games.» Il ajoute que la Promenade des Jeux du Canada est populaire auprès des marcheurs et des gens qui veulent simplement se reposer.

La Place des Jeux a servi en de nombreuses occasions, particulièrement durant le Festival annuel de Saskatoon. C'est beau, c'est reposant… et c'est bien vivant. Et puis, comme c'est Dagnone et ses collègues qui en ont eu l'idée, la Place est un rappel quotidien de ce qu'ils ont accompli au cours des Jeux d'été de 1989 à Saskatoon.

Il y a un autre souvenir commémoratif, un livre à attrayante reliure décrivant le processus complet des Jeux, à partir de la soumission jusqu'à la fin, dans toutes

The Games Plaza space has been used, too, on a number of occasions, including events of their annual Festival Saskatoon. So the space is alive and busy and beautiful. As Dagnone and his people designed into the concept at the outset, the whole reminds people daily of what they accomplished in the '89 Canada Summer Games.

As a further legacy, there is a nicely bound book of the whole exercise of the Games, from the bidding to the end, in every school in the Province of Saskatchewan. A group of 80 educators in Saskatoon, all volunteers, put out the book and saw to its distribution so that generations to come will know what

happened in this city of 185,000 in 1989, and how it all came about.

Then, after five years of preparation, the last bricks were placed and the painting touch-ups completed, and it was time for the big show. Griffith Stadium

was jam-packed for the opening ceremonies, a two hour spectacular under leaden skies and as usual, the emotions built to the ultimate pitch for the parade of athletes.

The athletes, too, felt the energy in the stadium and they distributed pins and balloons and tossed Frisbees, and Hansen remembered:

"Prime Minister Mulroney was just swamped. The athletes broke ranks and ran up to the platform to meet him and shake hands and so on, and it was all so warm and spontaneous. Really a wonderful thing to see."

In his address, before declaring the Games open, Prime Minister Mulroney told the packed house:

"… wherever Canadians meet to work and compete, that is where unity is cemented."

it was time for the BIG show… le moment du SPECTACLE était arrivé

les écoles de la Saskatchewan. C'est un groupe de 80 éducateurs de Saskatoon, tous bénévoles, qui a produit l'ouvrage et en a assuré la distribution, pour que les générations futures sachent ce qui s'est déroulé en 1989 dans cette ville de 185 000 âmes.

Puis, après cinq ans de préparatifs, les dernières briques ont été posées et les dernières retouches de peinture ont été appliquées. Le moment du spectacle était arrivé. Il n'y avait plus une seule place dans le Griffith Stadium pour la cérémonie d'ouverture, un excitant spectacle de deux heures dont le clou fut encore le défilé des athlètes.

Les athlètes avaient également ressenti cette charge d'électricité. Ils distribuaient des épinglettes et lançaient ballons et frisbees dans la foule. Hansen nous raconte :

«Le Premier ministre Mulroney disparaissait entouré par une foule d'athlètes,

qui avaient rompu les rangs pour monter sur la plate-forme et lui serrer la main. C'était quelque chose de spontané, qui faisait chaud au coeur.»

S'adressant à la foule avant de procéder à l'ouverture des Jeux, le Premier ministre déclara:

«… là où les Canadiens se retrouvent, que ce soit pour travailler ou se livrer compétition, c'est là aussi que l'unité se cimente et se soude.»

Ce fut ensuite la course vers les honneurs. Les athlètes se sont livré une chaude compétition, mais dans le plus bel esprit de camaraderie.

Engagement en haute mer

A insi, par exemple, on vit deux canoës se disputer une course serrée sur la rivière South Saskatchewan. Dans son élan, un canoë de l'équipe du Québec heurta au passage une embarcation de l'Ontario. Après la collision, un

Then they were into it, hammer and tong, going for gold and glory. And doing it as Canadians expect, hot-blooded one minute and warm hearted the next.

Battle on High Seas

For example, there was the almost hilarious spectacle of two canoes battling out on the South Saskatchewan River. In the thrashing along the course, one canoe bumped into another. One was manned by a paddler from Quebec, the other was an Ontario boat. After the collision, one paddler stood up in his fragile craft and put his foot in the other man's boat and tried to sink him. There was a bit of jostling and then the boats separated and continued. Both were disqualified.

Then there was the experience of Yukon cyclist Kiyoshi Maguire, from Whitehorse. In the 100 km road race, Maguire worked himself to exhaustion and didn't know how he was going to continue. Just as he was starting to wobble, a cyclist from Newfoundland pulled in and allowed Maguire to draft along behind him for "quite a ways."

"I was just dead, and these guys were coming up on me," Maguire said, "and one guy slowed up and got in front and sort of pulled me along. He was great."

Maguire finished 36th in a field of 37. But he finished.

The Games were tough and competitive right to the wire, and except for wind problems on Diefenbaker Lake which caused disruptions in the sailing schedule, everything ran smoothly and on time.

Ontario Wins

In the final count, Ontario athletes again were on top with 229 points and the major load of medals. Ontario took 44 gold, 37 silver and 37 bronze.

Quebec was second with 211.5 points. They won 33 gold, 23 silver and 26 bronze.

British Columbia finished third with 207.5 points and 23 gold medals, 38 silver and 20 bronze.

The Saskatchewan athletes were fourth with 167.5 points, collecting 14 gold, 13 silver and 18 bronze. In the preceding Canada Summer Games in Saint John N.B. in '85, Saskatchewan was eighth with 119 points. So their dramatic improvement won them the highly-prized Centennial Cup. The Jack Pelech award for sportsmanship was awarded to New Brunswick.

And so it was over. A huge success, and the memories live on in Saskatoon.

des athlètes se leva dans son canoë, plaça son pied dans l'autre embarcation pour essayer de la faire chavirer. Il y eut une courte altercation, après quoi les deux prirent chacun leur bord. Tous deux furent disqualifiés.

Il y eut aussi l'expérience du cycliste Kiyoshi Maguire, de Whitehorse au Yukon. Maguire avait pédalé jusqu'à l'épuisement dans la course de 100 km sur route et ne savait plus s'il devait continuer. Comme il commençait à faiblir, un cycliste de Terre-Neuve vint se placer devant lui, lui permettant de suivre son déplacement d'air sur une bonne distance.

«J'étais mort de fatigue au moment où ce groupe de cyclistes me dépassait, dit Maguire. L'un deux vint se placer devant moi, pour me tirer en quelque sorte. Quel type!»

Maguire termina en 36e place sur 37… mais il a quand même fait ses 100 km.

Les compétitions furent chaudement disputées jusqu'au dernier jour. Exception faite du vent qui soufflait assez fort par moments sur le Lac Diefenbaker, tout s'est déroulé parfaitement et avec la plus grande ponctualité.

Encore l'Ontario

Au terme des compétitions, c'est encore l'Ontario qui dominait avec 229 points et le plus lourd bagage de médailles. Les Ontariens avaient remporté 44 médailles d'or, 37 médailles d'argent et 37 médailles de bronze.

Le Québec terminait en deuxième place avec 211,5 points, gagnant 33 médailles d'or, 23 d'argent et 26 de bronze.

La troisième place allait à la Colombie-Britannique, avec ses 207,5 points, ses 23 médailles d'or, ses 38 médailles d'argent et ses 20 médailles de bronze.

Les athlètes de la Saskatchewan se méritaient la quatrième place avec 167,5 points, ainsi que 14 médailles d'or, 13 médailles d'argent et 18 médailles de bronze. Dans les Jeux d'été précédents en 1985 à Saint-Jean (N.-B.), la Saskatchewan s'était classée huitième avec 119 points. Cette nette amélioration lui valut la précieuse Coupe du Centenaire.

À cause de son bel esprit sportif, le Nouveau-Brunswick se méritait le Prix Jack-Pelech.

Le rideau était tombé. Les Jeux avaient été un succès dont on se souviendra longtemps à Saskatoon.

Flag Points
Points-drapeau

	Total Points
Ontario	229
Québec	211.5
British Columbia/ Colombie-Britannique	207.5
Saskatchewan	167.5

1 9 **8 9**

Federal Sport minister Jean Charest aptly described the experience during the closing ceremonies:

"Every Host Society has lived up to the standard set in 1967, namely to welcome the pride of Canada's sport youth for two weeks of competition, fun and friendship that no one could ever forget. Saskatoon proved that if once was great, twice was even better!"

In addition, the Games turned a profit of $1.6 M and the Saskatoon Star Phoenix said that the Canada Summer Games generated more economic benefit for the local merchants than either the curling Brier or the Memorial Cup hockey tournament.

Part of the Canada Games program… everybody wins.

EVERYBODY

TOUT LE MONDE

Le ministre Fédéral des sports, Jean Charest, a bien décrit l'expérience des Jeux pendant les cérémonies de clôture :

«Tous les Comités organisateurs des Jeux du Canada ont réussi à rester fidèles à la qualité à laquelle nous avait habitués la ville de Québec, soit accueillir la jeune élite sportive du Canada pendant deux semaines de compétition, de plaisir et d'amitié que personne n'oublierait jamais. Saskatoon a prouvé que, si une fois suffisait, deux fois était encore mieux!»

En outre, le Comité organisateur avait réalisé un profit et le journaliste du Saskatoon Star-Phoenix écrivait que les Jeux d'été du Canada avaient eu de plus grandes retombées économiques pour les marchands de l'endroit que le Brier (championnat canadien de curling), ou le tournoi pour la Coupe Memorial, symbole du championnat canadien au hockey junior.

Voilà un des objectifs des Jeux du Canada… tout le monde y trouve son compte.

1991

Charlottetown, P.E.I./Î.-P.-É.

February 17 février – March 2 mars, 1991

A quarter of a century ago in Quebec City, in an inspired moment, it was established that the permanent theme for Canada Games would be "unity through sport."

That theme has been a constant thread in the pattern of all Canada Games, from one coast to the other when young Canadians, from a wide array of backgrounds and cultures, have been brought together to compete. They have learned

Charlottetown

Dans un moment d'inspiration à Québec, il y a un quart de siècle, il avait été décidé que le thème des Jeux du Canada serait «L'unité par le sport».

Ce thème est revenu à tous les Jeux du Canada, d'un littoral à l'autre, lorsque les jeunes Canadiens de tous les milieux et de toutes les cultures se sont rassemblés pour participer à des compétitions. Ils ont appris à se connaître, ils se sont familiarisés avec leur pays, sa géographie et la diversité de sa population, et ils ont appris à apprécier les pressions et les joies d'une compétition nationale.

Les responsables des Jeux d'hiver du Canada de 1991 dans l'Île-du-Prince-

about and from one another; they have learned of their country, the vastness of her geography and the diversity of her people; and they have learned to endure and enjoy the pressures and thrills of national competition.

On Prince Edward Island, those charged with conducting the 1991 Canada Winter Games, chose that time to grasp the Canadian dream, and to underscore the "unity through sport" theme with their own Games motto, "Welcome Home Canada."

Our armed forces were in the Persian Gulf at that time and patriotism was in flower with thousands of young women and men in a war zone half-way around the world.

At the opening ceremonies, a huge Canadian flag was spotlighted on the west wall of the Charlottetown Civic Centre, about 7,500 people jammed into an arena that normally seats 3,500. That was the symbol to which all speakers in these opening ceremonies responded.

The gathering was reminded of another gathering, a long time ago, 1864, in Charlottetown. Federal Sports Minister Marcel Danis said:

"Those that came did not, could not, have imagined they would be called Fathers of Confederation. They came to do their best."

The Sports Minister paused to allow appreciation of the historical significance of his remark, and then continued:

"Today, young Canadians are gathered here with their own goals and hopes… and they remind all Canadians of the challenge, diversity and excitement that is Canada."

PEI Premier Joe Ghiz struck that same full and resonant chord. Turning to the assembled athletes, he said:

"And the future of Canada is before us, on this floor, in those young athletes who want us to have a strong, united, proud Canada."

> "*Today, young Canadians are gathered here with their own goals and hopes… and they remind all Canadians of the challenge, diversity and excitement that is Canada.*"
>
> Marcel Danis

> «*Nous voyons aujourd'hui de jeunes Canadiens réunis en ce même coin du pays, avec leurs propres espoirs et leurs propres rêves. Ils rappellent aux Canadiens le défi et la diversité qu'est le Canada.*»
>
> Marcel Danis

Édouard ont choisi ce moment pour souligner le thème de «L'unité par le sport» en lui ajoutant leur propre slogan «Bienvenue à tes sources, Canada».

À la cérémonie d'ouverture, un immense drapeau canadien ornait le mur ouest du Charlottetown Civic Centre, où 7 500 personnes s'entassaient dans une aréna qui en contient ordinairement 3 500. Tous les invités d'honneur allaient reprendre ce symbole.

Cette assemblée nous ramenait dans un passé lointain, à une autre réunion à Charlottetown en 1864. Le ministre fédéral du Sport amateur, Marcel Danis, a déclaré:

«Les personnes qui assistaient à cette réunion ne pouvaient s'imaginer qu'on leur donnerait le nom de Pères de la Confédération. Ils s'y étaient rendus pour donner le meilleur d'eux-mêmes.

«Nous voyons aujourd'hui de jeunes Canadiens réunis en ce même coin du pays, avec leurs propres espoirs et leurs propres rêves. Ils rappellent aux Canadiens le défi et la diversité qu'est le Canada.»

Le ministre Danis a rappelé à son auditoire que les fondateurs des premiers Jeux du Canada à Québec en 1967 avaient plus qu'une simple compétition athlétique comme but. «Les Jeux, dit-il, sont une occasion de se renseigner sur les autres groupes, de les apprécier et de respecter leur culture.»

Le premier ministre Joe Ghiz de l'Île-du-Prince-Édouard a fait vibrer une même corde sensible:

«L'avenir du Canada est devant nous, en la personne des jeunes athlètes qui ne demandent pas mieux qu'un Canada uni, fier et puissant.»

S'adressant ensuite en français, monsieur Ghiz a expliqué que les Jeux sont un peu comme le Canada: ils demandent beaucoup de coopération et de com-

Then, speaking in French, Premier Ghiz told the gathering that the Games are like Canada, requiring a lot of cooperation and understanding among peoples and that it was in that spirit that three levels of government and thousands of volunteers managed to marshal the energy and imagination of the whole province, and set the stage for these Games.

Premier Ghiz especially praised Orin Carver, president of the host committee, and Mr. Carver received a long burst of warm applause when he made reference to the Canadians serving in the Persian Gulf and said:

"We look forward to the day when we can say to them, "welcome home."

And he added: "We are on the threshold of the best Canada Games ever, all because Islanders believe in working together."

The Spirit of the Island

T he speeches came in the middle of a 2 1/2 hour show, an extravaganza which caught the spirit of our smallest province. There were

Orin Carver
President/Président

L'Esprit de l'Île

L e spectacle de deux heures et demie rendait justice à l'esprit de notre plus petite province. On a vu des tableaux de personnages historiques, les Pères de la Confédération, de Lucy Maud Montgomery et un extrait d'Anne of Green Gables. Un hommage a été rendu aux pêcheurs de la province et Graham Tuplin, du Conseil des Amérindiens de l'Île-du-Prince-Édouard, s'est joint aux autres membres de son conseil pour entonner des airs traditionnels.

Il y avait plus de 450 figurants, violoneux et danseurs, chanteurs et musiciens au spectacle d'ouverture et les spec-

préhension entre les divers groupes de population et c'est dans cet esprit que les trois paliers de gouvernement et les milliers de bénévoles ont réussi à soulever l'énergie et l'imagination de toute la province.

Monsieur Ghiz a rendu un hommage spécial à Orin Carver, président du Comité organisateur. Ce dernier a été l'objet d'une longue ovation après avoir déclaré:

«Nous sommes sur le point d'entreprendre les meilleurs Jeux du Canada de l'histoire, parce que les gens de l'Île ont foi au travail en commun.»

tateurs ont été tout aussi impressionnés que les athlètes.

Le spectacle et la cérémonie se sont déroulés sans incident. Shehla Chishti, 16 ans, qui avait remporté une médaille d'argent pour l'Île-du-Prince-Édouard au tennis de table aux Jeux du Canada de 1987, a porté le flambeau jusqu'au réceptacle pour y allumer la flamme des Jeux.

En dépit de plusieurs essais, la flamme refusait de s'allumer. On découvrit par après qu'un problème mécanique était responsable. Mais le spectacle continua sans entrave.

Le jour suivant, la flamme était transportée à l'extérieur de l'édifice, à proximité de l'hôtel de ville, pour la durée des Jeux.

Il s'agissait des premiers Jeux à être présentés par l'ensemble d'une province, aucune autre candidature n'ayant été présentée. Le président Orin Carver du Comité organisateur nous entretenait récemment de cette procédure:

«Les Jeux avaient déjà eu lieu dans chacune des provinces, même par deux fois dans certaines provinces. Il a été convenu que seule la soumission de l'Île-du-Prince-Édouard serait prise en considération.»

La plus petite province ne s'étend que sur 210 km sur sa pleine longueur d'est

tableaux of historical figures, the Fathers of Confederation, and Lucy Maud Montgomery and an Anne of Green Gables performance. There was a tribute to Island fishermen and Graham Tuplin, of the Native Council of Prince Edward Island, joined with other members of his council in presenting traditional songs.

With fiddlers and dancers, singers and musicians, there were more than 450 performers in the show, and the audience and the visiting athletes were "very impressed."

Rick Lambert, chef de mission for the Manitoba team, said: "The talent that is on this island is really fabulous."

The show and the ceremonies ran flawlessly, and an Island athlete, 16-year-old Shehla Chishti, who won a silver medal in table tennis in the 1987 Canada Games, gracefully mounted to the large silver receptacle for the flame.

But despite several valiant attempts, the stubborn flame would not come to life. It was later learned that a minor mechanical gremlin was responsible for the only glitch in the show, but the show carried on unfettered.

The next day, the flame was moved outside the building to a location beside Charlottetown City Hall and it burned faithfully for the duration of the Games.

The Games were on. After two years of preparation, involving volunteers from every corner of the Island, everything was in readiness.

These were the first Games to be staged by a whole province, acting as a unit, and their bid for the Games had been unopposed. Games President Orin Carver recently spoke of that procedure:

"The Games had been held in every other province, some of them twice, and so it was agreed that there would be no bids against Prince Edward Island."

The smallest province at its greatest length, east to west, is only about 210 kilometres, and width varies from about

six kilometres to 55, and it is home to about 130,000 staunch Canadians.

There were 5,000 of them involved on a volunteer basis to put on the '91 Games, and Orin Carver agreed they were the most expensive Canada Games so far with $23.4 million in capital expenditures and a total budget of more than $30 million.

That figure for capital expense includes $13.4 million for the new arena, the Canada Games Sports Centre, in Charlottetown. The rink seats 3,500 and next to it they built a centre for agricultural and trade shows with a $6.3 million contribution from the Atlantic Canada

en ouest, et sa largeur varie d'environ six à 55 km. Sa population est d'environ 130 000 âmes.

Quelque 5 000 personnes s'étaient portées bénévoles pour les Jeux de 1991. Orin Carver avoue que ce furent les Jeux les plus coûteux jusqu'à maintenant, le budget des immobilisations étant de 23,4 millions $ et le budget total s'élevant à 30 millions $.

Le chiffre des immobilisations comprend 13,4 millions pour une nouvelle aréna, le Centre sportif des Jeux du Canada à Charlottetown. À côté de l'aréna de 3 500 places, on a érigé un

centre d'expositions commerciales et agricoles grâce à l'appui financier de l'Agence de promotion économique du Canada Atlantique.

«Nous avions espéré construire une aréna de 4 500 places, dit Carver, mais il aurait fallu apporter plusieurs modifications et le coût aurait augmenté de 2 ou 3 millions $. Nous avons opté pour une plus petite aréna, mais qui convient quand même à nos besoins.»

Les estimations originales ont été quelque peu bouleversées lorsqu'on a dû changer les arrangements pour l'alimentation des athlètes.

La Cafétéria S.V.P.

Les athlètes étaient hébergés à l'Université de l'Île-du-Prince-Édouard, où ils devaient prendre leurs repas dans la cafétéria de l'établissement. La cafétéria était malheureusement trop petite et, lorsqu'on s'est mis à étudier le coût de services d'alimentation supplémentaires, les organisateurs se sont rendu compte qu'il faudrait dépenser de 500 000 $ à 800 000 $ de plus pour nourrir le surcroît d'athlètes.

Orin Carver connaissait l'importance d'une bonne et copieuse alimentation, ayant été l'entraîneur de l'équipe de

hockey de Terre-Neuve aux premiers Jeux d'hiver du Canada à Québec en 1967.

Ayant reçu l'assurance d'une contribution financière du gouvernement provincial, une toute nouvelle cafétéria était construite au coût de 1 950 000 $.

Carver explique aussi que, en raison de la faible population, les Amis des Jeux s'étaient fixé un modeste objectif de 2 millions $ du secteur privé. À la surprise de tous, deux douzaines de compagnies faisant affaire dans l'Île, la majorité à Charlottetown, ont contribué le montant incroyable de 2 500 000 $.

«Nous n'avons jamais douté de l'appui de tous les gens de l'Île, dit Carver. Il

Opportunities Agency (ACOA). Both facilities were jumping with the volume of traffic throughout the Games.

"We looked at building a little bigger arena, seating about 4,500," Carver said, "but to add that one thousand seats meant changing a lot of the building and it was going to cost another $2 to $3 million. So, we built a very good arena, and it's small, but adequate."

But the original estimates took a bit of a thumping when they were forced to change the plan they had to feed the visiting athletes.

s'agissait du plus grand événement à jamais avoir lieu dans l'Île. Nous comptions plus de 5 000 bénévoles. À la toute fin, nous étions mal pris pour leur trouver des tâches. Nous aurions pu en recruter deux fois plus.»

En outre, pour que toutes les régions de la province aient leur part des Jeux, les compétitions avaient été réparties dans diverses localités. Les matchs de hockey ont été disputés dans plusieurs petites arénas municipales, tandis que les sports les moins populaires étaient présentés là où des installations pouvaient être aménagées.

Pour mieux saisir l'importance des Jeux du Canada, le Business Institute de l'Université de l'Île-du-Prince-Édouard a mené une étude qui a tiré comme conclusion que les Jeux avaient eu «un impact positif sur l'Île et la Région atlantique»,

et que les retombées économiques étaient de l'ordre de 58 millions $.

Pour la première fois dans l'histoire des Jeux d'hiver, il n'y avait pas de ski alpin au programme. Il n'y a pas de colline dans l'Île pouvant répondre aux critères des événements alpins, et les organisateurs des Jeux n'avaient même pas songé à ériger une montagne de toutes pièces, comme on l'avait fait à Saskatoon en 1971.

Il y avait quand même un menu complet de 19 sports, y compris le ski de fond, le hockey, la nage synchronisée, le tennis de table, l'haltérophilie (hommes et femmes), la ringuette, le squash, le tir (pistolet et carabine à air comprimé), le patinage de vitesse, le judo, le racquetball, la gymnastique artistique, le badminton, la boxe, le biathlon, le curling, le patinage artistique, l'escrime et le hockey pour

The Cafeteria Please

The athletes were housed at the University of Prince Edward Island and plans called for feeding them in the cafeteria. However, the cafeteria was much too small and, in fact, had been technically condemned. The University was facing a cost of $500,000 to bring it up to acceptable standards.

Even that, however, would have left the dining room too small to feed the athletes, and when looking at supplementary food services in another area, Games officials discovered the additional cost to feed the overflow athletes from the cafeteria would run them somewhere between $500,000 and $800,000.

Orin Carver knew all about the importance of good food and lots of it to young athletes because he was coach of the Newfoundland hockey team in the first Canada Games in Quebec City in 1967.

So they examined their options with particular care. They could try to fight the food services battle in a series of smaller skirmishes, winning some and perhaps losing some. Or, they could bring all their power to bear on a frontal assault and subdue the beast in its tracks.

"we had packed houses at everything"

dames. Ainsi, certains sports figuraient pour la première fois au programme des Jeux du Canada.

L'or pour l'Île

La compétition fut fort serrée et la tension était presque visible dans tous les lieux de compétition. L'équipe hôte a subi sa plus grande pression dans le dernier événement de la dernière soirée, devant une salle comble de 3 000 partisans au Civic Centre.

Jusque-là, l'Île-du-Prince-Édouard n'avait pas remporté de médaille. C'était sa dernière chance. Le super poids-lourd Mark Docherty portait les couleurs de l'Île dans son match contre le boxeur Jeff Wolfe de la Saskatchewan.

Ni l'un ni l'autre ne possédaient grande expérience, mais ils débordaient tous deux d'enthousiasme et du désir de sortir vainqueurs. Dans le troisième et dernier engagement, Docherty a acculé Wolfe dans les câbles et le rossait rondement avant que l'arbitre n'intervienne pour mettre fin au match.

Il ne restait que 11 secondes à l'horloge, et l'Île-du-Prince-Édouard avait remporté son unique médaille d'or. Les partisans locaux avaient eu l'occasion de se réjouir ce soir là, le poids mi-moyen léger Jerry Ryan et le poids mi-moyen

They chose the latter. After gaining assurances from the Provincial government that they would help, a whole new cafeteria was built at a cost of $1,950,000.

Also, Carver explained that due to their limited population, they had set a modest goal of $2 million to be raised from the private sector by the Friends of the Games. About two dozen companies around the Island, but mostly in Charlottetown, contributed $2.5 million.

"There was never any question that everybody on the Island was behind the Games," Carver said, "and the Canada Games were surely the biggest thing ever to happen here. We had about 5,000

volunteers registered and towards the end, we were hard put to find jobs for some of them to do. And we could have had twice that many."

In addition, to bring the whole province into the picture, many of the competitions were moved around. Hockey was played at a number of small town rinks, and less popular sports were moved around where facilities could be arranged.

"We had packed houses at everything," Carver remembered. "They were packed in for table tennis, and it was jammed for shooting, even though most of the spectators didn't know much of

what was going on. It was like that at everything… sold out."

To gain a better grasp of the significance of Canada Games, the Business Institute at the University of Prince Edward Island did a study and concluded that the whole exercise had a "positive impact on the Island and the Atlantic region," and that about $58 million was pumped into the economy.

After the frantic years of building and painting and primping, the show was on. The opening ceremonies were a tremendous hit, and it was time for the athletes.

For the first time in Canada Winter Games, there was no alpine skiing on the

schedule of events. There isn't a bump on the Island even close to meeting standards for alpine events. However, they had a full menu of 19 sports including cross-country skiing, hockey, synchronized swimming, table tennis, weightlifting (men's and women's), ringette, squash, shooting (air pistol and air rifle), speedskating, judo, racquetball, artistic gymnastics, badminton, boxing, biathlon, curling, figure skating, fencing and women's hockey. There were some sports getting an out-   ing at Canada Games for   the first time.

«on faisait salle comble partout»

Golden Gloves

Competition was tight and the atmosphere taut at all venues, but for the host team, the ultimate in pressure came in the final event on the final night before a capacity crowd of 3,000 at the Civic Centre.

To that point, Prince Edward Island had not won a gold medal. This was their last chance. Super heavyweight boxer Mark Docherty carried the Island's colours into the ring against Saskatchewan's Jeff Wolfe.

Neither man was a seasoned fighter and made up for that with enthusiasm and willingness. In the third and last round, Docherty pounded Wolfe along the ropes on two different occasions before the referee stepped between them and stopped the fight.

Only 11 seconds remained on the clock, and the Island had its first gold. That rounded out a happy evening for the PEI fans who had seen their own light welterweight Jerry Ryan and welterweight Trevor MacAdam presented with bronze medals earlier in the evening. Right after the presentation, MacAdam rushed off to deliver his bronze medal to his mother.

The Island also had cause to rejoice in curling when the rink of Sean Matheson, Brian Scales, Paul MacCormack and Rob

Trevor MacAdam ayant remporté des médailles de bronze plus tôt en soirée. Aussitôt la présentation faite, MacAdam s'est empressé de remettre sa médaille de bronze à sa mère.

La foule locale a eu également l'occasion de se réjouir lorsque son équipe de curling, formée de Sean Matheson, Brian Scales, Paul MacCormack et Ron Newson a triomphé de justesse de l'équipe ontarienne au compte de 5-4 pour se mériter la médaille de bronze. Dans le match pour l'or, le Manitoba a défait l'Alberta au compte de 5-3.

Et puis, pour la première fois aux Jeux du Canada, les skieurs du Yukon enlevaient une médaille d'or, alors que Lucy Steele remportait la course de ski de fond de 5 km. Elle a également réalisé l'étape la plus rapide dans le relais 4 x 5 km, pour donner l'or au Yukon, alors que son coéquipier Sean Sheardown, de Whitehorse, arrivait en tête dans le 10 km pour hommes.

Une fois tous les résultats compilés et vérifiés, l'Ontario avait remporté le Drapeau des Jeux par un seul point sur l'équipe du Québec, soit 257,5 contre 256,5.

À la cérémonie de clôture, lorsqu'on annonça que l'Ontario avait triomphé du Québec par un seul point, les athlètes du Québec ont été les premiers à se lever pour applaudir l'équipe gagnante.

Newson squeaked by Ontario 4-3 in the bronze medal match. Manitoba defeated Alberta 5-3 in the gold medal contest.

And for the first time in Canada Games competition, Yukon skiers hit gold. Lucy Steele won the women's 5 km cross country race. She also skied the fastest leg to pace the Yukon's 4 x 5 relay team to the gold and Sean Sheardown, from Whitehorse, took the men's 10 km.

When all the points were totalled and double-checked and triple-checked, Ontario won the Games flag by one point over Quebec, 257.5 to 256.5.

When it was announced at the closing ceremonies that Ontario had won the flag by a single point over Quebec, the Quebec athletes were the first to stand and begin the ovation for the winning team.

"One point out of 257 is not so bad," Claude Hardy, Quebec's chef de mission said. "We ask our kids to respect their opponents. If you come second, be the first to congratulate the winner. That's the sporting way."

The kids from Quebec, always contenders and often winners in the Canada Games, showed the way.

Despite being nosed out in the points total, Quebec athletes set a record for taking the most medals in a Games.

Quebec took 63 gold and a total of 140 medals overall. Ontario won 43 gold and 123 total, with Alberta third at 16 gold and a 68 total.

Manitoba won the Centennial Cup as the most improved team over the last Canada Winter Games in Sydney, N.S., and Prince Edward Island took the Jack Pelech Award for sportsmanship and friendship.

The UNISYS Quest for Excellence Awards had also been presented for the first time, to two athletes and/or coaches from each team who unselfishly gave the most of themselves to their team in true sportsmanship.

And as Governor General Ray Hnatyshyn wound down the Games to declare an end, a new Games torch was brought to light and handed to Games President Orin Carver, and he passed on the torch to Vic Poleschuk, president of the next Canada Summer Games to be held in Kamloops, B.C. in 1993.

These Games, in Canada's smallest province, provided a proper down home "welcome home Canada", and marked the last Games in the first 25 years of this ambitious program.

«Une marge d'un seul point sur 257, mais ce n'est pas si mal, dit le chef de mission Claude Hardy du Québec. «Nous demandons à nos jeunes athlètes de respecter leur adversaires. Si l'on termine en deuxième place, la simple courtoisie exige qu'on félicite les gagnants.»

Même s'ils ont perdu au total des points, les athlètes québécois avaient remporté le plus grand nombre de médailles: 63 médailles d'or et un total de 140 médailles. L'Ontario a remporté un total de 123 médailles, dont 43 médailles d'or, alors que l'Alberta recueillait 68 médailles en tout, dont 16 médailles d'or.

Flag Points
Points-drapeau

	Total Points
Ontario	**257.5**
Québec	**256.5**
Alberta	**214.5**
British Columbia Colombie-Britannique	**213**

1 9 **9** 1

La Manitoba s'est mérité la Coupe du Centenaire, à titre d'équipe qui s'était le plus améliorée depuis les derniers Jeux d'hiver à Sydney (N.-É.), tandis que l'équipe de l'Île-du-Prince-Édouard avait fait preuve du plus bel esprit sportif et de camaraderie et se méritait le Prix Jack-Pelech.

De même, pour la première fois aux Jeux, la compagnie d'informatique UNISYS présentait les Prix d'excellence UNISYS à deux athlètes et/ou entraîneurs de chaque province et territoire, qui se sont distingués dans leur contribution de leadership et d'esprit sportif envers leurs équipes.

Puis, au moment de la cérémonie de clôture préside par le gouverneur général Ray Hnatyshyn, un nouveau flambeau était allumé et remis à Vic Poleschuk, président des Jeux d'été du Canada qui auront lieu en 1993 à Kamloops, en Colombie-Britannique.

Ces jeux dans la plus petite province du Canada, avec le sous-thème de «Bienvenue à tes sources, Canada», étaient les derniers des 25 premières années de cet ambitieux programme.

In the considered opinions of politicians on every level, of captains of industry, of community leaders in settlements both big and small across the land, and of thousands upon thousands of athletes, there could be no greater legacy in sports than that left to the young athletes of the country by the Canada Games.

The Games have played in every province in their 25-year history and at each stop, have left a multi-million dollar treasure in top-of-the-line facilities. The capital expenditure total for the 13 Games held to this point exceeds $90 million

and will exceed the $100 million mark after next year's Games in Kamloops, B.C.

Just as important, an incalculable wealth of human resources, expertise, and pride in home town and country has been left in the wake of each chapter of the Games.

Aside from the facilities, the Games provided a "coming of age" for many smaller centres around the country, centres which never before had undertaken projects as big and as complicated as the Canada Games.

Many doubted, even as they assumed the burden, that their town could pull it

off in the style expected. But invariably, the communities reached down and explored depths in themselves they had never suspected, and got it all done. And rejoiced in the doing of it.

Pride and Accomplishment

K eith Lewis, the retired Navy commander who was general manager of the Halifax-Dartmouth Games, admits that the physical assets left behind have been a boon to both cities but he said:

"The biggest legacy was the feeling of pride that the citizens of Halifax and

Dartmouth could put on anything they wanted… anything. And since then, we have put on major events in curling and figure-skating and so on, and it has all been done with pride and ability and confidence; with the feeling that nobody can do it better than we can. Putting on the Canada Games did that."

Similar sentiments were voiced by Alex Matheson, President of the '79 Games in Brandon, Man. A retired colonel who was commanding officer of the Army base at Shilo, Man., just outside Brandon, Matheson said this year that

Legacy/L'héritage

Les politiciens de tous les paliers, les chefs d'entreprises, les leaders des petites et grandes municipalités du pays et les milliers d'athlètes sont tous du même avis: les Jeux du Canada ont laissé aux jeunes athlètes du pays le plus bel héritage dont le milieu sportif pouvait rêver.

Chaque province a accueilli les Jeux au cours des 25 années de leur histoire et, en chaque endroit, ils ont laissé un trésor de plusieurs millions de $ en installations de qualité supérieure. Le total des immobilisations pour les 13 Jeux tenus jusqu'à maintenant dépasse les 90 millions $, et dépassera les 100 millions de dollars avec les Jeux de l'année prochaine à Kamloops en Colombie-Britannique.

Ce qui est tout aussi important, c'est que chaque édition des Jeux a laissé dans son sillon un riche héritage de ressources humaines, d'expertise et de fierté communautaire et nationale.

En outre, en plus de laisser des installations, les Jeux ont permis à de petites villes, qui n'auraient jamais osé organiser des projets d'une si grande envergure, l'occasion de s'affirmer.

Et même après avoir accepté l'honneur, nombreux sont ceux qui se demandaient si leur ville saurait réussir dans la mesure attendue. Mais à tout coup, les comités organisateurs ont su trouver des ressources inconnues jusqu'alors et réussir en beauté.

Fierté de la réussite

K eith Lewis, le commandant de Marine retraité qui était directeur général des Jeux de 1969 à Halifax-Dartmouth, reconnaît la valeur des installations physiques laissées par les Jeux, mais il ajoute :

«Le plus bel héritage a été cette fierté que les citoyens d'Halifax et de Dartmouth pouvaient réussir dans toutes leurs entreprises. Depuis ce temps-là, nous avons présenté de grandes compétitions de patinage artistique et de curling, par exemple, et nous l'avons fait avec fierté, confiance et assurance. Nous avions le sentiment que nous pouvions le faire

mieux que n'importe qui. Voilà une des belles retombées des Jeux du Canada.»

Alex Matheson, président des Jeux de 1979 à Brandon, a fait écho à ces sentiments. Colonel à la retraite et ancien commandant de la base des Forces armées à Shilo (Manitoba), pas loin de Brandon, Matheson disait cette année que l'expérience des Jeux du Canada avait été le signal marquant «l'âge de maturité» de la ville et de la région.

Sans pour autant diminuer l'importance des installations laissées sur place, Matheson affirme que l'impact des Jeux sur la population est l'aspect le plus positif de cet «héritage incroyable.»

the Canada Games experience provided a "coming of age" for the city and the district.

And while not minimizing the importance of the facilities left behind, Matheson was especially strong in his view that the impact on the people was the greatest part of what he called "the incredible legacy."

"The biggest thing? Without a doubt", said Guy Bradbury, Recreation Director for the city of St. John's, "was the development of the volunteers and the boosting of the confidence level to the point where they knew they could organize and stage a real, major event. The leadership development, as a result of the Canada

Games opened up St. John's and the whole province."

In Halifax, Nick Murray has the same tune from the same hymn book. Facilities left behind by the Halifax Games of 1969 have been used and used until they were worn out, then refurbished and continue in daily use.

The track at Dalhousie University was worn to ribbons and then replaced, and everything left in the wake of the Games has been fully utilized and is still enjoying daily traffic.

"We have had all kinds of national, provincial and regional championships

here since then," Murray said, "because we had the facilities and the people to do it."

Go out to Thunder Bay, where the Games united a community and demonstrated to them the value of common purpose.

Bruce Walker, president of the Canada Games in Thunder Bay, admits that the Games were an expensive proposition, about $14 or $15 million, but there has been heavy traffic at all of the physical assets left behind.

There are 500,000 citizens a year going through the Aquatic Centre in a wide variety of programs and the users are, for the most part, members of the

Centre and recreational users. Out of the total, Aquatics Director Roy Warren estimated, perhaps 750 are competitive swimmers.

But the facility is running at 85 to 90% capacity, and now recovers 85% of costs.

In Thunder Bay, as it has been across the country, it was a change in attitude that natives saw as the most beneficial part of the legacy.

At every one of the 13 stops of the Canada Games so far, the story is very much the same. Facilities left behind in each site, and the human resource legacy has left thousands of knowledgeable, willing volunteers ready to serve.

«La plus grande réalisation, me demandez-vous?», nous confie Guy Bradbury de la ville de St-Jean, «c'est la formation des bénévoles et leur mise en confiance jusqu'au point où ils se savaient capables de présenter un événement d'importance majeure. Le développement du leadership aux Jeux du Canada a allumé une flamme à St-Jean et à travers toute la province.»

À Halifax, Nick Murray a repris le même thème. Les installations des Jeux de 1969 à Halifax-Dartmouth ont été utilisées à l'extrême, mais elles ont été remises à neuf et servent encore.

La piste à l'Université Dalhousie a été usée à la corde, puis remplacée, et toutes

les installations laissées par les Jeux ont servi régulièrement… et sont toujours aussi populaires.

«Des championnats nationaux, provinciaux et régionaux ont eu lieu dans la région depuis lors, dit Murray, parce que nous disposions de ces installations et des ressources humaines entraînées à cette fin.»

Dirigeons-nous maintenant vers Thunder Bay, où les Jeux ont créé un sens de rapprochement et démontré la valeur d'un effort commun.

Bruce Walker, président des Jeux du Canada à Thunder Bay, admet que les Jeux ont coûté cher, de 14 à 15 millions $

environ, mais que les superbes installations sont toujours achalandées.

Plus de 500 000 citoyens de la ville et de la région profitent chaque année des programmes variés du Centre Aquatique et ses usagers sont, en grande partie, membres du Centre et des amateurs de loisirs. Le directeur Roy Warren estime que, en tout et partout, le Centre ne compte que quelque 750 athlètes de compétition.

L'installation fonctionne de 85 à 90 p,cent de sa capacité. Après les Jeux, on avait demandé aux responsables du Centre de récupérer 55 p,cent des coûts. C'est 85 p,cent qu'ils récupèrent aujourd'hui, ce qui indique que le Centre des

Jeux du Canada est fortement utilisé, bien administré, et qu'il est un actif pour la ville de Thunder Bay.

Mais, comme partout ailleurs au pays, c'est un changement d'attitude que les citoyens considèrent comme l'héritage le plus important.

C'est la même histoire dans chacun des 13 sites des Jeux du Canada jusqu'à maintenant. Les installations laissées sur place ont amélioré la qualité de vie et les rapports sur les Jeux font tous état de cet immense réservoir de ressources humaines bien formées et toujours remplies de bonne volonté.

A Positive Experience

A not inconsequential benefit, too, has been the swelling ranks of Olympians and other international athletic stars who passed through the Canada Games doors to the world stage.

There are dozens and dozens of outstanding Canadian stars who shone on Olympic and world stages who first came to light in Canada Games. We'll offer just a light sampling, like Toller Cranston, Brian Orser and Brian Pockar in figure skating, Debbie Brill and Diane Jones Konihowski in track and field, Bob Gainey in hockey, paddler Sue Holloway, high jumper Greg Joy, football's Lui Passaglia, swimmer Nancy Garapick, wrestler Ray Takahashi and track and field standouts Dave Steen and Angela Bailey.

Speedskater Sylvie Daigle launched from the Canada Games as did cross country skier Pierre Harvey, alpine skiers Liisa Savijarvi, Felix Belczyk and Rob Boyd, boxer Lennox Lewis and gymnastics' Curtis Hibbert came out of this program, as did so many, many more.

Ann Dodge, who took three gold medals in paddling in the '73 Games in British Columbia, says the Games for her, and for "many very young people, were an extremely positive event," and she said: "Anything that brings our great country together, makes us all closer, is a super idea."

Guy Thibeault, who won speed-skating gold in the '83 Games in Saguenay says the Canada Games "open the door for potential Olympians... something I will remember forever." Talk to dozens of former Canada Games competitors, and the replies take on an attractive sameness. For many, it was the launching pad for great things. For many others, it was virtually the end of their athletic careers. They had gone to an enviable level, as far as their talents would take them, and they have found that the experience, the discipline, the "moving out" from the home grounds, was a most positive experience in their lives. Canada Games officials, the volunteers, the athletes, sports fans who felt the fervour from one end of the country to the other, deliver the same verdict.

Just great... for everyone, for the communities, the regions and the provinces.

Great for Canada!

Great for **Canada!** Précieux pour le **Canada** tout entier!

Une avenue de succès

I l ne faut pas oublier, d'autre part, tous ces Olympiens et vedettes mondiales du sport qui ont fait leurs premières armes aux Jeux du Canada.

C'est d'abord aux Jeux du Canada que se sont fait connaître des douzaines d'étoiles canadiennes des Jeux olympiques et de la scène internationale. Qu'il suffise de mentionner Toller Cranston, Brian Orser et Brian Pockar en patinage artistique, Debbie Brill et Diane Jones Konihowski en athlétisme, Bob Gainey au hockey, Sue Holloway en canotage, Greg Joy au saut en hauteur, Lui Passaglia au football, la nageuse Nancy Garapick, le lutteur Ray Takahashi et, enfin, Angela Bailey et Dave Steen en athlétisme.

La patineuse de vitesse Sylvie Daigle est une diplômée des Jeux du Canada, tout comme le skieur de fond Pierre Harvey et les skieurs Liisa Savijarvi, Felix Belczyk, et Rob Boyd, le boxeur Lennox Lewis, le gymnaste Curtis Hibbert et bien d'autres encore ont franchi avec succès l'étape des Jeux du Canada.

Guy Thibeault, gagnant de trois médailles d'or aux Jeux de 1983 au Saguenay-Lac St-Jean, affirme que les Jeux du Canada «ouvrent la porte aux Olympiens en puissance... un événement que je n'oublierai jamais.»

Ann Dodge, gagnante de trois médailles d'or en canotage aux Jeux de 1973 en Colombie-Britannique, explique : «Dans mon cas comme dans celui d'une légion de jeunes gens, les Jeux auront été un événement positif.» Elle ajoute : «Tout événement qui nous rapproche et nous unit est une idée sensationnelle.»

Parlez à des douzaines, voire des centaines d'anciens des Jeux du Canada et vous obtiendrez des réponses positives semblables. Ils furent, pour bon nombre d'entre eux, un tremplin vers le succès.

Pour tant d'autres, ils mirent presque un terme à leur carrière athlétique. Ils sont allés aussi loin que leur talent le permettaient, mais ils ont tous trouvé que l'expérience, la discipline et le voyage en territoire inconnu les a transformés.

Les officiels des Jeux du Canada, les bénévoles, les athlètes et les amateurs de sport qui ont ressenti cette même fierté d'un bout à l'autre du pays sont tous du même avis.

Les Jeux sont précieux... pour tous, pour les communautés, les régions et les provinces et...

Précieux pour le Canada tout entier!

Upcoming...

Prochains...

Kamloops

The Canada Games flame, which has travelled back and forth across the country by walker, runner, horseback, snowmobile, bicycle and boat, has been a beacon of inspiration on Parliament Hill in Ottawa, a heart-warming symbol in every province and territory in the land, and a torch to be handed from one generation of athletes to the next.

It has been stubborn to light at times, stubborn to go out at times, and it is at once the flaming symbol of health, fitness and athletic excellence, and the hope for new generations of young Canadians to take their places among the finest athletes in the world.

The flame will glow again next year in Kamloops, British Columbia, in the 1993 Canada Summer Games, the 14th renewal of the Games.

Next year will mark the 100th anniversary of Kamloops as a city, and Games President Vic Poleschuk and organizers of the Games have landed on that number as their rallying cry. It is their 100th birthday, and they have pledged to 100 percent effort to make the Games as grand as anyone has ever seen and "to show the athletes the time of their lives."

The city of 65,000 at the junction of the North and South Thompson rivers is famous for its climate—warm, dry summers, and clear, crisp winters. In August,

1 9 **9** 3

Kamloops

Le flambeau des Jeux du Canada, porté bien haut à travers tout le Canada, que ce soit en marchant, au pas de course, à cheval, par autoneige, à bicyclette ou en bateau, a été un objet d'inspiration sur la Colline parlementaire à Ottawa, et un signe de fierté dans chacune des provinces et territoires qui doit être passé d'une génération d'athlètes à l'autre. Parfois lent à s'allumer ou à s'éteindre, il est le symbole de la santé, de la condition physique et de l'excellence sportive. Pour les nouvelles générations de Canadiens, la flamme symbolise l'espoir de parvenir aux plus hauts sommets du sport mondial.

La flamme brillera de nouveau l'année prochaine à Kamloops, en Colombie-Britannique, où se déroulera, en 1993, la 14e édition des Jeux du Canada.

Kamloops célébrera en même temps son centenaire. Le président des Jeux, Vic Poleschuk, et les organisateurs ont donc décidé que, parallèlement au 100e anniversaire, on irait à 100 p,100 en vue de présenter le meilleur spectacle de toute l'histoire des Jeux.

Cette ville de 65 000 habitants, au confluent des rivières North et South Thompson, est renommée pour son climat: des étés chauds et secs, un temps clair et vif en hiver. Au mois d'août, période des Jeux, la température moyenne est de 20°C, et le soleil brille 280 heures.

when these Games will be staged, the average temperature is 20° C, with 280 hours of sunshine.

In keeping with the history of Kamloops, organizers will stage two rodeos, including the Kamloops Pow-Wow. Also on the planning board is the largest involvement of Natives in any Canada Games with a Native Cultures Pavilion and the inaugural Traditional Native Games.

At this writing, Kamloops Recreation Director Dennis Kujat reports everything is right on schedule including construction of a new aquatic centre.

The Kamloops Games will be the biggest ever with over 4,000 athletes and coaches expected in Kamloops and cared for by close to 7,000 enthusiastic volunteers. They will also be the first to offer medal events for athletes with a disability.

On to Grande Prairie

From Kamloops, the Canadian pageant moves on to the Winter Games in Grande Prairie, Alberta in 1995.

Perky McCullough is a vice-president of the Grande Prairie Host Society, and specifically, vice-president of special projects for 1995.

She is a member of the Alberta Sports Council and she also was involved in Grande Prairie's unsuccessful bid for the Games in 1975.

"I don't know how well we would have coped back then," she said recently. "We didn't have a lot of facilities. It would have been just a tremendous undertaking with what we had... the number of volunteers, housing and so on.

"But when they come in 1995, they're in for a tremendous treat. They're going to be housed in a brand new complex, similar to the athletes' village they had in Canmore for the Olympic Games in Calgary. The alpine ski competitions will be held at Jasper, and the athletes will be in for a treat there. They will be brought in to Grande Prairie for the opening ceremonies, and then moved down to Jasper and housed there for their events.

"And in the past 20 years, our population has grown by about 10,000. We are now 29,000 people here. But we draw from well over 100,000 in the whole Peace River Region so we have an ample base to draw from."

"We have had our Games Society in place since 1991, (H.J. Tom Thompson is president), we know what we have to do. And we'll be ready."

And when this ultimate Canadian sports experience is over up in Grande Prairie, they'll be left with a legacy to enjoy for generations.

1995

En outre, les organisateurs poursuivront une tradition locale en présentant deux rodéos, dont le Kamloops Pow-Wow. La participation amérindienne sera sans précédent. Les plans prévoient un Pavillon de la culture autochtone et l'inauguration des Jeux autochtones traditionnels.

Le directeur des loisirs Dennis Kujat, de Kamloops, nous assure que tout progresse selon l'échéancier établi, y inclu la construction d'un centre aquatique.

Les Jeux de Kamloops seront la plus grande présentation des Jeux avec la participation de 4,000 athlètes et 7,000 bénévoles. On verra aussi pour la première fois à ces Jeux, des compétitions pour les athlètes ayant un handicap.

Vers Grande-Prairie

Après Kamloops, ce sera au tour de Grande-Prairie, en Alberta, de présenter les Jeux d'hiver en 1995.

Perky McCullough est vice-présidente du Comité organisateur de Grande-Prairie et, plus particulièrement, vice-présidente des projets spéciaux pour 1995.

Membre du Conseil des sports de l'Alberta, elle s'était activement occupée de la soumission de Grande-Prairie, qui n'avait pas été retenue, en 1975.

«J'ignore à quel degré nous aurions réussi à l'époque, dit-elle. Nous n'avions pas beaucoup d'installations. C'aurait été une tâche spectaculaire avec nos maigres moyens, le nombre de bénévoles, la question du logement et tout le reste.

«Ce sera une toute autre affaire en 1995. Les athlètes en auront plein la vue avec le nouveau centre qui ressemblera un peu au Village des athlètes à Canmore, aux Jeux olympiques de Calgary. Les compétitions de ski alpin auront lieu à Jasper, et les athlètes seront émerveillés. Ils seront transportés à Grande Prairie pour la cérémonie d'ouverture, puis ramenés à Jasper où ils seront hébergés pour la durée des compétitions.

«Notre population a augmenté d'environ 10 000 personnes au cours des derniers 20 ans, pour atteindre les 29 000. Nous pouvons également compter sur le bassin de population de 100 000 personnes de la région de Peace River.»

«Notre comité organisateur est en place depuis 1991, sous la présidence de H.J. «Tom» Thompson. Les objectifs sont fixés et nous serons prêts.»

Lorsque cette grande expérience sportive canadienne aura pris fin, la ville de Grande-Prairie en conservera un héritage dont plusieurs générations sauront tirer avantage.

XV CANADA GAMES
JEUX du CANADA
GRANDE PRAIRIE '9

The Results
Les résultats

Legend/Légende

** Sports which have been classified as both winter and summer in different years (see years)

All sports pictograms:
Ⓜ Official Mark
© Canadian Olympic Association 1972

** Les sports classés à la fois d'hiver et d'été, à differentes années (selon les années).

Les pictogrammes sportifs :
Ⓜ Marque officielle
© Association olympique canadienne 1972

Medals/Médailles

▲ Gold/Or
● Silver/Argent
■ Bronze/Bronze

Abbreviations/Abréviations

Alberta	AB
British Columbia	BC
Manitoba	MB
New Brunswick	NB
Newfoundland	NF
Nova Scotia	NS
Northwest Territories	NT
Ontario	ON
Prince Edward Island	PE
Quebec	PQ
Saskatchewan	SK
Yukon	YK

Alberta	AB
Colombie-Britannique	C.-B.
Manitoba	MB
Nouveau-Brunswick	NB
Terre-Neuve	T.-N.
Nouvelle-Écosse	N.-É.
Territoires du Nord-Ouest	T.N.-O.
Ontario	ON
Île-du-Prince-Édouard	Î.-P.-É.
Québec	Qc.
Saskatchewan	SK
Yukon	YK

Alpine Skiing / Ski alpin

1987

Men's Slalom/Slalom – Hommes
- ▲ Bob Real — ON
- ● Darren Shields — BC/C.-B.
- ■ Frédéric Jolivet — AB

Men's Giant Slalom/ Slalom géant – Hommes
- ▲ Bob Real — ON
- ● Darren Shields — BC/C.-B.
- ■ Patrick Nolin — PQ/Qc.

Men's Super Giant Slalom/ Slalom super géant – Hommes
- ▲ Darren Shields — BC/C.-B.
- ● Bob Real — ON
- ■ Pierre Boilard — PQ/Qc.

Women's Slalom/Slalom – Femmes
- ▲ Tracy Haight — BC/C.-B.
- ● Isabelle Léger — PQ/Qc.
- ■ Caroline Fortin — PQ/Qc.

Women's Giant Slalom/ Slalom géant – Femmes
- ▲ Rya Kirkwood — BC/C.-B.
- ● Rardi Van Heest — BC/C.-B.
- ■ Laura Gifford — ON

Women's Super Giant Slalom/ Slalom super géant – Femmes
- ▲ Rardi Van Heest — BC/C.-B.
- ● Megen Johnston — BC/C.-B.
- ■ Rya Kirkwood — BC/C.-B.

1983

Men's Slalom/Slalom – Hommes
- ▲ Robert Trottier — PQ/Qc.
- ● Simon Lavoie — PQ/Qc.
- ■ Paul Parent — PQ/Qc.

Men's Giant Slalom/ Slalom géant – Hommes
- ▲ Rob Boyd — BC/C.-B.
- ● Martin Simard — PQ/Qc.
- ■ Rick Ito — BC/C.-B.

Men's Parallel Slalom/ Slalom parallèle – Hommes
- ▲ Robert Trottier — PQ/Qc.
- ● Simon Lavoie — PQ/Qc.
- ■ Mark McInnis — NF/T.-N.

Women's Slalom/Slalom – Femmes
- ▲ Catherine Lussier — PQ/Qc.
- ● Nancy Gee — ON
- ■ Irene Hansen — BC/C.-B.

Women's Giant Slalom/ Slalom géant – Femmes
- ▲ Kendra Kobelka — BC/C.-B.
- ● Catherine Lussier — PQ/Qc.
- ■ Nancy Gee — ON

Women's Parallel Slalom/ Slalom parallèle – Femmes
- ▲ Kendra Kobelka — BC/C.-B.
- ● Nancy Gee — ON
- ■ Catherine Lussier — PQ/Qc.

1979

Men's Slalom/Slalom – Hommes
- ▲ S. Elmitt — BC/C.-B.
- ● C. Wetaski — BC/C.-B.
- ■ G. Perry — AB

Men's Dual Slalom/ Slalom double – Hommes
- ▲ F. Belczyk — BC/C.-B.
- ● P. Bekken — BC/C.-B.
- ■ M. Boilard — PQ/Qc.

Women's Slalom/Slalom – Femmes
- ▲ L. Lacasse — PQ/Qc.
- ● L. Penney — PQ/Qc.
- ■ L. Boulanger — AB

Women's Dual Slalom/ Slalom double – Femmes
- ▲ D. Haight — BC/C.-B.
- ● L. Boulanger — AB
- ■ L. Knight — AB

1975

Men's Slalom/Slalom – Hommes
- ▲ G. Hann — AB
- ● G. Barbeau — PQ/Qc.
- ■ G. Shaver — ON

Men's Giant Slalom/ Slalom géant – Hommes
- ▲ G. Hann — AB
- ● M. Culver — PQ/Qc.
- ■ M. Potts — AB

Men's Dual Slalom/ Slalom double – Hommes
- ▲ G. Hann — AB
- ● M. Culver — PQ/Qc.
- ■ D. Stephens — BC/C.-B.

Women's Slalom/Slalom – Femmes
- ▲ H. Rompré — NF/T.-N.
- ● N. Korte — ON
- ■ D. Lehodey — AB

Women's Giant Slalom/ Slalom géant – Femmes
- ▲ W. Robinson — AB
- ● H. Rompré — NF/T.-N.
- ■ A. Webster — AB

Women's Dual Slalom/ Slalom double – Femmes
- ▲ M. Armstrong — ON
- ● C. Menzies — BC/C.-B.
- ■ W. Robinson — AB

1971

Men's Dual Slalom Number "A"/ Slalom double-Classe A – Hommes
- ▲ — PQ/Qc.*
- ● — BC/C.-B.*
- ■ G. Hamilton/ B. Vessie/R. Stanisforth — NB

Men's Dual Slalom Number "B"/ Slalom double-Classe B – Hommes
- ▲ — AB*
- ● D. Dennis/W. Simpson/B. Bray — SK
- ■ — ON*

Men's Single Team Slalom/ Slalom par équipe – Hommes
- ▲ — PQ/Qc.*
- ● — BC/C.-B.*
- ■ — NF/T.-N.*

Men's Individual Slalom/ Slalom individuel – Hommes
- ▲ G. Athans — BC/C.-B.
- ● A. Culver — PQ/Qc.
- ■ R. Cloutier — PQ/Qc.

Women's Dual Slalom Number "A"/ Slalom double-Classe A – Femmes
- ▲ — BC/C.-B.*
- ● — PQ/Qc.*
- ■ — ON.*

Women's Dual Slalom Number "B"/ Slalom double-Classe B – Femmes
- ▲ — MB*
- ● — NS/N.-É.*
- ■ — NF/T.-N.*

Women's Single Team Slalom/ Slalom par équipe – Femmes
- ▲ — PQ/Qc.*
- ● — BC/C.-B.*
- ■ — ON*

Women's Individual Slalom/ Slalom individuel – Femmes
- ▲ V. Watson — ON
- ● J. Turcotte — PQ/Qc.
- ■ K. O'Sullivan — BC/C.-B.

1967

Men's Slalom/Slalom – Hommes
- ▲ D. Bruneau — PQ/Qc.
- ● J. Richie — ON
- ■ G. Hess — ON

 Archery / Tir à l'arc

1989

Men's Junior Final Standings/ Classement final – Hommes junior
- ▲ Wade Barnes — BC/C.-B.
- ● Steven Smyth — NB
- ■ Sylvain Cadieux — PQ/Qc.

Men's Senior Final Standings/ Classement final – Hommes senior
- ▲ Matthew Leblanc — NB
- ● Paul Sheppard — NS/N.-É.
- ■ Éric Desmarais — PQ/Qc.

Women's Junior Final Standings/ Classement final – Femmes junior
- ▲ Véronic Dufour — PQ/Qc.
- ● Pamela Mayo — MB
- ■ Zenia Marie Chrun — SK

Men's Giant Slalom/ Slalom géant – Hommes
- ▲ B. Calladine — BC/C.-B.
- ● D. Bruneau — PQ/Qc.
- ■ P. Lebrun — PQ/Qc.

Men's Team Slalom/ Slalom par équipe – Hommes
- ▲ — PQ/Qc.*
- ● — ON*
- ■ — MB*

Men's Team Giant Slalom/ Slalom géant par équipe – Hommes
- ▲ — PQ/Qc.*
- ● — ON*
- ■ — BC/C.-B.*

Women's Slalom/Slalom – Femmes
- ▲ D. Gibson — ON
- ● A. Sevensma — BC/C.-B.
- ■ K. Taylor — AB

Women's Giant Slalom/ Slalom géant – Femmes
- ▲ D. Chrichton — PQ/Qc.
- ● A. Sevensma — BC/C.-B.
- ■ D. Culver — PQ/Qc.

Women's Team Slalom/ Slalom par équipe – Femmes
- ▲ — ON*
- ● — BC/C.-B.*
- ■ — PQ/Qc.*

Women's Team Giant Slalom/ Slalom géant par équipe – Femmes
- ▲ — PQ/Qc.*
- ● — BC/C.-B.*
- ■ — ON*

Women's Senior Final Standings/ Classement final – Femmes senior
- ▲ Elizabeth Brown — ON
- ● Jacynthe Plante — PQ/Qc.
- ■ Aleta Vienneau — ON

1985

Male Junior/Hommes junior
- ▲ Murray Peacock — BC/C.-B.
- ● Jean-Luc L'Allemand — PQ/Qc.
- ■ Mike Caputo — AB

Male Senior/Hommes senior
- ▲ John MacDonald — BC/C.-B.
- ● Sean McCabe — AB
- ■ Roger Marchand — AB

Female Junior/Femmes junior
- ▲ Caroline Schiltz — PQ/Qc.
- ● Cassandra Anderson — NS/N.-É.
- ■ Mary Donkin — NS/N.-É.

Female Senior/Femmes senior
- ▲ Angela Cramer — BC/C.-B.
- ● Roberta Barker — BC/C.-B.
- ■ Pascale Bolduc — PQ/Qc.

1981

Men's Cadet/Hommes cadet
- ▲ M. Robert — PQ/Qc.
- ● M. Gélinas — NB
- ■ M. Ukrainetz — AB

Men's Junior/Hommes junior
- ▲ A. Daigneault — PQ/Qc.
- ● J. McDonald — BC/C.-B.
- ■ P. Michalicz — SK

Women's Cadet/Femmes cadet
- ▲ F. Brisson — PQ/Qc.
- ● D. Marsh — BC/C.-B.
- ■ S. Léveillé — PQ/Qc.

Women's Junior/Femmes junior
- ▲ R. Barken — BC/C.-B.
- ● T. Allan — BC/C.-B.
- ■ N. Descoteaux — PQ/Qc.

1977

Men's Junior/Hommes junior
- ▲ K. Teitge — BC/C.-B.
- ● C. Martin — NS/N.-É
- ■ L. Rich — NF/T.-N.

Men's Cadet/Hommes cadet
- ▲ S. Morin — PQ/Qc.
- ● C. Smith — NB
- ■ V. Myllyniemi — BC/C.-B.

Women's Junior/Femmes junior
- ▲ Y. Vaillancourt — PQ/Qc.
- ● M.C. Pitre — PQ/Qc.
- ■ S. Barman — BC/C.-B.

Women's Cadet/Femmes cadet
- ▲ B.L. Roy — NB
- ● E. Sampson — ON
- ■ J. Brisson — PQ/Qc.

  Artistic Gymnastics / Gymnastique artistique

1991

Men's Floor/Sol – Hommes
- ▲ Jesse Gemmell — BC/C.-B.
- ● Darren Bersuk — ON
- ■ Mark Hudson — ON
- Kim English — PQ/Qc.

Men's Pommel Horse/ Cheval d'arçon – Hommes
- ▲ Richard Ikeda — BC/C.-B.
- ● Darren Bersuk — ON
- ■ Darcy Wittenburg — BC/C.-B.

Men's Rings/Anneaux – Hommes
- ▲ Jason Hardabura — ON
- ● Robert Doyle — ON
- ■ Darren Bersuk — ON
- Kim English — PQ/Qc.

Men's Vault/Cheval sautoir – Hommes
- ▲ Peter Mitchell — MB
- ● Mark Kurmey — SK
- ■ Éric Saintonge — PQ/Qc.

Men's Parallel Bars/ Barres parallèles – Hommes
- ▲ Robert Doyle — ON
- ● Richard Ikeda — BC/C.-B.
- ■ Jason Hardabura — ON

Men's Horizontal Bar/ Barre fixe – Hommes
- ▲ Robert Doyle — ON
- ● Éric Saintonge — PQ/Qc.
- ■ Mark Hudson — ON

Men's All Around/ Épreuves multiples – Hommes
- ▲ Robert Doyle — ON
- ● Darren Bersuk — ON
- ■ Richard Ikeda — BC/C.-B.

Men's Team/Équipe – Hommes
- ▲ — ON*
- ● — PQ/Qc.*
- ■ — BC/C.-B.*

Women's Vault/ Cheval sautoir – Femmes
- ▲ Meghan McCurdy — AB
- ● Bethany Dworkin — ON
- ■ Christine Daley — NB

Women's Uneven Bars/ Barres asymétriques
▲ Sarah Rainey — ON
● Tara Sherwood — ON
■ Jamie Kvicala — AB

Women's Balance Beam/ Poutre – Femmes
▲ Tara Sherwood — ON
● Cassie Pauga — AB
■ Sonia Merla — PQ/Qc.

Women's Floor/Sol – Femmes
▲ Stacey Galloway — ON
● Marilou Cousineau — PQ/Qc.
■ Marlies Ernst — BC/C.-B.

Women's All Around/ Épreuves multiples – Femmes
▲ Sarah Rainey — ON
● Cassie Pauga — AB
■ Meghan McCurdy — AB

Women's Team/Équipe – Femmes
▲ ON*
● PQ/Qc.*
■ BC/C.-B.*

1987

Men's Floor/Sol – Hommes
▲ Frédéric Bastien — PQ/Qc.
● Martin Beauchemin — PQ/Qc.
■ Scott MacDonald — ON

Men's Pommel Horse/Cheval d'arçon
▲ Ken White — ON
● Frédéric Bastien — PQ/Qc.
■ Gord Hopper — SK

Men's Rings/Anneaux – Hommes
▲ Patrice Tétreault — PQ/Qc.
● Ken White — ON
■ George Zivic — ON

Men's Vault/Cheval sautoir – Hommes
▲ Bob Bonnefoy — MB
● Patrice Tétreault — PQ/Qc.
■ Peter Ringlein — SK

Men's Parrallel Bars/ Barres parallèles – Hommes
▲ Robert Noory — PQ/Qc.
● Scott MacDonald — ON
■ Ken White — ON

Men's Horizontal Bars/ Barre fixe – Hommes
▲ George Zivic — ON
● Robert Noory — PQ/Qc.
■ Martin Beauchemin — PQ/Qc.

Men's All Around/ Épreuves multiples – Hommes
▲ Frédéric Bastien — PQ/Qc.
● Robert Noory — PQ/Qc.
■ Ken White — ON

Men's Team/Équipe – Hommes
▲ ON*
● PQ/Qc.*
■ SK*

Women's Floor/Sol – Femmes
▲ Martha Mesley — ON
● Allison Hiscott — ON
■ Theresa MacKenzie — ON
Janet Soles — AB

Women's Balance Beam/ Poutre – Femmes
▲ Jeanne Rojek — PQ/Qc.
● Heather Andrews — BC/C.-B.
■ Charlotte Pipe — ON

Women's Uneven Bars/ Barres asymétriques – Femmes
▲ Yannick Giguère — PQ/Qc.
● Martha Mesley — ON
■ Theresa MacKenzie — ON

Women's Vault/ Cheval sautoir – Femmes
▲ Jocelyn Burrows — AB
● Allison Hiscott — ON
■ Cindy Cormier — NB

Women's All Around/ Épreuves multiples – Femmes
▲ Martha Mesley — ON
● Yannick Giguère — PQ/Qc.
■ Cindy Cormier — NB

Women's Team/Équipe – Femmes
▲ ON*
● PQ/Qc.*
■ BC/C.-B.*

1983

Men's Floor/Sol – Hommes
▲ James Rozon — SK
● Daniel Chayer — PQ/Qc.
■ Alain Boily — PQ/Qc.

Men's Pommel Horse/ Cheval d'arçon – Hommes
▲ Claude Latendresse — PQ/Qc.
● Daniel Chayer — PQ/Qc.
■ Alain Boily — PQ/Qc.

Men's Rings/Anneaux – Hommes
▲ James Rozon — SK
● Claude Latendresse — PQ/Qc.
■ Lorne Bobkin — ON

Men's Vault/Cheval sautoir – Hommes
▲ Sean McManus — ON
● Lorne Bobkin — ON
Mike Inglis — ON

Men's Parallel Bars/ Barres parallèles – Hommes
▲ James Rozon — SK
● Curtis Hibbert — ON
John Romaniuk — AB

Men's Horizontal Bar/ Barre fixe – Hommes
▲ Curtis Hibbert — ON
● Sylvain Gagnon — PQ/Qc.
■ Alain Boily — PQ/Qc.
Lorne Bobkin — ON
John Romaniuk — AB

Men's All Around/ Épreuve multiples – Hommes
▲ Curtis Hibbert — ON
● James Rozon — SK
■ Alain Boily — PQ/Qc.

Men's Team/Équipe – Hommes
▲ PQ/Qc.*
● ON*
■ BC/C.-B.*

Women's Vault/ Cheval sautoir – Femmes
▲ Brigitte Lepage — PQ/Qc.
● Andrea Thomas — ON
■ Christina Fon — PQ/Qc.

Women's Uneven Bars/ Barres asymétriques – Femmes
▲ Andrea Thomas — ON
● Andrea Owoc — ON
■ Jessica Tudos — ON

Women's Balance Beam/ Poutre – Femmes
▲ Jessica Tudos — ON
● Sandra Botnen — BC/C.-B.
■ Tracy Wilson — BC/C.-B.

Women's Floor/Sol – Femmes
▲ Andrea Thomas — ON
● Tracy Wilson — BC/C.-B.
■ Janice Kerr — ON

Women's All Around/ Épreuves multiples – Femmes
▲ Andrea Thomas — ON
Jessica Tudos — ON
■ Andrea Owoc — ON

Women's Team/Équipe – Femmes
▲ ON*
● BC/C.-B.*
■ PQ/Qc.*

1979

Men's Floor/Sol – Hommes
▲ B. Peters — ON
Y. Dion — PQ/Qc.
■ Mario Pontbriand — PQ/Qc.

Men's Pommel Horse/ Cheval d'arçon – Hommes
▲ Y. Dion — PQ/Qc.
● C. Graboweeky — AB
■ B. Peters — ON

Men's Rings/Anneaux – Hommes
▲ Y. Dion — PQ/Qc.
● D. Dyer — AB
■ B. Peters — ON

Men's Vault/Cheval sautoir – Hommes
▲ Y. Dion — PQ/Qc.
● A. Reddon — AB
B. Peters — ON

Men's Parallel Bars/ Barres parallèles – Hommes
▲ B. Peters — ON
● D. Fedder — ON
■ J.-P. Cloutier — PQ/Qc.

Men's Horizontal Bars/ Barre fixe – Hommes
▲ D. Kernerman — ON
● B. Peters — ON
■ J.-P. Cloutier — PQ/Qc.

Men's All Around/ Épreuves multiples – Hommes
▲ B. Peters — ON
● Y. Dion — PQ/Qc.
■ J.-P. Cloutier — PQ/Qc.

Women's Balance Beam/ Poutre – Femmes
▲ M. Hawrylyshyn — ON
● B. Wittmeier — MB
■ A. Botnen — BC/C.-B.

Women's Floor/Sol – Femmes
▲ B. Wittmeier — MB
● S. Koval — ON
■ D. Cooper — ON
D. Sabourin — PQ/Qc.

Women's Vault/ Cheval sautoir – Femmes
▲ B. Wittmeier — MB
● D. Sabourin — PQ/Qc.
■ S. Koval — ON

Women's Uneven Bars/ Barres asymétriques – Femmes
▲ B. Wittmeier — MB
● A. Botnen — BC/C.-B.
■ S. Crowell — NS/N.-É.

Women's All Around/ Épreuves multiples – Femmes
▲ Bonnie Wittmeier — MB
● Diane Sabourin — PQ/Qc.
■ Anita Botnen — BC/C.-B.

1975

Men's Floor/Sol – Hommes
▲ J. Pannitti — PQ/Qc.
● G. Gélineau — PQ/Qc.
■ J. Choquette — PQ/Qc.

Men's Pommel Horse/ Cheval d'arçon – Hommes
▲ J. Choquette — PQ/Qc.
● A. Vallerand — PQ/Qc.
■ N. Steeper — ON

Men's Rings/Anneaux – Hommes
▲ J. Pannitti — PQ/Qc.
● S. Weir — ON
■ N. Rothwell — ON

Men's Vault/Cheval sautoir – Hommes
▲ J. Choquette — PQ/Qc.
● S. Weir — ON
■ G. Robinson — SK

Men's Parallel Bars/ Barres parallèles – Hommes
▲ A. Vallerand — PQ/Qc.
● J. Choquette — PQ/Qc.
■ P. Carrier — PQ/Qc.

Men's Horizontal Bars/ Barre fixe – Hommes
▲ J. Choquette — PQ/Qc.
● B. Carisse — ON
■ G. Gélineau — PQ/Qc.

Women's Floor/Sol – Femmes
▲ M J. Ganier — PQ/Qc.
● J. Laird — PQ/Qc.
T. Mayne — PQ/Qc.
C. Thibault — PQ/Qc.

Women's Vault/ Cheval sautoir – Femmes
▲ T. Mayne — PQ/Qc.
● S. Henderson — ON
■ C. Thibault — PQ/Qc.

Women's Uneven Bar/ Barres asymétriques – Femmes
▲ G. Dufresne — PQ/Qc.
● J. Gibson — ON
■ T. Mayne — PQ/Qc.

Women's Balance Beam/ Poutre – Femmes
▲ T. Mayne — PQ/Qc.
● T. Knight — BC/C.-B.
■ J. Laird — PQ/Qc.

Women's All Around/ Épreuves multiples – Femmes
▲ T. Mayne/J. Choquette — PQ/Qc.
● C. Corns — MB
A. Vallerand — PQ/Qc.
■ M.E. Wilcox — ON
J. Pannitti — PQ/Qc.

1971

Men's Vault – Junior/ Cheval sautoir – Hommes junior
▲ T. Sedgewick — SK
● P. Leclerc — PQ/Qc.
■ C. Vincent — PQ/Qc.

Men's Floor/Sol – Hommes
▲ J. Gagnon — PQ/Qc.
● C. Vincent — PQ/Qc.
■ P. Delesalle — BC/C.-B.

Men's High Bar/Barre fixe – Hommes
▲ B. Medd — ON
● B. Koocher — ON
■ R. Birgras — PQ/Qc.

Men's Parallel Bars/ Barres parallèles – Hommes
▲ P. Leclerc — PQ/Qc.
● T. Sedgewick — SK
■ J. Gagnon — PQ/Qc.

Men's Pommel Horse/ Cheval d'arçon – Hommes
▲ B. Medd — ON
● D. Hunter — ON
■ C. Vincent — PQ/Qc.

Men's Rings/Anneaux – Hommes
▲ R. Blanchette — AB
● J. Gagnon — PQ/Qc.
■ R. Birgras — PQ/Qc.

Women's All Around/ Épreuves multiples – Femmes
▲ W. Nicholson — ON
● J. Campbell — ON
■ S. Tsukamoto — ON

Women's Uneven Bar/ Barres asymétriques – Femmes
▲ T. Martin — BC/C.-B.
● W. Nicholson — ON
■ D. Hill — BC/C.-B.

Women's Floor/Sol – Femmes
▲ C. Miller — BC/C.-B.
● W. Nicholson — ON
■ S. Tsukamoto — ON

Women's Balance Beam/ Poutre – Femmes
▲ W. Nicholson — ON
● S. Tsukamoto — ON
■ A. Burroughs — PQ/Qc.

1967

**Women's Vault/
Cheval sautoir – Femmes**
- ▲ G. DeSutter — AB
- ● T. Martin — BC/C.-B.
- ■ C. Charron — PQ/Qc.

Men's Floor/Sol – Hommes
- ▲ T. Sedgewick — SK
- ● M. Jodoin — PQ/Qc.
- ■ S. Mitruk — ON

**Men's Pommel Horse/
Cheval d'arçon – Hommes**
- ▲ S. Mitruk — ON
- ● N. Poirier — PQ/Qc.
- ■ M. Jodoin — PQ/Qc.

Men's Rings/Anneaux – Hommes
- ▲ G. Brière — PQ/Qc.
- ● B.D. Gramchuk — MB
- ■ R. Hunter — BC/C.-B.

Men's Vault/Cheval sautoir – Hommes
- ▲ M. Jodoin — PQ/Qc.
- ● G. Bribre — PQ/Qc.
- ■ R. Johnson — BC/C.-B.

**Men's Parallel Bars/
Barres parallèles – Hommes**
- ▲ G. Brière — PQ/Qc.
- ● M. Zuke — ON
- ■ S. Mitruk — ON

**Men's Horizontal Bars/
Barre fixe – Hommes**
- ▲ S. Mitruk — ON
- ● M. Zuke — ON
- ■ G. L'Allier — PQ/Qc.

Women's Floor/Sol – Femmes
- ▲ T. McDonnell — ON
- ● J. Diachun — ON
- ■ M. StJean — PQ/Qc.

**Women's Vault/
Cheval sautoir – Femmes**
- ▲ B. Thompson — ON
- ● T. McDonnell — ON
- ■ M. StJean — PQ/Qc.

**Women's Balance Beam/
Poutre – Femmes**
- ▲ T. McDonnell — ON
- ● J. Diachun — ON
- ■ M. StJean — ON

**Women's Uneven Bars/
Barres asymétriques – Femmes**
- ▲ T. McDonnell — ON
- ● J. Diachun — ON
- ■ B. Thompson — ON

Badminton

1991

Mixed Doubles/Doubles mixtes
- ▲ Yung/Ong — BC/C.-B.
- ● Dufour/Hermitage — PQ/Qc.
- ■ Dion/Cloutier — PQ/Qc.

Men's Doubles/Simples masculins
- ▲ Dufour/Dion — PQ/Qc.
- ● Nilsson/Yung — BC/C.-B.
- ■ Coulombe/Kadonaga — AB

Women's Doubles/Doubles féminins
- ▲ Thorn/Lachance — PQ/Qc.
- ● Hermitage/Lemieux — PQ/Qc.
- ■ Ong/Ong — BC/C.-B.

Men's Singles/Simples masculins
- ▲ Frédéric D'Amours — PQ/Qc.
- ● Patrice Flynn — PQ/Qc.
- ■ Michael Dilay — AB

Women's Singles/Simples féminins
- ▲ Milaine Cloutier — PQ/Qc.
- ● Caroline Thorn — PQ/Qc.
- ■ Signi Solmundson — MB

Team/Équipe
- ▲ Patrice Flynn/Milaine Cloutier/ — PQ/Qc.
Éric Dufour/François Dion/
Caroline Thorn/Marie-Claude
Lachance/Robbyn Hermitage/
Frédérik D'Amours
- ● Erik Nilsson/Andrea Neil/ — BC/C.-B.
Darryl Yung/Elma Ong/
Moira Ong
- ■ Kyle Hunter/Ingrid Fairbrother/ — ON
Lance Hunter/Quang Huang/
Beth Richardson/Tracey
McGowan/Mike Beres

1987

Team/Équipe
- ▲ Bryan Blanshard/Jean Cheng/ — ON
Ingrid Fairbrother/Melissa
Gallo/John Wright/Peter
Willson/Sunneta Khare/
Robbyn Hermitage
- ● Alain Knapp/Gérald — PQ/Qc.
Castonguay/Élizabeth Houde/
Marie-Hélène Loranger/Marco
Desjardins/Louis Jobin/Julie
Brouillard/Sophie Cardinal/
- ■ Anil Kaul/Erik Nilsson/ — BC/C.-B.
Heather Ostrom/Su-Lin
Shum/Jeff Bray/Dean
Shepard/Samantha
Reynolds/Leslie Calder

1983

Team/Équipe
- ▲ Chantale Jobin/Gisèle — PQ/Qc.
Bouchard/Linda Loignon/
Chantale Brouillard/Alain
McNicoll/Paul Drouin/Daniel
Vermette/Yves Cleing
- ● Nancy Little/Sue Marsh/Diana — ON
Addison/Tannis Harrison/Tom
Hunter/Bruce Miller/Dave
Drummond/Denis Legros
- ■ Allison Gass/Karen Torstenson/ — AB
Johanne Gillette/Pam
Vanheldon/Eric Torstenson/
Ian Johnston/James Scott/
Brent Cutliffe

1979

Team/Équipe
- ▲ Maryse Bellavance/Sylvie — PQ/Qc.
Carrier/Linda Cloutier/Denise
Julien/Michel Beausoleil/Luc
Gosselin/François Landry/
Robert Yergeau
- ● Sandra Morden/Jessica — ON
Melchiorre/Jennifer Roberts/
Alanna Larocque/Mark Freitag/
Ruban Chelladurai/Milan Colic/
Andre Chin
- ■ Leslie McDonald/Leslie — AB
O'Donoghue/Carla Thomas/
Beverly Suits/Michael Ross/
David Johnson/John Goss/
Peter Mayerchak

1975

Team/Équipe
- ▲ L. Lajeunesse/J. Falardeau/ — PQ/Qc.
C. Piché/J.C. Cloutier/
R. Cauchon/H. Bilodeau/
B. Laflamme/J. Gaetan/
S. Parent/D. Boucher
- ● M. Chen/B. Lewis/L. Polson/ — BC/C.-B.
D. Sluggett/R. Chen/
B. Kennedy/G. Paul/R. Stevenson
- ■ G. Brown/D. Hopkins/J. Mackie/ — AB
L. McDonald/M. Novotny/
J. Oakes/B. Suits/J. Taylor/
J. Rowles/E. Martyna

1971

Men's Singles/Simples masculins
- ▲ M. Epstein — BC/C.-B.
- ● P. Chawla — SK
- ■ D. Smith — AB

Men's Doubles/Doubles masculins
- ▲ C. Dalgliesh/A. Shaikb — BC/C.-B.
- ● G. Harris/G. Harris — AB
- ■ J. Holehouse/E. Yablonski — ON

Mixed Doubles/Doubles mixtes
- ▲ J. Lynch/N. Lynch — ON
- ● Y. Paré/H. Richard — PQ/Qc.
- ■ V. Conley/K. Henry — BC/C.-B.

Women's Singles/Simples féminins
- ▲ J. Rollick — BC/C.-B.
- ● B. Alexander — AB
- ■ L. Harris — PQ/Qc.

Women's Doubles/Doubles féminins
- ▲ S. Cutmore/L. Thorne — AB
- ● B. Hood/A. Williams — BC/C.-B.
- ■ S. Kalb/M. Nilsson — ON

1967

Team/Équipe
- ▲ A.Daysmith/J. Humber/ — BC/C.-B.
M. Nilsson/J. Bardsley/
C. Dalgliesh/ E. Sandstrom/
J.O. Trethewey/ B. Dobson
- ● D. Tinline/ J. Holehouse/ — ON
O. Murray/ A. Woodhams/
B. Corrigan/D. Charbon/
R. Johnston/ B. Johnston
- ■ M. Barnett/ L. Bickel/ K. Delf/ — AB
K. James/J. McDonald/
P. McDonald/R. Riley/
K. Whitaker

Baseball

1989

Men's/Hommes
- ▲ Alan Butler/Dwayne Dawson/ — ON
John Douris/Bradley Hagedorn/
Richard Hayward/Joseph
Iannuzzi/John Izumi/Bill
Konstantinou/Robert Lofgren/
Robert Nixon/Jason Rausch/
Paul Robson/Derek Rothwell/
Stephen Smith/Robert
Tanaka/David Tronchin/Jarret
White/Jason Wooley
- ● Murray Bauml/Darin — SK
Chamberlain/Scott Douglas/
Keith Fluet/Lee Gogol/Barry
Houlden/Daniel Kasperski/
Timothy Kroeker/Kevin Kuntz/
Tim Logan/Geoffrey McMaster/
Dean Notschaele/Todd Oliphant/
Scott Pederson/Darren Taylor/
Blair Tweet/Ray Wareham
- ■ Stéphane Bédard/Benoît — PQ/Qc.
Bélanger/Alain Bouliane/
Raimondo Callari/ Bertrand
Chabot/Jean-Robert Côté/
Christian Des Ruisseaux/Martin
Lefebvre/Dany McLean/Dany
Medley/Martin Ouellet/Sylvain
Paul-Hus/Raymond Piette/Pascal
Raymond/François Rochette/
Martin Roy/Robin Roy/
Stéphane Simard

1985

Men's/Hommes
- ▲ Tony Adamic/Brad Clark/ — ON
RichardCoughlin/Richard
Dimitrijevic/John Ferracuti/
Robert Froese/Rick Gallo/
Greg Hamilton/Stewart Hillman/
John Leonard/Garfield Malcolm/
Dave McAllister/Shawn O'Keefe/
Craig Pender/Barry Petrachenko/
Angelo Quaglia/Robert Roy/
Jim Rivait
- ● — MB*
- ■ Peter Ballance/David Bird/ — BC/C.-B.
Danny Demchuk/Robert
Dobrowolsky/Steve Hodges/
Mike House/Rob Ivezich/Murray
Klaassen/Steven Lavoie/Chuck
Law/Shawn Lund/Mark Mock/
Darren Pawliw/Terry Robinson/
Fred Sabatine Jr./Ross Smellie/
Dennis Springenatic/Byron Tait

1981

Men's/Hommes
- ▲ — ON*
- ● — NB*
- ■ — BC/C.-B*

1973

Men's/Hommes
- ▲ R.J. Bultitude/M. Finlayson/ — BC/C.-B.
D.C. Gurniak/B. Haas/R. Hazel/
R. McKee/K. Morris/K. Oliver/
G. Picone/J. Rentmeester/
W.S. Rogers/D.J. Schwab/
J. Thomas/T.D. Thompson/
L. Thompson/G. Wallis/
A.J. Watson
- ● D.W. Freath/J. Sheardown/ — MB
D.J. Anderson/A.R. Meniven/
R.B. Caldwell/M. LaBossière/
J. Antoine/R.H. McFayden/
K.D. Harvey/L.A. Andrews/
K.E. Turner/K.S. Budhy/G.E. Falk/
R.H. Williamson/R. Chuchmuch/
H.J. Carriere/R.J. Ready/
M.L. Hartel
- ■ W. Wanner/A. Kivela/M. Butler/ — SK
S. Simpson/K. McEachern/
G. Feiner/D. Gawley/T. Dolinski/
B. O'Hara/D. Sobchuck/
H. Singer/M. Gonas/W. Dunbar/
D. McLeod/H. McIvor/B. Gyug/
G. Scheinbein

1969

Men's/Hommes
- ▲ K. Benjamin/G.G. Petersen/ — ON
C. Heinbuch/R. Stead/
H. Romanowski/T. Birmingham/
B. Murphy/D. Heffernan/
J. Skinner/B. Pearen/E. Boates/
R. McKillop/R. Smith/
R. Dewaele/W. Upper/
R. DeMarchi/R. Zister
- ● A. Pratte/M. Paulhus/ — PQ/Qc.
H. Corbeil/R. Belec/L. Chartrand/
C. Fortier/M. Beaudry/Y. Gervais/
J. Mentis/G. Marotte/R. Benoit/
M. Ouellet/C. Lecuyer/S. Roy/
A. Groulx/G. Dionne/C. Hardy
- ■ M. Thompson/B. Hogan/ — NS/N.-É.
J. Hines/P. Goucher/N. Betts/
G. Matheson/D. Cormier/
C. Ellis/B. McVicar/K. Bridgeo/
J. Bishop/W. Whynot/
B. McIsaac/W. Banfield/
A. Comeau/B. Olsen/M. Tanner

Basketball

1989

Men's/Hommes
- ▲ Brian Tait/Dean Adams/ — BC/C.-B.
Derek Welsh/Rick Gill/Ron
Putzi/Onkar Hayre/Joey De
Wit/Matthew Wubs/Andrew
Steinfeld/Peter Rubin/Craig
Preece/Tim Bartel
- ● Jeff Kearns/Paul Bijoy Engen/ — SK
Robert Smales/Ian MacDonald/
Brent Allison/Mike Sharp/Brett
Powell/Brad Schoenfeld/Brian
Livingston/Zak Hirshman/Doug
Wegren/ Mark Gottselig
- ■ John Ryan/Richard Sullivan/ — NB
Neil Armstrong/Timothy
Johnston/Patrick Ryan/Jim
Charters/D. Jason Darling/
Vinod Nair/Shawn Charlebois/
Jon Campbell/Joseph Walker/
Bryan Elliott

Women's/Femmes
- ▲ Heidi Hanson/Camille — BC/C.-B.
Thompson/Tracy Nazarchuk/
Heidi Maida/Jennifer Curley/
Tara Gallaway/Mary Lou
McDonald/Megan Magee/
Nadine Caron/Andrea Schnider/
Michelle Hendry/Andrea Loukes
- ● Heather Hart/Mary Jane — ON
Besselink/Jill Stiefelmeyer/
Karri Koach/Sheri Turnbull/
Martha Sandilands/Debby
Morse/Margarete Rougier/
Meagan Dougherty/Carolyn
Swords/Michele Vesprini/
Marion Fernandez
- ■ Lorna Parent/Kelly Wynn/ — MB
Ijeoma Ogoms/Kerri
Robertson/Liane Hamm/Terri-
Lee Johannesson/Diane

Zunic/Adrienne Toogood/Arlyn
Adam/Pam Flick/Michelle
Chambers/Michelle Jonnasson

1987 Men's/Hommes
▲ Augy Jones/Wade Smith/ NS/N.-É.
Jason Wilson/Kevin Veinot/
Grant McDonald/David Brown/
Stephen Woodman/Scott
Borden/Keith Donovan/Charles
Ikejiani/James McQuaig/
Peter Leppard
● Angelo Vourtzoumis/Michael PQ/Qc.
Smith/Robert Leon Pierre/Dino
Perin/Kevin Metcalfe/Garfield
Glasgow/Robert Ferguson/
Perry Douglas/Allan Cox/Floyd
Cobran/Stanley Paul/
Dexter John
■ Bob Aston/Ryan Brown/ BC/C.-B.
Glen Cote/Rodney Gettel/
Shaun Hartley/Rich Mesich/
Mark Osachoff/Chris Schriek/
Stephen Todd/Paul Verret/
Randy Stevens/Wayne Johnson

Women's/Femmes
▲ Caroline Assalian/Zsuzsika PQ/Qc.
Czelnai/Kathy Millar/Tina
Fasone/Christine Ferron/Leah
Hayman/Anne Legault/Carole
McIntyre/Carole Miller/Julie
Rousseau/Chantal St-Pierre/
Isabelle Tétrault
● Cathy Amara/Linda Cuda/ ON
Jennifer Cushing/Carrie Dillon/
Kathy Harrison/Pam Leitch/
Heather McKay/Tammy
Naughton/Martha Sandilands/
Laura Denise Scott/Carolyn
Swords/Karla Van Kessel
■ Karen Beitel/Jennifer Heeg/ SK
Shelley Henry/Vivian Kingdon/
Kyla Kot/Anita Labrie/Terri-Jo
Martin/Jackie Moore/Traceen
Srochenski/Ronalee
Thistlethwaite/Suzanne
Meiers/Raquel Tchorzewski

1985 Women's/Femmes
▲ S. Knowles/J. Scott/ ON
S.Stevenson/J. Swords/
C. Lacroix/ K. Letbridge/
A. Rimes/ L. Osborne/
L. Matsalla/ S. Ivan/
S. MacLean/C. Lueg
● C. Jukess/C. McCombe/ MB
K. Bertholet/L.A. Thomas/
S. Conlin/A. Foster/L. Mandziak/
C. Ploen/ H. Adam/M. Rohleder/
J. Osonishko/L. Reid

■ S. Slater/E. Quilley/L. Briggs/ NB
A. Kent/S. Beaman/K. Kerr/
S. Thurott/S. McMaster/
S. Smith/L. Brady/J. Williams/
C. Johnston

1981 Men's/Hommes
▲ E. Pasquale/K. Dukeshire/ BC/C.-B.
D. Sheean/B. Forsythe/
W. Haak/W. Andrews/
D. Marchese/Q. Groenhyde/
D. Brosseur/G. Walters/
K. Klassen/G. Kazanowski
● E. Spagnuolo/C. Jonsson/ ON
P. Lambropoulos/J. Kennedy/
M. Vern Jones/M. Soufan/
B. Biasutto/R. Samuals/R. Hurd/
R. Rollocks/B. Skeoch
■ J. Rhodin/E. Poon/J. Lilja/ AB
M. Hanna/K. Tilleman/J. Ell/
G. Van Gaalen/R. Arnett/
D. Kakochke/J. Hatch/G. Dell

1979 Women's/Femmes
▲ Connie Classen/Marie-Josée PQ/Qc.
Codère/Karen Diaz/Sue Hylland/
Linda Marquis/Helen McAuley/
Diane Murphy/MichèlePoupore/
Angela Van Barneveld/
Wendy Verrechia
● Joy Bellinger/Andrea Blackwell/ ON
Maria Robyn/Deborah Davies/
Linda Edwards/Teresa Grant/
Joann Drake/Debbie Knowles/
Marie MacDonald/ Linda Palango
■ Catherine Bryan/Karen NS/N.-É.
Goodspeed/Patti Langille/
Janet Lumsden/Sharon
Newman/Cindy Paris/Carol
Rosenthall/Jocelyn Smith/Jill
Tasker/Deborah Wright

1977 Men's/Hommes
▲ M.W. Brody/T.E. Chartrand/ BC/C.-B.
A.B. Chorney/D.W. Corness/
J.J. Duda/C. Hair/K.D. Halicki/
J. Hamalainen/D. Herman/
B.G. McArthur/M. Mukanik/
B.L. Oster/B. Penman/
T.P. Phelan/J. Taylor/R. Town/
P.J. Watson/G.S.R. Wells/
W. Yarmish
● K.P. Acheson/R. Bozyk/ MB
C.A. Candy/R.J. Clayton/
W.T. Coulson/L.R. Davie/
B.D. Domes/D.B. Einarson/
W.A. Flynn/R.D. Gariepy/
G.D. Griffith/W. Kinley/
C.J. Legary/M.S. Majcher/
J.D. Mathison/G.W. Nychyk/
R.F. Seafoot/R.E. Shaw
■ D. Cooper/M. Deschamps/ ON
B. Dumouchelle/P. Dumouchelle/

F. Iatonna/J. Ivan/B. Nelson/
A.-Quaglia/M. Morencie/
R. Parent/M. Lessard/R. Joyal/
J. Polosnik/E. Petrychuck/
G. Plante/I. Thompson/S. Zak

1975 Men's/Hommes
▲ W. Hussey/R. Comeau/ PQ/Qc.
G. Brabant/D. Thornhill/
P. Benoit/V. Gurunlian/
L. Pullen/B. Shier/P. Adrien/
M. Vickers/N. Connors/
J. Hunter/S. Dowd/ E. Huha/
R. Spears
● D. Barkley/W. Berains/ BC/C.-B.
P. Boland/D. Chapman/
L. Dakin/M. Ferguson/
S. Ferguson/J. Gordon/
D. Kirzinger/P. Shaughnessy
■ G. Young/K. Steeves/ NB
D. Seman/S. Ruiter/
B. McCormack/D. MacNeil/
R. Fagan/K. Amos
B. MacDonald/L. Florean/

Women's/Femmes
▲ B. Barnes/B. Bland/ BC/C.-B.
A. Dobie/M. Mainwaring/
E. Ritchie/J. Sargent/
W. Grant/T. McGovern/
D. Storey/C. Turney
● O. Hrycak/M. Corbeil/ PQ/Qc.
M. Kerwin/D. Schroder/
F. Aubry/D. Lagacé/L. Roy/
N. Knowlton/C. Dufresne/
E. Silcott/S. Sweeney/
E. Betchinski/E. Boivin
■ N. Robbins/S. McDonald/ NB
C. Mitton/J. Proude/L. Nason/
K. Hansen/K. Lee/J. Goggin/
J. Douthwright/S. Blumenfeld

1971 Men's/Hommes
▲ J. Courcoulacos/W. Folette/ PQ/Qc.
T. Briggs/R. Tauben/
B. Charron/P. Ryan/
W. Hussey/A. Champoux/
P. Dion/B. Upshaw
● M.G. Chalut Jr./P.A. Goggins/ ON
P. McMahon/B.E. Norris/
J. Ohler/J. Smith/M.J. Stanko/
F. Vitella/R. Smith/D. Cogliata
■ J.F. Baurer/N. Buller/ MB
P.R. Buller/B.S. Craig/J.T. Fisher/
M.L. Grafton/C.I. Kushnier/
W. Plenert/D. Rumsey/R. Waugh

Women's/Femmes
▲ R.M. Boretsky/P.A. Harrison/ ON
A.M. Hurley/M. Leach/N. Kowal/
J.A. Richardson/V.L. Savege/
P.A. Tatham/L. Thomas/
F.A. Wigston

● D.B. Brozuk/D.M. Coutts/ BC/C.-B.
M.J. Foreman/P.A. Gensick/
E.Y. Letellier/A.M. Radanovich/
J.G. Robertson/L.I. Sawden/
B.J. Tribe/L. Haggland
■ J.K. Turner/S.F. Roberts/ SK
D. Shogan/D.A. Ostertag/
V. Girsberger/M.J. Curry/
B.L. Drake/J.M. Elke/
B.J. Henson/H.D. Witzel

1967 Men's/Hommes
▲ B. Howson/ A. Suzuki/ ON
J. Brickmanis/ G. Gordon/
D. Shaver/B. Tromplay/
D. Hames/D. Marshall/
N. Neasmith/J. McKibbon/
P. Misikiwethz/T. Henderson
● J. Bannon/M. Kuzych/ MB
B. Moody/F. Pisclevitch/
K. Galanchuk/G. Boehm/
D. McLean/K. Larsen/B. Hazell/
B. Shane/F. Ingaldson
■ D. Macaulay/P. Simmonds/ NS/N.-É.
R. Spears/L. Archibald/
G. Hughes/T. Beattie/K. White/
I. Cohen/E. Durnford/
B. Bourassa/ A. Shaw/W. White

Women's/Femmes
▲ M. MacDonald/S. McCall/ BC/C.-B.
B. Robertson/B. Whidden/
S. Farrell/V. Kingswood/
P. Gensick/E. Stewart/D. Doyle/
J. Douglas/M. Wahl/D. Currie/
● N. Estey/P. Harrison/S. Kerr/ ON
A. Lang/P. MacDonald/
I. Roach/G. Shich/F. Wingston/
M. Mamuza/C. Martin/
M.L. Mausberg/M. Morgan/
■ E. Ward/E. Mains/B. Kerr/ MB
L. Humphereys/J. Wood/
S. Woods/D. Glenn/
M. Turner/G. Halford/B. King/
J.A. Shultz/L. Léveillée

 Biathlon

1991 Men's 10 KM Sprint/ Sprint 10 KM – Hommes
▲ Kevin Quintilio AB
● Darin Quintilio AB
■ Paul Green NT/T.N.-O.

Men's 15 KM Individual/ Individuelle 15 KM – Hommes
▲ Kevin Quintilio AB
● Tero Pylvainen AB
■ Érick Gosselin PQ/Qc.

Men's 3 X 7.5 KM Relay/ Relais 3 X 7,5 KM – Hommes
▲ AB*
● SK*
■ PQ/Qc.*

Women's 7.5 KM Sprint/ Sprint 7,5 KM – Femmes
▲ Madelaine Bouz AB
● Kirsten Watt ON
■ Krista Maria Wuerr NS/N.-É.

Women's 10 KM Individual/ Individuelle 10 KM – Femmes
▲ Kirsten Watt ON
● Joanne Thomson ON
■ Shannon Robert SK

Women's 3 X 7.5 KM Relay/ Relais 3 X 7,5 KM – Femmes
▲ AB*
● ON*
■ PQ/Qc.*

 Bowling Quilles

1983 Men's/Hommes
▲ Michael Bates/Steve ON
Greensides/Robert McGregor/
Paul Roeder/Rod Smith
● Kelly Meyer/Mark Morrou/ BC/C.-B
Kippy Smith/Ken Kelly/
Don Hood
■ David Jorgensen/Tod SK
Manklow/Blair Pizzey/Bernard
Richard/Richard Touet

Women's/Femmes
▲ Connie Dreher/Shelley Hill/ ON
Diana Lethbridge/Claudina
Lista/Anita Robinson
● Sandra Burton/Cheryl AB
Kitchen/Susan Lindholm/Penny
Noble/Debbie read
■ Diane Labelle/Christine PQ/Qc.
Allard/Johanne Villeneuve/
Lyse Lagacé/Nicole Lecompte

 Boxing Boxe

1991 Light Fly/Mi-mouche < 48 KG
▲ Alain Amand PQ/Qc.
● Casey Patten ON
■ Benoît Laroche NS/N.-É.
Dean Marr SK

Fly/Mouche < 51 KG
▲ Dany Grenier PQ/Qc.
● Rustie Pineda ON
■ Joey Boulanger BC/C.-B.
Henry Valdez AB

Bantam/Coq < 54 KG
▲ Jason Peebles NS/N.-É.
● Jamie Jefferson ON
■ Jason Towns BC/C.-B.
Alan Europa MB

Feather/Plume < 57 KG
▲ Wald Fleming AB
● Steven Lowry BC/C.-B.
■ Gerard Penney NF/T.-N.
Daniel Unsworth PQ/Qc.

Light/Léger < 60 KG
▲ Sylvain LeBlanc PQ/Qc.
● Bryon Mackie ON
■ Garth Snider AB
Jason Bartlett NS/N.-É.

Light Welter/Mi-welter < 63.5 KG
▲ Sharrod Thibault SK
● John O'Neill NS/N.-É.
■ Jerry Ryan PE/Î.-P.-É.
Robert Bourgeois ON

Welter < 67 KG
▲ José Grandbois PQ/Qc.
● Shannon Gale NB
■ Trevor MacAdam PE/Î.-P.-É.
Ross Assoon AB

Light Middle/Sur-welter < 71 KG
▲ Willard Lewis AB
● Bill Bain BC/C.-B.
■ Jay Massie ON
Martin Gendron PQ/Qc.

Middle/Moyen < 75 KG
▲ Maxime Bélanger PQ/Qc.
● Jason Topolinski ON
■ Steven Gilbert AB
Billy Bjornson SK

Light Heavy/Mi-lourd < 81 KG
▲ Stephen Gallinger ON
● Ryan Smith NS/N.-É.
■ Derm Hayes NF/T.-N.
Clint Diewold AB

Heavy/Lourd < 91 KG
▲ Jason Adair BC/C.-B.
● Jason Gnay ON
■ Jason Petit SK
Jean-Francois Bergeron PQ/Qc.

Super Heavy/Super-Lourd + 91 KG
▲ Mark Docherty — PE/Î.-P.-É.
● Jeff Wolfe — SK

91 KG
▲ Willie Curry — BC/C.-B.
● James Bishop — ON
■ Jason Douglas — AB
Hans Marotte — PQ/Qc.

81 KG
▲ Thomas Glesby — ON
● Rick Brown — AB
■ Serge Gauvin — NB

75 KG
▲ Danny Barber — ON
● Mike Jewers — NS/N.-É.
■ Dean Kerpan — BC/C.-B.
Edward English — NF/T.-N.

71 KG
▲ Raymond Downey — NS/N.-É.
● Brian Bambrick — NF/T.-N.
■ Leland Dierkhising — AB
Kenton Krasowski — SK

67 KG
▲ Manny Sorbal — BC/C.-B.
● John Shane Viletel — ON
■ Serge Charette — PQ/Qc.
David (Tex) MacLeod — NS/N.-É.

63.5 KG
▲ Tony Duffy — BC/C.-B.
● Harold Minnett — NF/T.-N.
■ Eugene Lapointe — NB
Jamie Sparks — ON

60 KG
▲ Mario Bergron — PQ/Qc.
● Bill Irwin — ON
■ Philip Flamand — MB
Andrew Rennie — NF/T.-N.

57 KG
▲ Jeff Hill — SK
● Éric Grenier — PQ/Qc.
■ Tony Francis — BC/C.-B.
Sean O'Donnell — NF/T.-N.

54 KG
▲ Edgar Davis Jr. — AB
● Trevor Eagle — NF/T.-N.
■ Wesley Sunshine — SK
James Forte — PQ/Qc.

51 KG
▲ Ronald Dodd — NF/T.-N.
● Kellie Crowell — AB
■ Barry Chistie — ON
Claude Lambert — PQ/Qc.

48 KG
▲ Corey Burton — PQ/Qc.
● Mike Strange — ON
■ John Stevenson — NF/T.-N.
Troy Bannik — BC/C.-B.

48 KG
▲ Florent Mallais — NB
● André Charlebois — PQ/Qc.
■ Augusto Delrios — BC/C.-B.
Alvin Northcott — AB

51 KG
▲ Jamie Ballard — BC/C.-B.
● Jean Derome — PQ/Qc.
■ George Murdock — NB
Richard Johnson — NS/N.-É.

54 KG
▲ Jamie Pagendam — ON
● Darren Kinequon — SK
■ Brent Mitchell — MB
Martin Côté — PQ/Qc.

57 KG
▲ Tom Young — NB
● Marc Ménard — PQ/Qc.
■ Brendan Lowe — ON
Ron Paskie — BC/C.-B.

60 KG
▲ Howard Grant — PQ/Qc.
● Jimmy Hope — ON
■ Richard Claveau — NB
Peter Beltrame — BC/C.-B.

63.5 KG
▲ Asif Dar — ON
● Pierre Duchesne — PQ/Qc.
■ David Morriset — NS/N.-É.
Stan Cunningham — AB

67 KG
▲ Mark Kelly — NB
● Curtis Fiddler — SK
■ Greg Laboucan — BC/C.-B.
Daniel Lemay — PQ/Qc.

71 KG
▲ Rick Duff — AB
● Jean-Louis Fontaine — PQ/Qc.
■ Ralph Campbell — MB

75 KG
▲ Danny Sherry — ON
● Gary Woods — BC/C.-B.
■ Douglas Kernelsen — MB
Randall Thompson — NS/N.-É.

81 KG
▲ Joe Martin — BC/C.-B.
● Andy Formagie — PQ/Qc.
■ Danny Eastman — NS/N.-É.
Rick Trentholme — ON

81 KG +
▲ Lennox Lewis — ON
● Claude Courchesne — PQ/Qc.
■ Brian Christman — AB

48 KG
▲ B. Robson — ON
● W. McCann — BC/C.-B.
■ T. Assiniboine — SK
J. Lucas — MB

51 KG
▲ D. Hilton — PQ/Qc.
● D. Thompson — BC/C.-B.
■ C. Wicks — NS/N.-É.
P. Fiacco — SK

54 KG
▲ M. Nickel — NS/N.-É.
● K. Watson — NB
■ J. Pendrey — BC/C.-B.
V. Seecharin — ON

57 KG
▲ M. Adams — NB
● A. Grandbois — AB
■ P. Cyr — PQ/Qc.
B. Nolan — ON

60 KG
▲ D. Poole — ON
● S. Allison — NS/N.-É.
■ H. Morrissette — PQ/Qc.
G. Rumohr — AB

63.5 KG
▲ J. Jones — NS/N.-É.
● B. Wise — BC/C.-B.
■ A. Bailey — ON
R. Rousselot — PQ/Qc.

67 KG
▲ G. Apolloni — ON
● K. Valburg — BC/C.-B.
■ B. Gamble — SK
J. Classens — AB

71 KG
▲ K. Johnson — MB
● M. Fabi — PQ/Qc.
■ S. Bouchie — BC/C.-B.
H. Waller — AB

75 KG
▲ R. Guimond — PQ/Qc.
● M. Rome — ON
■ M. Collins — MB

81 KG
▲ S. Anderson — BC/C.-B.
● C. Parsons — NS/N.-É.
■ D. Nolan — ON
D. Vandal — MB

81 KG +
▲ D. Goguen — NB
● A. Williamson — ON
■ M. Morin — PQ/Qc.
B. Pryor — NS/N.-É.

105 lb.
▲ M. Adams — NB
● R. Anderson — NS/N.-É.
■ L. O'Brien — NF/T.-N.
S. Nolan — ON

112 lb.
▲ B. Hortie — AB
● D. Hoyt — BC/C.-B.
■ D. Acoose — SK
S. Bachand — PQ/Qc.

119 lb.
▲ F. Pruden — AB
● M. Jenkins — PE/Î.-P.-É.
■ K. Gallagher — BC/C.-B.
A. Grimard — SK

125 lb.
▲ C. Clarke — NS/N.-É.
● B. Fry — SK
■ R. Poirier — NB
G. O'Connor — BC/C.-B.

132 lb.
▲ M. Williams — SK
● D. Jamrozik — ON
■ G. Thériault — NB
J. McCaffrey — BC/C.-B.

139 lb.
▲ D. Ius — BC/C.-B.
● M. Young — AB
■ P. Reschke — ON
D. Blais — PQ/Qc.

147 lb.
▲ R. Jackson — AB
● W. Featherstone — ON
■ R. Daigneault — PQ/Qc.
E. Joyce — NF/T.-N.

156 lb.
▲ D. Williamson — ON
● T. Bouchard — SK
■ B. Koch — BC/C.-B.
S. Larade — BC/C.-B.

165 lb.
▲ S. Hoyt — BC/C.-B.
● R. Duperon — AB
■ J. Urso — PQ/Qc.
J. Cameron — ON

178 lb.
▲ F. Corrigan — NB
● T. Bouchard — NS/N.-É.

■ K. Fahlman — SK
W. Bennallie — BC/C.-B.

Heavyweight/Poids lourds
▲ W. Turner — MB
● C. Kaulius — BC/C.-B.
■ C. Lawrence — NS/N.-É.
O. Martin — PE/Î.-P.-É.

Bantamweight/Poids coqs
▲ J. Cooke — BC/C.-B.
● W. Henry — ON
■ G. MacDonald — PE/Î.-P.-É.
P. Colette — PQ/Qc.

Featherweight/Poids plumes
▲ D. Wilson — AB
● D. Groleau — PQ/Qc.
■ H. Hussey — NF/T.-N.
N. Austin — BC/C.-B.

Lightweight/Poids légers
▲ J. Martinez — PQ/Qc.
● M. Lespérance — MB
■ N. Senior — BC/C.-B.
D. Adams — ON

Light Welterweight/Poids mi-lourds
▲ M. Arneson — MB
● J. Titley — AB
■ R. Bradford — NB

Welterweight/Poids welters
▲ T. Taylor — ON
● D. Belair — AB
■ L.C. Pelletier — NB
S. Tohill — BC/C.-B.

Light Middleweight/Poids mi-moyens
▲ D. Bercier — MB
● C. Douglas — BC/C.-B.
■ B. Laurette — NS/N.-É.
R. Thibeault — PQ/Qc.

Middleweight/Poids moyens
▲ J. French — ON
● J. Dzus — SK
■ J. Lund — PE/Î.-P.-É.
J. Burton — AB

Light Heavyweight/Poids mi-lourds
▲ B. Montour — BC/C.-B.
● B. Titley — AB
■ M. Bergeron — PQ/Qc.
H. Rees — ON

Heavyweight/Poids lourds
▲ J. Meda — BC
● B. Turner — MB
■ C. Margen — NS/N.-É.
J. Parenteau — AB

Canoeing / Canotage

Men's/Hommes C-2 6000 M
▲ Ivan Nicholas English / Marc Fagnou — SK
● Blake Hara / Gregory Secko — ON
■ Stephen Bellefontaine / Scott Smith — NS/N.-É.

Men's/Hommes C-1 6000 M
▲ David A. Ross — SK
● Michael Leger — NS/N.-É.
■ Jamie Copeland — MB

Men's/Hommes K-2 6000 M
▲ Joel David Beach / Shawn Derek Mydan — SK
● Dean Warner / Patrick Kennedy — NS/N.-É.
■ Emmanuel Auger / Éric Lariviere — PQ/Qc.

Men's/Hommes K-1 6000 M
▲ David Lemaire — PQ/Qc.
● Jason Moffat — ON
■ Jason Knox — NS/N.-É.

Men's/Hommes C-4 500 M
▲ — SK*
● — NS/N.-É.*
■ — ON*

Men's/Hommes C-2 500 M
▲ Chris Cormier / Michael Leger — NS/N.-É.
● Jason Roussel / Chris DeGraauw — ON
■ Christian Bernier / Martin Lamarre — PQ/Qc.

Men's/Hommes C-1 500 M
▲ Michael Leger — NS/N.-É.
● Chris De Graauw — ON
■ David A. Ross — SK

Men's/Hommes K-4 500 M
▲ — PQ/Qc.*
● — SK*
■ — NS/N.-É.*

Men's/Hommes K-2 500 M
▲ Dean Warner / Patrick Kennedy — NS/N.-É.
● Nicolas Blanchette / Corey Hamelin — PQ/Qc.
■ Shawn Kerrigan / Jason Moffat — ON

Men's/Hommes K-1 500 M
- ▲ Jason Moffat — ON
- ● Emmanuel Auger — PQ/Qc.
- ■ Patrick Kennedy — NS/N.-É.

Women's/Femmes K-2 6000 M
- ▲ Victoria Martin/Kelly O'Leary — NS/N.-É.
- ● Lara Lindal/Lara Payne — BC/C.-B.
- ■ Julie Corbeil/Anne-Marie Lemaire — PQ/Qc.

Women's/Femmes K-1 6000 M
- ▲ Lucy Slade — ON
- ● Chantal Simonyik — PQ/Qc.
- ■ Kimberly Cook — NS/N.-É.

Women's/Femmes K-4 500 M
- ▲ — ON*
- ● — NS/N.-É.*
- ■ — SK*

Women's/Femmes K-2 500 M
- ▲ Katie Greer/Lucy Slade — ON
- ● Kimberly Cook/Kelly O'Leary — NS/N.-É.
- ■ Cynthia Belbin/Stephanie Rusu — SK

Women's/Femmes K-1 500 M
- ▲ Lucy Slade — ON
- ● Kimberly Cook — NS/N.-É.
- ■ Shannon Robert — PQ/Qc.

1985

Men's/Hommes K-4 500 M
- ▲ Greg Copeland/Steven Bittle/John Seubert/Brian Currie — ON
- ● Peter Courtney/Timothy Farmer/George Bitar/David Pregitzer — NS/N.-É.
- ■ Neil Ellis/Craig O'Neill/Mark Harper/Colin Taylor — NF/T.-N.

Men's/Hommes C-4 500 M
- ▲ Carl Francis/Darren Burke/Kenneth Popowich/Gregory Knox — NS/N.-É.
- ● Stephen Smith/Gary Quartermain/Brian MacNeill Smith/Doug Tutty — ON
- ■ Derek Schrotter/Gerry Rossiter/Michel Rice/Lambert Poirier — PQ/Qc.

Men's/Hommes K-2 500 M
- ▲ Greg Copeland/Steven Bittle — ON
- ● Peter Courtney/Timothy Farmer — NS/N.-É.
- ■ Chris Carighan/Éric Lamoureaux — PQ/Qc.

Men's/Hommes C-1 500 M
- ▲ Derek Schrotter — PQ/Qc.
- ● Carl Francis — NS/N.-É.
- ■ Gary Quartermain — ON

Men's/Hommes K-1 500 M
- ▲ Robert Eckley — BC/C.-B.
- ● Greg Copeland — ON
- ■ David Pregitzer — NS/N.-É.

Men's/Hommes C-2 500 M
- ▲ Darren Burke/Kenneth Popowich — NS/N.-É.
- ● Stephen Smith/Gary Quartermain — ON
- ■ Derek Schrotter/Gerry Rossiter — PQ/Qc.

Men's/Hommes K-2 5000 M
- ▲ John Seubert/Brian Currie — ON
- ● Tim Farmer/David Pregitzer — NS/N.-É.
- ■ Chris Carigan/Éric Lamoureaux — PQ/Qc.

Men's/Hommes K-1 5000 M
- ▲ Stephen Bittle — ON
- ● David Blanchette — PQ/Qc.
- ■ Peter Courtney — NS/N.-É.

Men's/Hommes C-2 5000 M
- ▲ Derek Schrotter/Gerry Rossiter — PQ/Qc.
- ● Darren Burke/Kenneth Popowich — NS/N.-É.
- ■ Brian McNeil Smith/Doug Tutty — ON

Men's/Hommes C-1 5000 M
- ▲ Stephen Smith — ON
- ● Carl Francis — NS/N.-É.
- ■ Dave Jack — BC/C.-B.

Women's/Femmes K-1 500 M
- ▲ Gail Pringle — ON
- ● Tessa Desouza — PQ/Qc.
- ■ Laura Lee Josey — NS/N.-É.

Women's/Femmes K-2 500 M
- ▲ Gail Pringle/Lisa Scott — ON
- ● Laura Lee Josey/Monique Mullen — NS/N.-É.
- ■ Tessa Desouza/Corrina Carignan — PQ/Qc.

Women's/Femmes K-4 500 M
- ▲ Patrizia Dizazzo/Diane Pigeon/Corrina Carignan/Tessa Desouza — PQ/Qc.
- ● Lisa Stott/Marcie Hawkins/Ingrid Ermanovics/Alison Roy — ON
- ■ Michelle Cederberg/Shannon McClure/Jodi Campbell/Debbie Nickel — BC/C.-B.

Women's/Femmes K-1 5000 M
- ▲ Tessa Desouza — PQ/Qc.
- ● Gail Pringle — ON
- ■ Monique Mullen — NS/N.-É.

Women's/Femmes K-2 5000 M
- ▲ Marcie Hawkins/Ingrid Ermanovics — ON
- ● Patrizia Dizazzo/Sophie Thibault — PQ/Qc.
- ■ Laura Lee Josey/Joanne Trider — NS/N.-É.

1981

Men's/Hommes K-1
- ▲ B. Webb — NS/N.-É.
- ● A. Macek — PQ/Qc.
- ■ D. Meagher — ON

Men's/Hommes K-2
- ▲ J. Kerr/B. Webb — NS/N.-É.
- ● D. Meagher/J. Witjes — ON
- ■ C. Beaumier/A. Macek — PQ/Qc.

Men's/Hommes K-4
- ▲ — ON*
- ● — NB*
- ■ — PQ/Qc.*

Men's/Hommes C-1
- ▲ B. Irvin — NS/N.-É.
- ● B. Matthey — PQ/Qc.
- ■ N. Smedmore — ON

Men's/Hommes C-2
- ▲ B. Irvin/S. Gallant — NS/N.-É.
- ● D. Léger/N. Sauvé — PQ/Qc.
- ■ B. Stacey/P. Pearson — NF/T.-N.

Men's/Hommes C-4
- ▲ — NS/N.-É.*
- ● — NF/T.-N.*
- ■ — PQ/Qc.*

Women's/Femmes K-1
- ▲ A. Brown — ON
- ● M. Mullen — NS/N.-É.
- ■ G. St.-Georges — PQ/Qc.

Women's/Femmes K-2
- ▲ A. Brown/H. Hollingworth — ON
- ● C. Carbonneau/M. Clarke — PQ/Qc.
- ■ M. Mullen/P. Taylor — NS/N.-É.

Women's/Femmes K-4
- ▲ — NS/N.-É.*
- ● — PQ/Qc.*
- ■ — ON*

1977

Men's/Hommes K-1
- ▲ D. Brien — NS/N.-É.
- ● I. Crowley — ON
- ■ A. Couture — PQ/Qc.

Men's/Hommes K-2
- ▲ I. Crowley/A. Sheppard — ON
- ● B. Brien/K. Poulos — NS/N.-É.
- ■ J.P. Bertrand/P. Genest — PQ/Qc.

Men's/Hommes K-4
- ▲ I. Crowley/A. Sheppard/G. Brown/M. Matthews — ON
- ● D. Brien/K. Poulos/S. Horrocks/G. Gallant — NS/N.-É.
- ■ J.P. Bertrand/A. Couture/P. Genest/D. Grange — PQ/Qc.

Men's/Hommes C-1
- ▲ M. Hurley — ON
- ● R. McDonald — NS/N.-É.
- ■ D. Mitchell — MB

Men's/Hommes C-2
- ▲ R. McDonald/D. McNaughton — NS/N.-É.
- ● S. Botting/E. Vibert — PQ/Qc.
- ■ M. Hurley/S. Wilson — ON

Men's/Hommes C-4
- ▲ S. Botting/E. Vibert/M Granger/G. Jones — PQ/Qc.
- ● B. Wall/M. Hurley/S. Wilson/P. Wickens — ON
- ■ R. McDonald/D. McNaughton/S. Gallagher/A. Abraham — NS/N.-É.

Women's/Femmes K-1
- ▲ B. Olmstead — ON
- ● B. Dibnah — MB
- ■ M. Goulet — PQ/Qc.

Women's/Femmes K-2
- ▲ B. Olmstead/L. Arnold — ON
- ● S. Rice/T. Duchene — PQ/Qc.
- ■ S. Coppinger/B. Dibnah — MB

Women's/Femmes K-4
- ▲ B. Olmstead/E. Arnold/T. Arnold/L. Armour — ON
- ● T. Duchene/S. Raymond/M. Goulet/C. De Gruchy — PQ/Qc.
- ■ M. Nelson/B. Dibnah/P. Valousek/S. Coppinger — MB

1973

Men's/Hommes K-1 1000 M
- ▲ P. Hobbs — PQ/Qc.
- ● I. Sziraki — ON
- ■ C. Shaw — BC/C.-B.

Men's/Hommes K-2 1000 M
- ▲ I. Sziraki/P. Fair — ON
- ● M. Godbout/S. King — PQ/Qc.
- ■ T. Pelham/T. Schaus — NS/N.-É.

Men's/Hommes K-4 1000 M
- ▲ P. Fair/W. Slayter/R. Quinlan/R. Tuttle — ON
- ● R. Hubbard/T. Pelham/S. Morrison/J. Rozee — NS/N.-É.
- ■ J. Rose/S. King/M. Godbout/C. Chartier — PQ/Qc.

Men's/Hommes C-1 1000 M
- ▲ G. Smith — ON
- ● B. Davies — PQ/Qc.
- ■ R. Webb — NS/N.-É.

Men's/Hommes C-2 1000 M
- ▲ T. Woodside/S. Samson — ON
- ● C. Chartier/B. Leblanc — PQ/Qc.
- ■ K. McDonald/R. Webb — NS/N.-É.

Men's/Hommes C-4 1000 M
- ▲ G. Smith/T. Woodside/B. Hayes/S. Samson — ON
- ● K. McDonald/G. Walker/D. Pelham/R. Webb — NS/N.-É.
- ■ M. Strange/P. Hobbs/N. Behrens/B. Davies — PQ/Qc.

Women's/Femmes K-1 500 M
- ▲ A. Dodge — NS/N.-É.
- ● S. Tremblay — PQ/Qc.
- ■ D. Forbes — ON

Women's/Femmes K-2 500 M
- ▲ A. Dodge/C. Weir — NS/N.-É.
- ● D. Forbes/R. Lane — ON
- ■ K. Loukanovitch/M. Langlois — PQ/Qc.

Women's/Femmes K-4 500 M
- ▲ A. Dodge/N. Walker/S. Slimming/C. Weir — NS/N.-É.
- ● N. Bridge/N. Macaulay/D. Forbes/R. Lane — ON
- ■ S. Tremblay/K. Loukanovitch/B. Jenkins/M. Langlois — PQ/Qc.

1969

Men's/Hommes K-1
- ▲ D. Barre — PQ/Qc.
- ● R. Oldershaw — ON
- ■ D. Ring — NS/N.-É.

Men's/Hommes K-2
- ▲ D. Barre/S. Hepburn — PQ/Qc.
- ● J. Harrison/J. Lyons — ON
- ■ R. Jewer/D. Ring — NS/N.-É.

Men's/Hommes K-4
- ▲ T. Walker/A. MacGlashen/R. Jewer/D. Ring — NS/N.-É.
- ● T. Oszlansky/P. Tremblay/S. Hepburn/J. StPierre — PQ/Qc.
- ■ L. Polowich/R. Quinlan/R. Polowich/R. Quinlan — ON

Men's/Hommes C-1
- ▲ B. Turcot — PQ/Qc.
- ● D. Murphy — NS/N.-É.
- ■ J. Hobbs — ON

Men's/Hommes C-2
- ▲ L. Polowich/D. Derochie — ON
- ● E. Mett/R. Kelly — NS/N.-É.
- ■ B. Turcot/R. Turcot — PQ/Qc.

Men's/Hommes C-4
- ▲ B. Turcot/R. Turcot/J. Scherrer/L. Paquet — PQ/Qc.
- ● R. Rozee/J. Rozee/R. Lyons/J. Pike — NS/N.-É.
- ■ R. Bell/F. Fairs/D. Sharpe/R. Temporale — ON

Men's/Hommes C-15
- ▲ D. Schroeder/W. Marshall/E. Mott/R. Rozee/T. Walker/J. MacGlashen/R. Kelly/J. Rozee/M. Murphy/D. King/T. Henderson/R. Lyons/R. Russell/R. Jewer/J. Pike — NS/N.-É.
- ● F. Heese/R. Bell/D. Derochie/F. Fairs/J. Harrison/H. Heine/J. Hobbs/J. Lyon/R. Oldershaw/L. Polowich/R. Polowich/R. Quinlan/R. Temporale/R. Quinlan/D. Sharpe — ON
- ■ L. Lukanovich/D. Barre/J. Scherrer/T. Oszlansky/P. StJean/S. Hepburn/L. Paquet/B. Turcot/R. Turcot/L. Barretto/G. Bennison/P. Tremblay/J. Bales/J. Barre/F. Somogyi — PQ/Qc.

Women's/Femmes K-1
- ▲ A. Boumeester — ON
- ● J.A. Wallace — NS/N.-É.
- ■ M. Rockingham — MB

Women's/Femmes K-2
- ▲ A. Boumeester/L. Tuttle — ON
- ● J.A. Wallace/A. Soper — NS/N.-É.
- ■ C. Defoe/M. Rockingham — MB

Women's/Femmes K-4
- ▲ E. Bieske/A. Boumeester/N. Holroyd/L. Tuttle — ON
- ● D. Watkins/M. Burris/J.A. Wallace/A. Soper — NS/N.-É.
- ■ D. McCrory/M. Yaremko/E. Scherrer/L. Chartray — PQ/Qc.

Cross Country Skiing / Ski de fond

1991

Men's 10 KM Classical/Classique 10 KM – Hommes
- ▲ Sean Sheardown — YT/Yn.
- ● Donald Farley — PQ/Qc.
- ■ Rob Barrett — ON

Men's 15 KM Freestyle/ Style libre 15 KM – Hommes
- ▲ Lars Taylor — BC/C.-B.
- ● Donald Farley — PQ/Qc.
- ■ Eric Finstad — ON

Men's 10 KM Freestyle/ Style libre 10 KM – Hommes
- ▲ Lars Taylor — BC/C.-B.
- ● Donald Farley — PQ/Qc.
- ■ Sean Sheardown — YT/Yn.

Men's 10 KM Relay/ Relais 10 KM – Hommes
- ▲ — ON*
- ● — PQ/Qc.*
- ■ — BC/C.-B.*

Women's 5 KM Classical/ Classique 5 KM – Femmes
- ▲ Lucy Steele — YT/Yn.
- ● Wendy Davis — ON
- ■ Debbie Steitzer — BC/C.-B.

Women's 10 KM Freestyle/ Style libre 10 KM – Femmes
- ▲ Wendy Davis — ON
- ● Lucy Steele — YT/Yn.
- ■ Debbie Steitzer — BC/C.-B.

Women's 5 KM Freestyle/ Style libre 5 KM – Femmes
- ▲ Lucy Steele — YT/Yn.
- ● Wendy Davis — ON
- ■ Debbie Steitzer — BC/C.-B.

Women's 5 KM Relay/ Relais 5 KM – Femmes
- ▲ — YT/Yn.*
- ● — ON*
- ■ — PQ/Qc.*

1987
Men's/Hommes 15 KM
- ▲ Marco Lebel — PQ/Qc.
- ● Dany Bouchard — PQ/Qc.
- ■ Frank Ferrari — ON

Men's/Hommes 3 X 10 KM
- ▲ B. Letourneau/Marco Lebel/ Dany Bouchard — PQ/Qc.
- ● Hugh Wilson/Marko Seppanen/Frank Ferrari — ON
- ■ Joe Syehla/Brent Lueck/ Jamie Clarke — AB

Men's/Hommes 10 KM
- ▲ Dany Bouchard — PQ/Qc.
- ● B. Letourneau — PQ/Qc.
- ■ Frank Ferrari — ON

Women's/Femmes 10 KM
- ▲ Marie-Josée Pépin — PQ/Qc.
- ● Lisa Patterson — ON
- ■ Julie Maheu — PQ/Qc.

Women's/Femmes 3 X 5 KM
- ▲ Marie-Josée Pépin/Julie Bruneau/Julie Maheu — PQ/Qc.
- ● A. Findlater/J. Henderson/ Lucy Steele — YT/Yn.
- ■ Lisa Patterson/Ailsa Metcalfe/Wendy Davis — ON

Women's/Femmes 5 KM
- ▲ Julie Maheu — PQ/Qc.
- ● Marie-Josée Pépin — PQ/Qc.
- ■ Lisa Patterson — ON

1983
Men's/Hommes 10 KM
- ▲ Yves Bilodeau — PQ/Qc.
- ● David Lumb — ON
- ■ Alain Masson — PQ/Qc.

Men's 3 X 10 KM Relay/ Relais 3 X 10 KM Hommes
- ▲ Wayne Dustin/Dave Beedell/ David Lumb — ON
- ● Jocelyn Vézina/Alain Masson/Yves Bilodeau — PQ/Qc.
- ■ Owen Spence/Brian Weins/Dennis Lawrence — SK

Men's/Hommes 15 KM
- ▲ David Lumb — ON
- ● Wayne Dustin — ON
- ■ Yves Bilodeau — PQ/Qc.

Women's/Femmes 5 KM
- ▲ Jean McCallister — ON
- ● Josée Auclair — PQ/Qc.
- ■ Mary Stockdale — SK

Women's 3 X 5 KM Relay/ Relais 3 X 5 KM Femmes
- ▲ Kelly Rogers/Lise Meloche/ Jean McAllister — ON
- ● Jenny Stewart/Kjerstin Baldwin/Lorna Daudrich — MB
- ■ Susy Desharnais/Josée Bertrand/Josée Auclair — PQ/Qc.

Women's/Femmes 10 KM
- ▲ Jean McAllister — ON
- ● Mary Stockdale — SK
- ■ Josée Bertrand — PQ/Qc.

1979
Men's 7.5 KM Relay/ Relais 7.5 KM Hommes
- ▲ — PQ/Qc.*
- ● — ON*
- ■ — AB*

Men's/Hommes 10 KM
- ▲ P. Harvey — PQ/Qc.
- ● S. Corbin — PQ/Qc.
- ■ R. Vallend — ON

Men's/Hommes 15 KM
- ▲ P. Harvey — PQ/Qc.
- ● S. Corbin — PQ/Qc.
- ■ P. Bégin — PQ/Qc.

Women's 5 KM Relay/ Relais 5 KM Femmes
- ▲ — ON*
- ● — BC/C.-B.*
- ■ — PQ/Qc.*

Women's/Femmes 5 KM
- ▲ S. Firth — AB
- ● D. Cejnar — ON
- ■ M. Schiffkorn — YT/Yn.

Women's/Femmes 7.5 KM
- ▲ S. Firth — AB
- ● D. Cejnar — ON
- ■ M. Atkinson — ON

1975
Men's Individual/Hommes – Individuel
- ▲ A. Cockney — NT/T.N.-O.
- ● L. Karjaluoto — BC/C.-B.
- ■ L. Penttinen — ON

Men's Relay/Relais – Hommes
- ▲ R. Cockney/K. King/ A. Cockney — NT/T.N.-O.
- ● C. Weber/B. Voyer/ P. Vézina — PQ/Qc.
- ■ J. Lassila/L. Penttinen/ D. Frank — ON

Women's Individual/ Femmes – Individuelles
- ▲ A. Pettersen — BC/C.-B.
- ● C. Servold — AB
- ■ I. Parkes — NT/T.N.-O.

Women's Relay/Relais – Femmes
- ▲ D. Cejnar/I. Cejnar/ L. Sander — ON
- ● C. Servold/J. Osness/ M. Boettcher — AB
- ■ E. Firth/I. Parkes/ W. Bullock — NT/T.N.-O.

1971
Men's Individual/Hommes – Individuel
- ▲ M. Hunter — ON
- ● R. Petterson — BC/C.-B.
- ■ D. Rees — ON

Men's 3 X 10 KM Relay/ Relais 3 X 10 KM Hommes
- ▲ M. Hunter/E. Salkeld/ D. Rees — ON
- ● J. Prokop/D. Gardner/ C. Servold — AB
- ■ D. Cook/R. Allen/F. Kelly — NT/T.N.-O.

Men's/Hommes 15 KM
- ▲ W. Clancy — SK
- ● J. Hus — SK
- ■ B. Laplante — SK

Women's Individual/ Femmes – Individuelles
- ▲ S. Firth — NT/T.N.-O.
- ● S. Firth — NT/T.N.-O.
- ■ R. Allen — NT/T.N.-O.

Women's 3 X 5 KM Relay/ Relais 3 X 5 KM Femmes
- ▲ S. Firth/S. Firth/R. Allen — NT/T.N.-O.
- ● H. Sanders/B. Cameron/ S. Holloway — ON
- ■ S. Frost/G. Frost/M. Frost — YT/Yn.

1967
Men's Individual/Hommes – Individuel
- ▲ A. Rouhanen — ON
- ● M. Rautio — ON
- ■ N. Skulbru — BC/C.-B.

Men's Team/Équipe – Hommes
- ▲ — ON*
- ● — BC/C.-B.*
- ■ — PQ/Qc.*

Women's Individual/ Femmes – Individuelles
- ▲ J. Tourangeau — NT/T.N.-O.
- ● A. Allen — NT/T.N.-O.
- ■ J. Crawford — ON

Women's Team/Équipe – Femmes
- ▲ — ON*
- ● — NT/T.N.-O.*
- ■ — PQ/Qc.*

Curling

1991
Men's/Hommes
- ▲ James Kirkness/Duane Grierson/Dave Goehring/ Derek Jennings — MB
- ● Greg Lahti/Robert Schlender/ Craig Waples/ Jeff Wieschorster — AB
- ■ Paul MacCormack/Sean Matheson/Robbie Newson/ Brian Scales — PE/Î.-P.-É.

Women's/Femmes
- ▲ Lanette Kowalski/Renee Lemke/Allison MacInnes/ Jami Mae Majeau — BC/C.-B.
- ● Nancy Malanchuki/Raili Walker/Tracy Bush/ Natalie Claude — MB
- ■ Renelle Bryden/Shannon Linton/Sherry Linton/ Susan Moore — SK

1987
Men's/Hommes
- ▲ David Babiuk/John Boswick/ Rob Finlay/James Moore — MB
- ● Paul Flemming/Glen MacLeod/Mike Mawhinney/Chris Oxner — NS/N.-É.
- ■ David Zultok/Todd Brick/ Ron Engel/Ray Zwarich — SK

Women's/Femmes
- ▲ Karen Purdy/Janine Sigurdson/Jennifer Lamont/ Jill Ursel — MB
- ● Linda Desjardins/Monique Massé/Monica Toner/ Susan Toner — NB
- ■ Janet Clews/Pam Bryden/ Kari Klippenstine/ Michelle Michalski — SK

1983
Men's/Hommes
- ▲ Bradley Coulson/James Adams/Scott Henderson/ William Adams — ON
- ● Alan Poole/Scott Kyllo/ Clayton Ravndal/Trevor Alexander — NT/T.N.-O.
- ■ Randy Semenchuk/Brian Aebig/Gerald Achtymichuk/ Gerard Fisher — SK

Women's/Femmes
- ▲ Lynda Armstrong/Cheryl McPherson/Kristan Holme/Alison Goring — ON
- ● Karen Fleming/Stephanie Jones/Jennifer Jones/ Mary Sue Radford — NS/N.-É.
- ■ Donna Holowaty/Elizabeth Fane/Karen Allen/ Patti Jennings — BC/C.-B.

1979
Men's/Hommes
- ▲ Greg Blanchard/Kerry Burtnyk/Lyle Derry/ Ronald Kammerlock — MB
- ● Terry Piper/Eugene Trickett/Brian Stacey/ Mark Noseworthy — NF/T.-N.
- ■ Murray Fulkerth/Kevin Pickering/Tom Shypitka/ Jay Smith — BC/C.-B.

Women's/Femmes
- ▲ Denise Lavigne/Marie-Anne Vautour/Sandra Matheson/ Barrie-Anne Rayworth — NB
- ● Colleen Jones/Margie Knickle/Monica Jones/ Sally Saunders — NS/N.-É.
- ■ Donna Cruden/Patricia Davignon/Cindy Duncan/ Patricia Duncan — YT/Yn.

1975
Men's/Hommes
- ▲ D. Cruik Shank/D. Fowler/ K. Glover/B. Drechsler — AB
- ● D. Duguld/A. West/ J. Allardyce/W. Davidson — MB
- ■ S. Grafton/A. Miskew/ N. Millard/P. Gawel — PQ/Qc.

Women's/Femmes
- ▲ J. Phillips/N. Kyle/ K. Sloan/S. Rutherford — AB
- ● P. Vandekerckhove/ B. Rudolph/C. Harper/B. Yule — MB
- ■ K. Clark/L. White/ L. Christensen/M. Micheieli — ON

1971
Men's/Hommes
- ▲ D. Haley/G. Bortnick/ B. Bortnick/B. Woytenko — AB
- ● The John Francis Rink — ON
- ■ J. Armstrong/G. Peckman/ P. Jefferson/R. Bell — BC/C.-B.

Women's/Femmes
- ▲ M. Jackson/D. Baldwinson/ C. Pidzarko/C. Pidzarko — MB
- ● C. Bodogh/M. Bodogh/ H. Graves/H. Graves — ON
- ■ B. Gudmundson/C. Unger/ P. Thomasson/S. Park — SK

1967
- ▲ L. Green/K. Berreth/ R. Duncan/D. Clark — AB
- ● E. Boushy/I. Light/ G. DeBlande/B. Hird — MB
- ■ M. O'Brien/H. O'Brien/ C. Gibbons/R. Franklin — NS/N.-É

Cycling Cyclisme

1989
Men's Team Time Trials/ Course contre la montre par équipe – Hommes
- ▲ Christopher Christie/John Vanderuet/Rowan Vrooman/Tony Wood — BC/C.-B.
- ● Rick Bolin/Colin Davidson/ Blake Moodie/Mark Pindera — MB
- ■ Jeff German/Mark Harrower/ Kevin Paradis/Brian Pedersen — ON

Men's Road Race/Course sur route – Hommes
- ▲ Steve Dupré/René Fortin/Patrice Gauthier/Françis Bazinet/Jean-Marcel Pilon — PQ/Qc.
- ● Mat Anand/Duncan Milne/Jamie Calon/David Cook/Kevin McFadzen — AB
- ■ Rick Bolin/Brad Hubert/Colin Davidson/Blake Moodie/Mark Pindera — MB

Men's Criterium/Critérium – Hommes
- ▲ Christopher Christie/Darcy MacDallinski/John Vanderuet/Rowan Vrooman/Tony Wood — BC/C.-B.
- ● Steve Dupré/René Fortin/Patrice Gauthier/Françis Bazinet/Jean-Marcel Pilon — PQ/Qc.
- ■ Michael D'Entremont/Jay Keddy/Carl Plourde/Chris Reid/Peter Wedge — NB

Women's Team Time Trials/Course contre la montre par équipe – Femmes
- ▲ Caroline Lavoie/Annick Marcoux/Dominique Raymond/Nathalie Robert — PQ/Qc.
- ● Sarah Bradley/Ellen Davidge/Kim Haverluck/Heather Howell — ON
- ■ Delaine Craig/Gayle Heinrich/Erin Matthies/Charisma Thompson — SK

Women's Road Race/Course sur route – Femmes
- ▲ Kirsten Francis/Sarah Bradley/Ellen Davidge/Kim Haverluck/Heather Howell — ON
- ● Annie Lanteigne/Caroline Lavoie/Annick Marcoux/Dominique Raymond/Nathalie Robert — PQ/Qc.
- ■ Delaine Craig/Gayle Heinrich/Erin Matthies/Laura Meier/Charisma Thompson — SK

Women's Criterium/Critérium – Femmes
- ▲ Annie Lanteigne/Caroline Lavoie/Annick Marcoux/Dominique Raymond/Nathalie Robert — PQ/Qc.
- ● Kirsten Francis/Sarah Bradley/Ellen Davidge/Kim Haverluck/Heather Howell — ON
- ■ Tania Chuplyk/Kirsten Kotval/Kristine Morgen/Paige Sutherland/Vanessa Cornish — BC/C.-B.

1985

Men's Road Race/Course sur route – Hommes
- ▲ Dan Lefebvre — ON
- ● Chris Koberstein — PQ/Qc.
- ■ Phil Hime — ON

Men's Team Time Trial/Course contre la montre par équipe – Hommes
- ▲ Richard Steadwich/Brian Walton/Nathael Sagard/Scott Goguen — BC/C.-B.
- ● Yves Kibrouac/Philippe Georges/Chris Koberstein/Jean-François Soulières — PQ/Qc.
- ■ David Hansell/Blair Sanders/Milan Skrecek/Tony Ward — MB

Women's Road Race/Course sur route – Femmes
- ▲ Roxayn Schroeder — BC/C.-B.
- ● Aine O'Hagen — BC/C.-B.
- ■ Claudia Tohernes — PQ/Qc.

Women's Individual Time Trial/Course contre la montre individuelle – Femmes
- ▲ Claudia Tohermes/Marianne Trevorrow/Christine Gillard — PQ/Qc.
- ● Roxayn Schroeder/Aine O'Hagen/Tracey Butler — BC/C.-B.
- ■ Gail Wozny/Elizabeth Wooding/Alexia Georgousis — AB

1981

Men's Team Time Trial/Course contre la montre par équipe – Hommes
- ▲ Peter Reid/Doug Richardson/Chris Cooney/Brent Mudry — BC/C.-B.
- ● Richard Belley/Paul Crowley/Paul Desrosiers/Jean Michaud — PQ/Qc.
- ■ Tim DeFreitas/Julio Goncalves/Bob Lex/Rui Martins — ON

Men's Individual Road Race/Course sur route individuelle – Hommes
- ▲ G. Altwasser — AB
- ● P. Desrosiers — PQ/Qc.
- ■ G. Neuman — AB

Men's Team Road Race/Course sur route par équipe – Hommes
- ▲ Garry Altwasser/George Neuman/Chris Wilberg — AB
- ● Peter Reid/Chris Cooney/Doug Richardson — BC/C.-B.
- ■ David Pauwelyn/Richard Smith/Robert Howe — MB

Women's Individual Time Trial/Course contre la montre individuelle – Femmes
- ▲ D. Richard — BC/C.-B.
- ● C. Baril — PQ/Qc.
- ■ M. Hansen — BC/C.-B.

Women's Team Time Trial/Course contre la montre par équipe – Femmes
- ▲ Duchane Richard/Mary Hansen/Shona Rhodes — BC/C.-B.
- ● Claudine Baril/Anne Létourneau/Jeanne Sylvain — PQ/Qc.
- ■ Ginette Gauthier/Stella Bush/Leah Harvey — ON

Women's Individual Road Race/Course sur route individuelle – Femmes
- ▲ S. Bush — ON
- ● J. Sylvain — PQ/Qc.
- ■ D. Richard — BC/C.-B.

Women's Team Road Race/Course sur route par équipe – Femmes
- ▲ Joanne Sylvain/Claudine Baril/Anne Létourneau — PQ/Qc.
- ● Duchane Richard/Shona Rhodes — BC/C.-B.
- ■ Ginette Gauthier/Stella Bush — ON

1977

Men's Road Race/Course sur route – Hommes
- ▲ G. Trevisiol — ON
- ● L. Crema — BC/C.-B.
- ■ A. Gervais — PQ/Qc.

Men's Provincial Score Road Race/Course sur route par équipe – Hommes
- ▲ G. Trevisiol/C. Venier/P. Girolametto — ON
- ● A. Gervais/R. Tanguay/D. Blanche/L. Ferland — PQ/Qc.
- ■ L. Crema/P. Tettamarti/D. Wenting/S. Clazie — BC/C.-B.

Women's Road Race/Course sur route individuelle – Femmes
- ▲ C. Vanier — PQ/Qc.
- ● M.A. Kokan — MB
- ■ P. Bailey — AB

Women's Provincial Score Road Race/Course sur route par équipe – Femmes
- ▲ C. Vanier/M.J. Lambert/M.C. Audet — PQ/Qc.
- ● M.A. Kolan/D. Hoarbaiuk/V. Buhler — MB
- ■ P. Bailey/K. Melnyk — AB

1973

25 Mi.
- ▲ A. Brocklebank — ON
- ● S. Nicholls — BC/C.-B.
- ■ M. Cramaro — ON

60 Mi.
- ▲ R. McLachlan — BC/C.-B.
- ● M. Gervais — PQ/Qc.
- ■ A. Prosser — ON

1969

Men's 25 Mile Time Trial/25 Milles contre la montre – Hommes
- ▲ G. Durand — PQ/Qc.
- ● G. Houde — PQ/Qc.
- ■ R. Vize — ON

Men's 60 Mile Road Race/Course sur route 60 Milles – Hommes
- ▲ G. Durand — PQ/Qc.
- ● D. Gormican — BC/C.-B.
- ■ B. Blair — ON

Diving / Plongeon

1989

Men's 1 M Springboard/1 M tremplin – Hommes
- ▲ Jason Napper — ON
- ● Chris Lepoole — AB
- ■ Paul Merlo — NF/T.-N.

Men's 3 M Springboard/3 M tremplin – Hommes
- ▲ Eric Van Kannel — ON
- ● Jason Napper — ON
- ■ Jeffrey Grant Bacon — SK

Men's Platform/Hommes – plate-forme
- ▲ Jeffrey Grant Bacon — SK
- ● Trevor Palmateer — ON
- ■ Chris Lepoole — AB

Women's 1 M Springboard/1 M tremplin – Femmes
- ▲ Paige Gordon — BC/C.-B.
- ● Laura Payne — AB
- ■ Grace Van Berkum — BC/C.-B.

Women's 3 M Springboard/3 M tremplin – Femmes
- ▲ Paige Gordon — BC/C.-B.
- ● Annie Pelletier — PQ/Qc.
- ■ Anne Montminy — PQ/Qc.

Women's Platform/Femmes – plate-forme
- ▲ Paige Gordon — BC/C.-B.
- ● Pam Ennis — NF/T.-N.
- ■ Kelly Vrooman — ON

1985

Men's/Hommes 3 M
- ▲ Bruno Fournier — NS/N.-É.
- ● Bill Hayes — ON
- ■ Perry Chamchuk — AB

Women's/Femmes 1 M
- ▲ Cathy Jacobson — MB
- ● Mary DePiero — ON
- ■ Teresa DePiero — ON

Men's Platform/Hommes – plate-forme
- ▲ Bruno Fournier — NS/N.-É.
- ● Alain Houde — PQ/Qc.
- ■ Bill Hayes — ON

Women's Platform/Femmes – plate-forme
- ▲ Evelyne Boisvert — PQ/Qc.
- ● Yanika Guilbault — AB
- ■ Megan Gordon — BC/C.-B.

Women's/Femmes 3 M
- ▲ Ann-Marie Beavis — ON
- ● Megan Gordon — BC/C.-B.
- ■ Chantal Laforest — PQ/Qc.

1981

Men's/Hommes 1 M
- ▲ R. Bright — PQ/Qc.
- ● B. Séguin — PQ/Qc.
- ■ J. Wright — SK

Men's/Hommes 3 M
- ▲ M. Sewards — ON
- ● G. Peterson — BC/C.-B.
- ■ B. Séguin — PQ/Qc.

Men's Platform/Hommes – plate-forme
- ▲ M. Sewards — ON
- ● A. Seurfiield — AB
- ■ B. Séguin — PQ/Qc.

Women's/Femmes 1 M
- ▲ K. Kelemen — BC/C.-B.
- ● D. Fuller — PQ/Qc.
- ■ C. Younge — ON

Women's/Femmes 3 M
- ▲ K. Kelemen — BC/C.-B.
- ● D. Fuller — PQ/QC.
- ■ J. Zeglinski — MB

Women's Platform/Femmes – plate-forme
- ▲ K. Kelemen — BC/C.-B.
- ● R. Mitchell — AB
- ■ C. Younge — ON

1977

Men's/Hommes 1 M
- ▲ M. Larouche — PQ/Qc.
- ● M. Peterson — ON
- ■ D. MacLean — NB

Men's/Hommes 3 M
- ▲ M. Larouche — PQ/Qc.
- ● G. Bilodeau — PQ/Qc.
- ■ S. Pearce — MB

Men's Tower/Hommes – Tour
- ▲ G. Bilodeau — PQ/Qc.
- ● C. Cormier — ON
- ■ S. Pearce — MB

Women's/Femmes 1 M
- ▲ J. Dalrymple — ON
- ● B. Tysdale — ON
- ■ E. Mackay — PQ/Qc.

Women's/Femmes 3 M
- ▲ S. Knickerbocker — BC/C.-B.
- ● S. Jaremko — ON
- ■ J. Dalrymple — ON

Women's Tower/Femmes – tour
- ▲ E. Mackay — PQ/Qc.
- ● S. Jaremko — ON
- ■ R. Wittmeier — MB

1973

Men's/Hommes 1 M
- ▲ R. Friesen — BC/C.-B.
- ● D. Dion — PQ/Qc.
- ■ G. Fortin — PQ/Qc.

Men's/Hommes 3 M
- ▲ R. Friesen — BC/C.-B.
- ● G. Grout — BC/C.-B.
- ■ S. Phoenix — ON

Men's/Hommes 10 M
- ▲ R. Carrington — ON
- ● M. Boyd — SK
- ■ G. Grout — BC/C.-B.

Women's/Femmes 1 M
- ▲ T. York — BC/C.-B.
- ● C. Shatto — ON
- ■ J. Nutter — MB

Women's/Femmes 3 M
- ▲ J. Nutter — MB
- ● P. McGregor — ON
- ■ C. Shatto — ON

Women's/Femmes 10 M
- ▲ P. McGregor — ON
- ● N. Robertson — MB
- ■ L. Cuthbert — PQ/Qc.

1969

Men's/Hommes 1 M
- ▲ F. Groff — BC/C.-B.
- ● K. Sully — BC/C.-B.
- ■ W. Brown — MB

Men's/Hommes 3 M
- ▲ F. Groff — BC/C.-B.
- ● K. Sully — BC/C.-B.
- ■ R. Friesen — SK

Men's Tower/Hommes – Tour
- ▲ T. Fitzpatrick — PQ/Qc.
- ● R. Friesen — SK
- ■ B. Bennett — PQ/Qc.

Women's/Femmes 1 M
- ▲ L. Carruthers — AB
- ● K. Lane — BC/C.-B.
- ■ T. York — BC/C.-B.

Women's/Femmes 3 M
▲ N. Robertson — AB
● K. Rollo — SK
■ K. Lane — BC/C.-B.

Women's Tower/Femmes – Tour
▲ N. Robertson — AB
● K. Rollo — SK
■ L. Carruthers — AB

Fencing / Escrime

1991

Men's Foil – Individual/ Fleuret individuel – Hommes
▲ Cameron Smith — AB
● Alban Wood — PQ/Qc.
■ Allen Williams — AB

Men's Foil – Team/ Fleuret par équipe – Hommes
▲ Cameron Smith/Allen Williams/Matthew Thill — AB
● Kent Shirley/Mark Barker/Todd Gaudet — SK
■ Alban Wood/Stéphane Hamel/Stanislas Kalina — PQ/Qc.

Men's Épée – Individual/ Épée individuel – Hommes
▲ Janusz Kalina — PQ/Qc.
● Borys Wawryn — ON
■ Mark Samuel — AB

Men's Épée – Team/ Épée par équipe – Hommes
▲ Janusz Kalina/Charles St-Hilaire/Mathieu Savoie — PQ/Qc.
● Borys Wawryn/Michael Kaminski/Matthew Peros — ON
■ Mark Samuel/Elya Perritt/Gunnar Benediktsson — AB

Men's Sabre – Individual/ Sabre individuel – Hommes
▲ Philippe Buist — PQ/Qc.
● Frédéric St-Germain — PQ/Qc.
■ Michel Boulos — PQ/Qc.

Men's Sabre – Team/ Sabre par équipe – Hommes
▲ Philippe Buist/Frédéric St-Germain/Michel Boulos — PQ/Qc.
● Robert Petruk/Christian Wojcikiewicz/Christian Paulton — ON
■ Adam Oberman/John Carta/Matthew MacPherson — MB

Women's Foil – Individual/ Fleuret individuel – Femmes
▲ Brigitte Herview — PQ/Qc.
● Guerly Cadet — PQ/Qc.
■ Nancy Venne — PQ/Qc.

Women's Foil – Team/ Fleuret par équipe – Femmes
▲ Brigitte Herview/Guerly Cadet/Nancy Venne — PQ/Qc.
● Alexandra Wawryn/Kathleen Gorman/Lori Webster — ON
■ Shannon Wetterberg/Kerry McLean/Leila Chaibi — AB

Women's Épée – Individual/ Épée individuel – Femmes
▲ Rebecca Williams — AB
● Cristiana Burns — NS/N.-É.
■ Caroline Langlois — PQ/Qc.

Women's Épée – Team/ Épée par équipe – Femmes
▲ Rebecca Williams/Sherraine Schalm/Jennifer Carroll — AB
● Cristiana Burns/Sarah MacKinnon/Catherine Earley — NS/N.-É.
■ Caroline Langlois/Ariane Therrien/Evelyne Giroux — PQ/Qc.

1979

Men's Individual Sabre/ Sabre individuel – Hommes
▲ C. Marcil — PQ/Qc.
● J. Banos — PQ/Qc.
■ G. Desrochers — PQ/Qc.

Men's Team Sabre/ Sabre par équipe – Hommes
▲ Jean-Marie Banos/Claude Marcil/Georges Desrochers — PQ/Qc.
● Ron Taggart/Yves Saumbure/Alex Jeffrey — ON
■ Bill Hasell/David Sain/Allen Dandeneau — MB

Men's Individual Épée/ Épée individuel – Hommes
▲ J. Robb — SK
● B. Joly — PQ/Qc.
■ P. Mutter — ON

Men's Team Épée/ Épée par équipe – Hommes
▲ Daniel Perreault/Bernard Joly/Denis Fournier — PQ/Qc.
● Jim Stokley/David Wright/Paul Mutter — ON
■ Allan Beardsell/Clifford Lloyd/Ho Dai Quan — BC/C.-B.

Men's Individual Foil/ Fleuret individuel – Hommes
▲ D. Arseneau — PQ/Qc.
● R. Poapst — MB
■ K. Moland — NS/N.-É.

Men's Team Foil/ Fleuret par équipe – Hommes
▲ Serge Henault/Guy Desautels/Daniel Arseneau — PQ/Qc.
● Martin Hunter/Michael Gieringer/Craig Bowlsby — BC/C.-B.
■ Douglas Stratton/Frank Turcato/William Robertson — AB

Women's Individual Foil/ Fleuret individuel – Femmes
▲ L. Gravel — PQ/Qc.
● J. Poirier — PQ/Qc.
■ M. Veilleux — PQ/Qc.

Women's Team Foil/ Fleuret par équipe – Femmes
▲ Lucie Gravel/Jacynthe Poirier/Marie Veilleux — PQ/Qc.
● Yoko Ode/Karen Bergenstein/Lillian Dobay — ON
■ Elizabeth Milton/Marianne Mortensen/France Sloan — BC/C.-B.

1975

Men's Team Foil/ Fleuret par équipe – Hommes
▲ D. Charest/A. Leduc/G. Hubert — PQ/Qc.
● R. Routhier/M. Elliott/G. Wall — ON
■ B. Gerlinsky/B. Maluta/A. Thomson — SK

Men's Individual Foil/ Fleuret individuel – Hommes
▲ G. Wall — ON
● G. Hubert — PQ/Qc.
■ D. Charest — PQ/Qc.

Men's Team Épée/ Épée par équipe – Hommes
▲ R. Nichol/A. Christian/R. Robert — ON
● B. Joly/M. Lamontagne/D. Lessard — PQ/Qc.
■ H.M. Dawson/L. Kryski/D. Dyer — NF/T.-N.

Men's Individual Épée/ Épée individuel – Hommes
▲ R. Robert — ON
● R. Nichol — ON
■ J. Robb — SK

Men's Team Sabre/ Sabre par équipe – Hommes
▲ P. Beaudry/A. Corriveau/G. Desrochers — PQ/Qc.

● F. Granek/E. Sukunda/P. Ott — ON
■ K. Godwin/G. Gunderson/D. Gunderson — SK

Men's Individual Sabre/ Sabre individuel – Hommes
▲ E. Sukunda — ON
● P. Beaudry — PQ/Qc.
■ D. Gunderson — SK

Women's Team Foil/ Fleuret par équipe – Femmes
▲ G. Sauvé/L. Aumais/M.L. Szoka — PQ/Qc.
● J. Mallin/A. Stokes/C. Langer — ON
■ F. Sloan/B. Bell/E. Parsons — ON

Women's Individual Foil/ Fleuret individuel – Femmes
▲ M.L. Szoka — PQ/Qc.
● L. Aumais — PQ/Qc.
■ E. Parsons — BC/C.-B.

1971

Men's Team Foil/ Fleuret par équipe – Hommes
▲ J. Apsimon/N. Sang Ho/G. Wiedel — ON
● J. Chapin/M. Murch/J. Perkins — BC/C.-B.
■ J. Charron/M. Jaffre/A. Maisonneuve — PQ/Qc.

Men's Team Épée/ Épée par équipe – Hommes
▲ M. Murch/A. Schulz/J. Perkins — BC/C.-B.
● J. Apsimon/N. Sang Ho/G. Weidel — ON
■ C. Brando/P. Hesketh/D. Storer — SK

Men's Individual Épée/ Épée individuel – Hommes
▲ M. Murch — BC/C.-B.
● N. Sang Ho — ON
■ C. Brando — SK

Men's Individual Foil/ Fleuret individuel – Hommes
▲ Dr. J. Apsimon — ON
● N. Sang Ho — ON
■ J. Perkins — BC/C.-B.

Men's Individual Sabre/ Sabre individuel – Hommes
▲ B. King — ON
● I. Nagy — PQ/Qc.
■ G. Trochimowski — ON

Men's Team Sabre/ Sabre par équipe – Hommes
▲ B. King/W. Grambart/G. Trochimowski — ON

● S. Kerekes/A. Maisonneuve/I. Nagy — PQ/Qc.
■ A. Baldwin/J. Egan/B. Wither — MB

Women's Individual Foil/ Fleuret individuel – Femmes
▲ J. Read — ON
● S. Joeck — BC/C.-B.
■ L. Zahn — BC/C.-B.

Women's Team Foil/ Fleuret par équipe – Femmes
▲ J. Bellehumeur/J. Read/M. Siggins — ON
● S. Joeck/D. Lamont/L. Zahn — BC/C.-B.
■ A. Demontigny/C. Gilbert/M. Tireau — PQ/Qc.

Field Hockey / Hockey sur gazon

1989

Women's/Femmes
▲ Josette Babineau/Louise Cormier/Sherri Field/Sarah Forbes/Lisa Johnson/Kara Keays/Heather Kyle/Joyce McCormack/Kelly McCormack/Jennifer Murray/Kim O'Hara/Frances Moffett/Rachel Schofield/Darlin Walsh/Tanya Whalen — NB
● Erin Biddlecombe/Helen Birchall/Kolette Bourne/Sue Reid/Janice O'Keefe/Gillian Zsamosi/Sam Le Riche/Deneen Leight/Regena Dyson/Jessica McAlpine/Terri McLeod/Robyn Raymond/Leslie Richardson/Robin Vince/Harriet Wheatley — BC/C.-B.
■ Jodi Antoniuk/Sharon Bhola/Carthy Chan/Cindy Chu/Pamela Danyschuk/Sian Davies/Heather Jones/Lori Karch/Anne Kromm/Dianna Kucharski/Colleen Mah/Anna Martin/Kathy Massey/Janet Newans/Cara Wickstrand — AB

1985

Women's/Femmes
▲ Islay Baird/Sara Ballantyne/Val Berube/Marty Boan/Sue Bond/Joan Denroche/Brenda English/Lisa Faust/Joni Franks/Moira Hill/Alison Kellington/Katrina Lineen/Debbie Rotz/Sandy Roy/Candy Thomson — BC/C.-B.
● Heather Andrews/Barbara Ann Atwell/Angela Marie Banks/Linda Bullen/Shelley Butler/Shannon Byrne/Janice Cossar/Sherrie-Lynne — NS/N.-É.
Doward/Eve Hartling/Angela Hutchinson/Lisa MacKenzie/Heather MacLean/Alice Verran/Karen White
■ Bernadette Casey/Valentina Chumak/Ann Flynn/Kim Fowler/Christine Farrar/Deborah Fullerton/Sandra Levy/Kisa Ann Lyn/Catherine MacGillivray/Tracey Minaker/Dale Peltola/Kellie Sanderson/Vicki Smith/Kori Street/Karen Whitfield — ON

1981

Women's/Femmes
▲ M. Colbourne/D. Smith/R. Sinclair/H. Benson/N. Charlton/C. Tabata/A. Crofts/C. O'Connor/J. Mustard/A. Shymka/M. Cavin/C. Van Soest/W. Westermark/T. Drain/S. Sherwood — BC/C.-B.
● L. Bauer/J. Borowy/P. Gryff-Chamska/S. Hansuld/K. Hewlett/J. Howitt/C. Jamieson/M. Lee/L. Lippett/Z. MacKinnon/C. Major/K. Harrison/T. Wheatley/M. Wilson/K. Yhap — ON
■ W. Baker/S. Bowness/J. Callis/M. Gisiger/S. Hartel/K. Hein/P. Homenick/T. Kasper/C. Laliberte/A. Lyon/D. Marek/J. Marshall/L. McLennan/P. Parks/E. Yamashita — MB

1977

Women's/Femmes
▲ D. Allaby/C. Bethune/C. Brown/T. Dillon/S. Forshaw/J. Courlay/P. GriffChamska/H. Jones/M. Lee/C. MacDougall/Z. MacKinnon/M. Payne/G. Peters/H. Kirkpatrick/D. Olinoski — ON
● L.A. Charlton/N.E. Collins/S.R. Conrad/S. Dunbrack/K.A. Kelly/A. Mann/H.C. Mitton/D. Mossman/E.A. O'Brien/M.L. Richardson/G.R. Sharkey/P.C. Taylor/J. Webb/J.A. West/B. Sacre — NS/N.-É.
■ C.M. Abbott/V.L. Abbott/I. Balutis/D.A.M. Blacquiere/P.E. Bradbury/M.M. Davis/M.E. Dawe/M.M.M. Doyle/D.L. Eustace/C.A. Gallagher/A.L. Griffiths/S.A. Halfyard/S.L. Lake/W.M. O'Grady/H. Rendell — NF/T.-N.

1973

Women's/Femmes
▲ B. Graves/S. Hebert/N. Horne/J. Lawson/C. McClintok/N. Moore/ — BC/C.-B.

S. Olynyk/T. Parker/L. Sealey/
J. Smith/M. Vivian/L. Williams/
M. Williams/M. Winter
● D.M. Allaby/P. Brousseau/ ON
K.J. Carson/N. Cuddy/P.
Dartford/C.J. Dunn/B.L. Echardt/
D. Gardham/M.D. Hossie/
L.J. Marshall/D. Olinoski/
S. Robertson/S.I. Scott/
R.E. Shemilt/P. E.D. Williams/
■ B.S. Milton/K.E. Hansen/ NB
J.E. Goggin/B. Lewis/
N.P. Saunder/J.A. Miller/
W.D. Clifford/J.M. Watson/
N.L. Buzzell/S.L. Fitch/M.M. Lee/
N. Roy/P. MacDonald/
E.A. Bedard/L.V. Stewart

1969 Women's/Femmes
▲ E. Broom/J. Harris/L. Logan/ BC/C.-B.
W. Gorman/T. Leishman/
M. Gemmill/J. Cheng/L. Turnau/
D.Romaniuk/B. Moon/K. Briggs/
M. Colbourne/J. Boyd/S. Moilliet
● L. Thurrott/D. Schoder/ NB
A. Langley/J. Aalund/A. Austen/
E. MacNeil/P. MacDonald/
V. Kenney/N. Buzzell/
K. Broderick/N. Grainger/
IJ. Douthwright/H. MacBeath/
M. Watts
■ H. Cameron/M. Lamson/ ON
A. Shank/S. Peck/C. Jones/
K. Empey/S. Caldwell/G. Wilson/
L. Tanner/J. Stevenson/
A. Thompson/S. Long/
P. Perkins/C. Ingram

Figure Skating / Patinage artistique

1991 Pre-Novice Men/Messieurs pré-novices
▲ Lee Baker NT/T.N.-O.
● Jeff Trott MB
■ Paolo Vaccari ON

Novice Men/Messieurs
▲ Jeffery Langdon ON
● Michael Kho ON
■ Curtis Chornopyski MB

Pre-Novice Ladies/Dames pré-novices
▲ Shannon Meunier ON
● Melanie LeBlanc NB
■ Dora Gangopadhyay AB

Novice Ladies/Dames
▲ Stephanie Fiorito PQ/Qc.
● Geneviève Lagacé ON
■ Brandi-Lee Rousseau ON

Pre-Novice Dance/ Danses imposées pré-novice
▲ Angelic Monte/ Jonathan Lapointe PQ/Qc.
● Andrea Chamberlain/ Ryan Chamberlain ON
■ Tara Mettlewsky/ Peter Lawton AB

Novice Dance/Danses imposées
▲ Marisa Gravino/ Patrice Lauzon PQ/Qc.
● Josée Piché/ Pascal Denis PQ/Qc.
■ Christine Wilson/ Dexter Bruce ON

1987 Pre-Novice Dance/ Danses imposées pré-novice
▲ Marie-France Dubreuil/ Bruno Yvars PQ/Qc.
● Julie Rodgers/ Douglas Avigdor BC/C.-B.
■ Hilary Kinear/ Stephen Kinear ON

Pre-Novice Ladies/Dames pré-novices
▲ Lori Ingram BC/C.-B.
● Kiran Bolaria SK
■ Jennifer Harper ON

Pre-Novice Men/Messieurs pré-novices
▲ Shane Troyer BC/C.-B.
● Jean-Francois Hébert PQ/Qc.
■ David Althiem NS/N.-É.

Novice Ladies/Dames
▲ Jennifer Cook ON
● Christina Gubbins BC/C.-B.
■ Sophie Richard PQ/Qc.

Novice Men/Messieurs
▲ André Guérin PQ/Qc.
● Ian Connolly PQ/Qc.
■ Cameron Epp BC/C.-B.

Novice Dance/Danses imposées
▲ Angela Coady/ Glenn Maccara NS/N.-É.
● Tara George/Brent Voisey ON
■ Patti Flett/Mario Richard NB

Junior Ladies/Dames
▲ Marie-Josée Caouette NB
● Jutta Cossette PQ/Qc.
■ Nancy Poirier PQ/Qc.

Junior Men/Messieurs
▲ Rick Boudreau ON
● Dwayne Power NF/T.-N.
■ Darren Leaker BC/C.-B.

Junior Dance/Danses imposées
▲ Cynthia Mackie/Rod Mackie BC/C.-B.
● Kelli Lynn Bradshaw/ Juan Carlos Noria ON
■ Petrina Driscoll/James Driscoll AB

1983 Junior Dance/Danses imposées
▲ Lucie Vallée/François Vallée PQ/Qc.
● Kimberly Brown/ Paul Matuska ON
■ Leslie Stephaniuk/ James Peck NS/N.-É.

Novice Ladies/Dames
▲ Linda Florkevich BC/C.-B.
● Marie-Claude Tremblay PQ/Qc.
■ Trudy Treslan SK

Pre-Novice Men/Messieurs pré-novices
▲ Stéphane Yvars PQ/Qc.
● Dwayne Power NF/T.-N.
■ Darran Leaker BC/C.-B.

Pre-Novice Dance/ Danses imposées pré-novices
▲ Robin Buriak/Michael Crooks ON
● Lori Benoit/David McDonald NS/N.-É.
■ Teri-Lynn Hardman/ Dalton Green MB

Novice Dance/Danses imposées
▲ Nancy Bucci/Bruce Stapleton NB
● Sheryl Baker/Derrick Gaede AB

Junior Ladies/Dames
▲ Manon Maurice PQ/Qc.
● Janine Calnan ON
■ Lani-Jo Dickson BC/C.-B.

Junior Men/Messieurs
▲ Jaimee Eggleton PQ/Qc.
● Benoit Lavoie PQ/Qc.
■ Mathew Hall ON

Pre-Novice Ladies/Dames
▲ Josée Arsenault PQ/Qc.
● Kelly Doohan ON
■ Marie-Josée Caouette NB

Novice Pairs/Couples
▲ Lora Carscadden/ Greg Berezowski SK

Novice Men/Messieurs
▲ Michael Slipchuk AB
● Christopher Nolan PQ/Qc.
■ Mark Hird ON

1979 Pre-Novice Pairs/Couples pré-novices
▲ J. Brault/R. Gauthier PQ/Qc.
● T. Cross/B. Anquish ON
■ L. Smith/B. Forth BC/C.-B.

Pre-Novice Dance/ Danses imposées pré-novices
▲ E. Hamel/M. Savie PQ/Qc.
● S. Tomchuk/A. Becken MB
■ L. Cristofoli/D. Jones BC/C.-B.

Pre-Novice Men/Messieurs pré-novices
▲ T. Zaharko BC/C.-B.
● R. Plodzien ON
■ T. North MB

Pre-Novice Women/ Femmes pré-novices
▲ A. Gurahin ON
● C. Coull PQ/Qc.
■ J. Purcell BC/C.-B.

Novice Pairs/Couples
▲ L. Robinson/E. Pryhitka SK

Novice Dance/Danses imposées
▲ D. Poirier/B. Schrader ON
● C. Cusson/I. Dorin AB
■ K.-A. Lord/S. Young NB

Novice Men/Messieurs
▲ A. Bourgeoise NB
● R. Arndt AB
■ J-D. Martin PQ/Qc.

Novice Women/Femmes
▲ D. Ogibowski MB
● K. MacDonald BC/C.-B.
■ C. Berkhof ON

Junior Dance/Danses imposées
▲ C. Pike/D. Pike NF/T.-N.
● D. Anderson/T. Kalweit ON
■ L. Wilson/G.Sorenson AB

Junior Men/Messieurs
▲ M. Tokaryk AB
● J. Thomas ON
■ R. Unrau BC/C.-B.

Junior Women/Femmes
▲ N. Reimer AB
● D. Stewart ON
■ S. Falk SK

1975 Men's Singles Class "A"/ Hommes simples classe A
▲ K. Parker ON
● S. Moore ON
■ G. Romanow SK

Men's Singles Class "B"/ Hommes simples classe B
▲ B. Orser ON
● N. Giroday BC/C.-B.
■ G. Briand PQ/Qc.

Women's Singles Class "A"/ Femmes simples classe A
▲ M. McPherson PQ/Qc.
● N. Buys ON
■ L. Anderson AB

Women's Singles Class "B"/ Femmes simples classe B
▲ Y. Anderson BC/C.-B.
● S. Smith PQ/Qc.
■ K. Smith AB

Dance Class "A"/ Danses imposées classe A
▲ P. Nadeau/N. Nadeau PQ/Qc.
● B. Heighington/B. Keay ON
■ A. Nadeau/D. Nadeau PQ/Qc.

Dance Class "B"/ Danses imposées classe B
▲ M. Vigouret/K. Spong BC/C.-B.
● T. Josephson/S. Villard MB
■ M. Leblanc/N. Godin PQ/Qc.

Pairs/Couples
▲ B. Petrunik/C.J. Petrunik AB
● R. CollinsWright/L.A. Jackson ON
■ J. Downton/D. Miller NF/T.-N.

1971 Men's Singles Class "A"/ Hommes simples classe A
▲ R. Rubens ON
● R. Uuemae ON
■ U. Steinbrecher AB

Men's Singles Class "B"/ Hommes simples classe B
▲ E. Leger NB
● I. Youle NS/N.-É.
■ V. Taylor ON

Women's Singles Class "A"/ Femmes simples classe A
▲ D. Prychun ON
● L. Catrano AB
■ M. Begg BC/C.-B.

Women's Singles Class "B"/ Femmes simples classe B
▲ N. Taguchi BC/C.-B.
● P. Black ON
■ Z. Lodge PQ/Qc.

Dance Class "A"/ Danses imposées classe A
▲ K. Cottam/L. Roe BC/C.-B.
● U. Steinbrecher/L. Catrano AB
■ B. Dick/W. Berezowski BC/C.-B.

Dance Class "B"/ Danses imposées classe B
▲ S. Page/J. Clarke AB
● H. Constable/G. Gallant PE/Î.-P.-É
■ V. Taylor/D. Thomson ON

Pairs Class "A"/Couples classe A
▲ A. Carson/L. Tasker ON
● R. Uuemae/D. Prychun ON
■ F. Nowasad/S. Zonda AB

Pairs Class "B"/Couples classe B
▲ G. Harder/L. Currie SK
● B. Dick/W. Berezowski BC/C.-B.
■ A. Cherniak/L. Turk MB

1967 Men's Singles Category "A"/ Hommes simples catégorie A
▲ T. Cranston PQ/Qc.
● D. McGillivray ON
■ P. Fisher BC/C.-B.

Men's Singles Category "B"/ Hommes simples catégorie B
▲ T. Hayim PQ/Qc.
● U. Steinbrecher AB
■ B. McLeod NT/T.N.-O.

Pairs Class "A"/Couples classe A
▲ M.L. Petrie/R. McAvoy ON
● S. Biogiono/T. Price BC/C.-B.
■ S. Shenfield/D. Jeandron AB

Pairs Class "B"/Couples classe B
▲ M. Tincher/D. Zeman SK
● N. MacIntyre/T. Coldwell NS/N.-É.
■ S.L. Turk/A. Cherniak MB

Dance Class "A"/ Danses imposées classe A
▲ M. Peever/W. Palmer ON
● L. Hynes/R. Madden BC/C.-B.
■ M. Greeg/A. Zariski AB

Dance Class "B"/ Danses imposées classe B
▲ D. Lalonde/Y. Trudeau PQ/Qc.
● C. Gosse/A. Joy NF/T.-N.
■ D. Bentley/D. Fairbairn MB

Women's Singles Class "A"/ Femmes simples classe A
▲ C.L. Irwin ON
● B. Wilson BC/C.-B.
■ D. Voce PQ/Qc.

Women's Singles Class "B"/ Femmes simples classe B
▲ J. Black ON
● L. Vahtra NB
■ J. Strayer SK

Hockey

1991

Men's/Hommes

▲ Matt Mullin/Gerry Skrypec/ ON
Shayne McCosh/Brandon
Convery/Jeremy Stevenson/
Mike Peca/Drew Bannister/
Chris Pronger/Brent Tully/Kevin
Brown/Tim Spitzig/Michael
Burman/Sylvain Cloutier/Geordie
Maynard/Craig Rivet/Dave
Gilmore/Kelli Corpse/
C.J. Denomme

● Jarrod Daniel/Ryan Smith/ AB
James Mooney/Dominic
Pittis/Kyuin Shim/Owen
Korkie/Shane Zulyniak/Justin
Hocking/Mike Rathje/Mickey
Elick/Jason Fjallman/Scott
Townsend/Stacy Roest/Lance
Burns/Ryan Dutchie/Jason
Smith/Rick Girard/Conrad
Sterling/Mark Evans

■ Ed Skazyk/Brad Bochen/ MB
Jeff Way/Brad Chartrand/Kane
Chaloner/Darren Ritchie/Shane
Johnson/Cory Francis/Dwayne
Green/Marty Zdan/Marty
Murray/Darcy Pengelly/Connor
Mowat/Allan Tokarz/Paul
Karpenko/Ryan Pellaers/Shane
Calder/Jamie Morris

Women's/Femmes

▲ Jodie Kolada/Rachelle Bills/ AB
Trish Sury/Bobbi Auger/Val
Gill/Sandy Mikula/Jody Grabas/
Suzette Gillingham/Sheryl
McGuire/Hayley Wickenheiser/
Melanie Haz/Rochelle Risdale/
Erin Pieper/Krista Goplin/Valerie
Miles/Shantel Trentham/Stacey
Welsh/Jackie Bauer/Lynn
Mortensen

● Danielle Dube/Stacey BC/C.-B.
Hutton/Kendra Shaw/Elaine
Jobe/Sheri Pitre/Diana Taylor/
Dawne Ibbitson/Shannon Holt/
Amber Kuenzl/Tanya Marlyk/Erin
Terris/Krista Swick/Jennifer
Thacker/Nadine Scott/Leanne
Thiessen/Karen Kelly/Kristine
Larson/Deanna Williamson/
Katherine Orchard

■ Mylène Benoit/Dominique PQ/Qc.
Ladouceur/Julie Boyer/Tammy
Shewchuk/Janick Boivin/
Geneviève Nadeau/Nancy
Drolet/Kathleen O'Reilly/Annie

Boucher/Stéphanie Grenon/
Linda Bigras/Caroline Proulx/
Julie Lessard/Cindy Francoeur/
Dawn Cathcart/Jacinthe Claude/
Pamela Ross/Ann Rodrigue/
Julie Drolet

1987

Men's/Hommes

▲ Mathieu Béliveau/Daniel PQ/Qc.
Berry/Michel Dion/Benoit
Dumouchel/Yvan Fortier/Dany
Gélinas/Guy Grandbois/Martin
Joly/Jean-Rock Lacroix/Martin
Lamoureux/Benoit Lanthier/
Sylvain Lapolice/Yannick
Laurin/David Marcotty/Patrice
Normandin/Éric Parent/Benoit
Picard/Joël Roy/Vezio Sacratini/
Sylvain Sévigny/Martin
Ste-Marie

● Trent Andison/Lester Arts/ ON
Jim Bodden/Marc Cameron/Rob
Coutts/Dave Doyon/David
Gagnon/Denis Hebert/Tim
Horvat/Pat Jackson/Karl
Johnston/Jeff McClanaghan/
Joe Novak/Don Oliver/John
Osborne/Jeff Shipley/Mike
Stewart/Rob Vanderydt/Larry
Van Herzele/Gary Wenzel/
Gary Woolford

■ Michael Daloise/Dallas BC/C.-B.
Drake/Richard Dusevic/Dave
Fisher/Scott Hagen/Steven
Hurford/Dane Jackson/Michael
Jones/Chad Kambeitz/Jonathan
Klemm/Darcy Lee/Mark Lento/
Thor Ludvigsen/David Lynes/
Stephen MacKenzie/Adrian
Markin/Brent Muehlbauer/Scott
Reid/Brian Silverson/David
Terhune/Warren Seaman/
James Townley

1983

Men's/Hommes

▲ Glen Cherrett/Peter ON
Theofylatos/Steve Slaughter/
Greg Buckley/Duane Brewster/
Timothy Cole/Warren Bullock/
Richard Simpson/Wayne Gagne/
Jaime MacPherson/Jame
Richmond/Rick Mulligan/Mike
Martinec/Keith Bertrim/Robert
Bryden/Joseph Vernoy/Pat Ryan/
Brian Meharry/Robert Essensa

● Don Cloarec/Jay Longpre/ BC/C.-B.
Brian Goodwin/Mike Hall/
Benton Hadley/Bill Vance/Ross
Janzen/Darryl Spooner/Danny
Clark/Kevin Mann/Timothy
Lenardon/Jim Wilson/Peter
Thraser/Kenneth McNeil/
Michael Cox/Allan Perich/Aaron

Armstrong/Dan Mortgan/
Kelly Evin

■ Jean Lacoste/Sylvain Roy/ PQ/Qc.
Serge Desrochers/Pietro
Ditomasso/Alain Paquette/
Martin Girard/Jean-Guy
Sénécal/Gilles Dubé/Sylvain
Ménard/Henri Marcoux/Kenny
Geary/Jay Gornforth/Joe
Gerone/Richard Béland/Marc
Gendron/Alain Delorme/
Alain Gauthier/Robert Day/
Derrick Murphy

1979

Men's/Hommes

▲ Don Bodger/Ronald Brooks/ BC/C.-B.
George Cosens/Brian
Festerling/ Douglas Festerling/
Daniel McFarland/Brent
O'Connor/Delbert Parker/
Michael Parsons/Tracy
Patterson/Wayne Proceviat/
Bruno Tassone/Steven Unti/
Michael Wills/Barry
Zanier/McIntyre

● Paul MacInnis/Daniel Berry/ NS/N.-É.
Richard Brown/Richard
Secco/David Young/James
MacQueen/Rousell MacKenzie/
Elroy D'Entremont/Stephen
Topshee/Mark MacGillivray/
Robert Johnston/Pat Goreham/
Darrel Young/Glen O'Byrne/
John Carter/Ian MacNab/
John Phillips/Linus Fraser/
Darren Pickrem

■ Patrick Devine/Stephen ON
Douglas/Peter Anderson/Bruce
Runciman/Steve Burch/Gordon
Smith/Doug McRae/Peter
Brovold/Tom McLeod/Son
Hutchinson/Gerry Conroy/
Gregory Gard/Robert Currie/
Doug Fry/Mark Fisher/Rick
Trotter/Cameron Young/Scott
Young/Rob Stewart

1975

Men's/Hommes

▲ G. Clark/A. Dumont/G. Guzzi/ AB
D. Hatt/D. Hougen/D. Howeil/
K. Klinkhammer/G.Kyeder/
R. Lowe/J. Meli/D. Osmond/
R. Osmond/T. Roberts/G.
Scheibner/R. Simmons/
G.Warner/M. Scheibner

● A. Andrews/R. Chambers/ NB
R. Cooke/J. Cumming/
W. Davidson/M. Davis/
A. Gamble/S.Giffin/J. Gray/
M. Henderson/D. Holland/
I. Legate/R. Logan/D. Peterson/
R. Putnam/C.Reid/J. Verran

■ S. Martel/R. Mainguy/ PQ/Qc.
P. Ratelle/Y. Blain/P. St-André/
P. Beaudoin/R. Beauchamp/
J.Vaillancourt/M. Lebeau/
R. Daze/J. Coutu/D. Chausse/
J. Murray/R. Goulet/S.Bouchard/
R. Lalonde/S. Bouchard/
M. Rouleau/M. Simard

1971

Men's/Hommes

▲ P. Elford/R. Spencer/ ON
D. Cooper/R. Nobes/G. Rodin/J.
Wasson/L. Palmer/G. Faryhiuk/
R.Kemp/J. Johnston/B. Gainey/
D. Jenish/J. Jones/L. Powers/
D. Murray/J. Paterson/
D. McFadden

● B. Christie/J. Gospodar/ AB
B. Thomas/R. Logan/G.
Pruden/T. Ball/P. Graham/
M.Anderson/G. Scurr/
J. Chaytors/R. Johnson/
K. Knight/B. Murray/
R. Heimbecker/R.Alexander/
T. Hryniw/B. Cherrington

■ M. Lessard/A. Carlos/ PQ/Qc.
J. Lessard/R. Perron/B. Poulin/
G. Roy/M. Loignon/A.Michaud/
A. Perron/N. LaFlamme/
M. Ashby/J. Le Hoax/
M. Charette/Y. Gosselin/
P. Richard/N. Lessard/A. Juneau

1967

Men's/Hommes

▲ AB *
● BC/C.-B. *
■ ON *

Judo

1991

Men's/Hommes < 40 KG

▲ Nicholas Davey BC/C.-B.
● Mark Kasprzyk ON
■ Ynuk Bosse NB
Dwayne Beaton NS/N.-É.

Men's/Hommes 40-43 KG

▲ Yohan Bosse NB
● James Edwards AB
■ Corey Spalding ON
Maxime Tremblay PQ/Qc.

Men's/Hommes 43-46 KG

▲ Gabriel Sénécal PQ/Qc.
● Kevin McIver MB
■ Kerry Landygo BC/C.-B.
Dean Bourgoin NB

Men's/Hommes 46-50 KG

▲ Scott Mukai BC/C.-B.
● Michael Walsh ON
■ Kevin Nagoya AB
Charlton Cooper MB

Men's/Hommes 50-54 KG

▲ Jeffrey Oduca MB
● Paul Hachey AB
■ Richard Jundis ON

Men's/Hommes 54-59 KG

▲ Todd Binch ON
● Jamie Slaunwhite NS/N.-É.
■ Francis O'Brien BC/C.-B.
William McKenzie MB

Men's/Hommes 59-64 KG

▲ J.-P. Alarie ON
● Craig Robinson BC/C.-B.
■ Luc Plourde NB
Jean-Sébastien Blouin PQ/Qc.

Men's/Hommes 64-69 KG

▲ Brent Uemura ON
● Tommy Ducharme PQ/Qc.
■ Mitch Olineck BC/C.-B.
John Townsend SK

Men's/Hommes 69-74 KG

▲ Lee Brentnell SK
● Anthony Carelli ON
■ Russell Gallant AB
Pier-Augustin Chene PQ/Qc.

Men's/Hommes > 74 KG

▲ Tonino Scodeller PQ/Qc.
● Sandy Kent BC/C.-B.
■ Damian Leonard NB
Ben Zisserson NS/N.-É.

Women's/Femmes 44 KG

▲ Cynthya Tan BC/C.-B.
● Shelley Taylor AB
■ Amanda Shyhinskyj ON
Kerri Diehl SK

Women's/Femmes 44-48 KG

▲ Elaine Millar PQ/Qc.
● Mandy Hodge BC/C.-B.
■ Claudia Jakab ON
Crystal Longman SK

Women's/Femmes 48-52 KG

▲ Carline Wallac ON
● Nadine Perron NB
■ Helen Frankum AB
Mel Fiset-Barriault PQ/Qc.

Women's/Femmes 52-56 KG

▲ Josée Rousseau PQ/Qc.
● Cara Kato ON

■ Sissi Caron NB
Erin Keefe NS/N.-É.

Women's/Femmes 56-61 KG

▲ Marie-Jo De Carufel PQ/Qc.
● Jacqueline Hall ON
■ Ruby Viray BC/C.-B.
Valerie Cyr NB

Women's/Femmes 61-66 KG

▲ Saräh White BC/C.-B.
● Linda Kemp ON
■ Lena Berger MB
Annie Michaud PQ/Qc.

Women's/Femmes > 66 KG

▲ Julie Gaudreault PQ/Qc.
● Melissa Legros SK
■ Jennifer Davina BC/C.-B.
Lori MacIsaac NS/N.-É.

1987

Men's/Hommes 46 KG

▲ Michel Grenier PQ/Qc.
● Steven Oye MB
■ Wade Bayda SK
Lenny Longtin ON

Men's/Hommes 50 KG

▲ Damien Boucher PQ/Qc.
● Jonathan Eto ON
■ Travis Furukawa AB
Derek Rogge MB

Men's/Hommes 54 KG

▲ Nicolas Gill PQ/Qc.
● Terrance Bobryk SK
■ Kyle Perini AB
François Levesque NB

Men's/Hommes 59 KG

▲ Andrew Motomura ON
● Craig Kuramoto BC/C.-B.
■ Troy Matteotti AB
Steven Bobbitt MB

Men's/Hommes 64 KG

▲ Sandor Mihaly BC/C.-B.
● Branden Dowling MB
■ Paul Bernard NB
François Lavoie PQ/Qc.

Men's/Hommes 69 KG

▲ Jean-Pierre Doré PQ/Qc.
● Jeff Rapinda ON
■ Neil Yamada BC/C.-B.
Bradley Parsons NF/T.-N.

Men's/Hommes 74 KG

▲ Stéphane Hovington PQ/Qc.
● Rick Perrier ON
■ Harry Hoff AB
Daniel Courtenay SK

Men's/Hommes > 74 KG
▲ Jean Marcotte — PQ/Qc.
● Arron McNab — SK
■ Roger Shears — NF/T.-N.
Tom Kauss — BC/C.-B.

Women's/Femmes 46 Kg
▲ Pamela Besse — ON
● Nadine Boudreau — PQ/Qc.
■ Nadine Belcourt — AB
Kerri MacDonald — NS/N.-É.

Women's/Femmes 50 KG
▲ Carey Jo Huffman — BC/C.-B.
● Guylaine Poirier — PQ/Qc.
■ Terri Uzelman — AB
Luci Berube — NB

Women's/Femmes 54 KG
▲ Nancy Gauthier — PQ/Qc.
● Theresa Swan — BC/C.-B.
■ Jean Godson — SK
Tracy Uzelman — AB

Women's/Femmes < 59 KG
▲ Andree Clement — NB
● Annie Reardon — PQ/Qc.
■ Lori Longtin — ON
Joanne Dame — AB

Women's/Femmes > 59 KG
▲ Jenny Wenzek — ON
● Karine Blanchet — PQ/Qc.
■ Tracy Morgan — AB
Natasha Payne — BC/C.-B.

1983

Men's/Hommes 46 KG
▲ Brian Miura — BC/C.-B.
● Darryl Arsenault — PE/Î.-P.-É.
■ Michael Savoie — NS/N.-É.
Ted Smith — ON

Men's/Hommes 50 KG
▲ Lloyd Yodagowa — BC/C.-B.
● Donald Beaton — MB
■ Kenji Nakamura — ON
Jocelyn Cimon — PQ/Qc.

Men's/Hommes 54 KG
▲ Derek Logan — NS/N.-É.
● Mike Tamura — AB
■ Wayland Pulkinnen — ON
Marc McCrae — PQ/Qc.

Men's/Hommes 59 KG
▲ Grant Kuramoto — BC/C.-B.
● Shane MacIssac — NS/N.-É.
■ Rocky Constable — PE/Î.-P.-É.
Serge Robicheaud — NB

Men's/Hommes 64 KG
▲ Mike McLeod — ON
● Styve Nadeau — PQ/Qc.

■ Robert Coles — BC/C.-B.
David King — NS/N.-É.

Men's/Hommes 69 KG
▲ Rick Coglin — ON
● Dany Côté — PQ/Qc.
■ Jeff Psiuk — SK
Lorne Porayko — BC/C.-B.

Men's/Hommes 74 KG
▲ Stéphane Fournier — PQ/Qc.
● Mark Vemura — ON
■ Edward Brenham — BC/C.-B.
Gordon Bergey — SK

Men's/Hommes + 74 KG
▲ Dan Milkovich — BC/C.-B.
● Richard Tremblay — PQ/Qc.
■ Scott Robicheaud — NS/N.-É.
Dean McGarry — SK

1979

53 KG
▲ A. Derosby — PQ/Qc.
● D. Takao — AB
■ D. Kim — ON

56 KG
▲ S. Fillion — PQ/Qc.
● P. Hernandez — NS/N.-É.
■ R. Van Soest — AB

60 KG
▲ L. Betton — PQ/Qc.
● B. Fujimoto — AB
■ L. McCartney — MB

65 KG
▲ S. Sheffield — ON
● J. Schenk — BC/C.-B.
■ N. Murphy — NF/T.-N.

71 KG
▲ K. Burchill — NB
● L. Fridfinnson — MB
■ T. Miller — ON

71 KG +
▲ M. Laroche — PQ/Qc.
● M. Cunningham — BC/C.-B.
■ M. Falls — ON

1975

Featherweight/Poids plume
▲ P. Takahashi — ON
● D. Wilson — YT/Yn.
■ M. Desprès — PQ/Qc.

Lightweight/Poids légers
▲ P. Hébert — PQ/Qc.
● E. Dong — BC/C.-B.
■ D. Carter — NS/N.-É.

Middleweight/Poids moyen
▲ B. Cyr — PQ/Qc.
● G. Sova — MB
■ H. Nadolmy — ON

Light Heavyweight/Poids mi-lourds
▲ H. Nadolmy — PQ/Qc.
● J. Hirose — BC/C.-B.
■ S. Dufour — PQ/Qc.

Over 187 lb./Poids lourds
▲ P. LeVasseur — PQ/Qc.
● J. Graham — AB
■ R. Kasuya — BC/C.-B.

Open Class/Toutes catégories
▲ N. Minier — PQ/Qc.
● K. Edlund — ON
■ R. Burke — AB

1971

Featherweight/Poids plume
▲ K. Taniwa — BC/C.-B.
● M. Kawasaki — ON
■ G. Senda — AB

Lightweight/Poids légers
▲ T. Swan — BC/C.-B.
● W.E. Erdman — ON
■ N. Brault — PQ/Qc.

Middleweight/Poids moyen
▲ W. McGregor — ON
● H. Mukai — BC/C.-B.
■ V. Grifo — PQ/Qc.

Light Heavyweight/Poids mi-lourds
▲ G. Buttle — ON
● T. Farnsworth — PQ/Qc.
■ Udo Werner — BC/C.-B.

Over 205 lb./Poids lourds
▲ D. Rogers — BC/C.-B.
● R. Wilson — MB
■ G. Manion — ON

Open Class/Toutes catégories
▲ A. Hart — ON
● K. Benabdallah — PQ/Qc.
■ R. Lappage — AB

Lacrosse / Crosse

1985

Men's/Hommes
● Bobby Heyes/Clayton — BC/C.-B.
MacGregor/Grant Hamilton/
Mike Simpson/Greg Pepper/
Gary Harman/Tom Marachek/
Greg Batters/Paul Gait/Gary
Gait/Grant Pepper/Craig

Simpson/Dave Finnigan/Kevin
Shires/Warren Polackwell/
Ravi Dhillon/Ken Morrison/
Doug White
● Terry Preston/John — ON
Mathewson/Jeff Challuce/Greg
LePine/Bob Crough/Greg Van
Sickle/Joe Hiltz/Greg Hiltz/
Wayne Grant/Chris Annsworth/
Craig Stevenson/Jamey Batley/
Mark Harding/Dean Morton/
Scott Rogers/Frank Bartello/
Jason Richards/Chris O'Reilly
■ Sylvain Martel/François Paré/ — PQ/Qc.
Stéphane Courchesne/Éric
Charron/Patrick Many/Stéphane
Raymond/Marc-André Raymond/
Benoit Paré/Frédéric Paquette/
Yvan Michaud/Richard
Larochelle/Jocelyn Parent/
Gaëtan Harvey/Stéphane
Esmond/Roberto Dumont/
Christian Nolin

1981

Men's/Hommes
▲ Daniel Leclerc/Guy Bélanger/ — PQ/Qc.
Harold Chasse/Sylvain Guimond/
Daniel Harvey/Richard Isabel/
Christian Lahaie/Éric Lavoie/
Richard Lebel/Carol Lévesque/
Serge Michaud/Michel Ménard/
Pierre Morissette/Michel
Primeau/Patrick Richard/Luc
Robitaille/Jocelyn St-Amand/
Jocelyn Fougère
● Terry Schell/Michael — BC/C.-B.
Dallamore/Doug Clark/Martti
Sippola/Ross Frehlick/David
McLeod/Brad Henry/Paul
Dobray/Dean Mayhew/Raymond
Hamilton/Rodger Lynch/Dale
Robertson/Wesley Zawaduk/
Daniel Lamond/Patrick Trevor/
Scott Liebing
■ Jim Poulton/Jim Bandola/ — ON
Les Boomer/John Browner/Guy
Cellota/David Evans/Michael
Ferrari/Ken Foster/Armand
Gervais/Jay Lauchbury/Bob
Latchford/Daniel Meloche/Todd
Meloche/Todd Ouellette/Jim
Potvin/Chuck Simpson/Andy
Wilson/Gavin Stevenson

1977

Men's/Hommes
▲ R. Aplin/A. Baldry/ — ON
W.H. Beattie/D. Bolton/
F. Cawkell/T. Clarridge/
W. Crawford/M.Egan/
D. Galdwin/G. Heitzner/
C. MacDonald/M. McKee/
W. McKee/W. McKee/
B.MacDonald/S. Radford/
M. Schenker/D. Taylor

● J. Descoteaux/J. Boisvert/ — PQ/Qc.
J. Cambria/P. Croteau/
R. Dionne/B. Gagné/G. Gignac/
P. Harvey/D. Hébert/
M. Juneau/B. Labrosse/
D. Lafleur/D. Lavoie/ D. Low/
M. Labossière/R. Rondeau/
J. Trudeau/G. Vallée
■ T.F. Baranyai/P.B. Byrne/ — BC/C.-B.
C.W. Carlyle/R.E. Corden/
D.A. Gillis/W. Hinada/
B.A.Jack/P.N. Jansson/
S.P. Laleune/D.S. McCarthy/
M.A. Mosdell/B.W. Novak/
K.A.Prentice/G. Purdon/
G.A. Roberts/W. Suyiyama/
L.K. Symons/C.D. Wilson

1973

Men's/Hommes
▲ J. Engemann/J. Floris/ — ON
M.G. French/R.G. Hamm/G. Hill/
R. Hogdkinson/N.A. Hope/
S.M.Miller/J.B. Morgan/
G.E. Moses/D. Parsons/W. Plett/
J.F. Skubel/D.H. Smith/
R.J.Taylor/H. Vant/J.P. Wiens
● G. Bottomley/B. Chamber/ — NB
L. Finck/J. Foley/R. Gautreau/
N. Hum/A. Keefe/D.Koharski/
A. Leahey/D. Mills/B. McAlpin/
D. MacDonald/N. Muir/
S. Pelham/R. Peters/
G.Hurshman/M. Chandler
■ J.M. Aitken/E. Cowieson/ — BC/C.-B.
B. Cruiskshank/D.G. Drew/
J.D. Greenwell/G.A. Greer/
G.A.Groue/J.L. Jamieson/
J. Krogvich/C.J. Lane/
K. McLenaghen/R. Mattinson/
H.L.Olson/D.J. Perreault/
G. Read/M.W. Schnarr/
D.E. Wilson

1969

Men's/Hommes
▲ R. Delmonico/T. Gurneay/ — BC/C.-B.
R. Crowe/D. Sangha/
D.Silvester/R.Ornar/
S.Matheson/D.Gurniak/
G. Kullman/T. Vohalis/D. Taylor/
D. McRae/N. Delmonico/
D. Hayes/R.Kulcheski/B. Clearie
● R. English/F. Comeau/ — ON
W. Nunn/P. Murphy/W. Young/
R. Bradley/J. Ouigg/R.Bolitho/
K. Todman/D. Cox/C. Hatton/
G. Barratt/J. Little/J. Griffin/
D. MacKenzie/G.Cooper
■ G. Paquet/M. Lefebvre/ — PQ/Qc.
R. Cusson/V. Lowe/M.Jacobs/
R. Carbonnell/G. Lajeunesse/
D. Hons/J.Lahache/N. Piché/
W. Goodleas/R. Bleau/P. Brunet/
D. George/B. Roundpoint/

Lawn Bowling / Boulingrin

1973

Singles/Simples
▲ B. Graham — PQ/Qc.
● L. Sousae — BC/C.-B.
■ B. Bowden — MB

Pairs/Couples
▲ D. Carphin/J. Twining — ON
● G. Couter/T. Gilmour — BC/C.-B.
■ H. Gray/T. Crawford — AB

Fours/Quatre
▲ B. Guppy/R. Kempster/ — ON
D. Stephan/J. Pidduck
● L. Kitson/T. Boucher/ — BC/C.-B.
B. Walker/W. Hopwood
■ H. Elliott/L. Forth/G. Knox/ — PQ/Qc.
J. Forbes

1969

Pairs/Couples
▲ W. Anthony/V. Foxhall — ON
● J. McGregor/J. Wright — BC/C.-B.
■ M. Trowbridge/J. Cranney — SK

Threes/Trois
▲ J. Huber/W. Blissett/ — ON
V. Foxhall
● J. McGregor/T. Owen/ — BC/C.-B.
R. Miller
■ F. Daglish/W. McVea — NB
Q. McGrath

Fours/Quatre
▲ J. Huber/W. Bissett/ — ON
W. Anthony/V. Foxhall
● J. Elford/J. McNeil/ — NS/N.-É.
R. Campbell/J. Horner
■ A. Kane/W. Gowing/ — PQ/Qc.
J. Lefebvre/J. Bourget

Racquetball

1991

Men's Team Final / Finale d'équipe – Hommes
▲ D. Gagné/D. Denis/ — PQ/Qc.
F. Viens/F. Guillemette
● C. Brumwell/J. Anderson/ — BC/C.-B.
S. Gaucher/D. Lock
■ C. Roach/G. Holland/ — ON
A. Kane/G. Tanner

Men's Cadet Singles / Cadet simple – Hommes
- ▲ Miguel Urteaga — SK
- ● Richard Higgs — NF/T.-N.
- ■ Jeff Stebnicki — AB

Men's Juvenile Singles / Juvénile simple – Hommes
- ▲ François Viens — PQ/Qc.
- ● Kelly Kerr — SK
- ■ Scott Istace — AB

Men's Junior Singles / Junior simple – Hommes
- ▲ Chris Roach — ON
- ● Brian Istace — AB
- ■ Chris Brunwell — BC/C.-B.

Women's Team Final / Finale d'équipe – Femmes
- ▲ K. Scott/M. Chernish/ K. Green/K.C. Matchet — ON
- ● L. Brown/T. Mead/ S. Finch/C. Mayoros — SK
- ■ D. Levine/R. MacIntosh/ K. Krochak/C. Metraux — MB

Women's Cadet Singles / Cadet simple – Femmes
- ▲ Leanne Neubauer — AB
- ● Chantal Turgeon — PQ/Qc.
- ■ Candice Mayoros — SK

Women's Juvenile Singles / Juvénile simple – Femmes
- ▲ Sheila Finch — SK
- ● Kelli Green — ON
- ■ Lisa McLachlan — BC/C.-B.

Women's Junior Singles / Junior simple – Femmes
- ▲ Kristene Scott — ON
- ● Danielle Levine — MB
- ■ Melissa Chernish — ON

1983

Women's Age 22-24 / Femmes 22-24 ans
- ▲ Suzanne Larkin — NB
- ● Liz Wallace — AB
- ≡ Linda Ellerington — MB

Men's Age 22-24 / Hommes 22-24 ans
- ▲ Martin Gervais — PQ/Qc.
- ● Todd Cranston — NS/N.-É.
- ■ Bill Birch — ON

Women's Age 19-21 / Femmes 19-21 ans
- ▲ Carol McFedridge — ON
- ● Nadia Verilli — PQ/Qc.
- ■ Jacquie Saunders — NS/N.-É.

Men's Age 19-21 / Hommes 19-21 ans
- ▲ Dwight Kohuch — MB
- ● Mike Ceresia — ON
- ■ Scott Lineker — AB

Women's Age 16-18 / Femmes 16-18 ans
- ▲ Lisa Devine — PE/Î.-P.-É.
- ● Vicki Brown — BC/C.-B.
- ■ Donna Allan — ON

Men's Age 16-18 / Hommes 16-18 ans
- ▲ Charles Friedman — PQ/Qc.
- ● Paul Shanks — AB
- ■ Andy Fitzpatrick — PE/Î.-P.-É.

Women's 15 & Under / Femmes 15 ans et moins
- ▲ Crystal Fried — AB
- ● Jill Corrado — BC/C.-B.
- ■ Jennifer Trail — NB

Men's 15 & Under / Hommes 15 ans et moins
- ▲ Martin Mercier — PQ/Qc.
- ● Jerome Trail — NB
- ■ Dan Boone — AB

Men's/Hommes doubles
- ▲ Sig Brouwer/ Wayne Davidson — AB
- ● George Collard/ Glen Collard — PE/Î.-P.-É.
- ■ Denis Alexandre/ Jean-Francois Lindsay — PQ/Qc.

1979

Men's/Hommes doubles
- ▲ Ronald Pawlowski/ John Robbins — AB
- ● Doug Smith/ Ian Baker Stirling — BC/C.-B.
- ■ Ronald Frick/ Gerry Cadman — MB
(Three-way tie/Triple égalité)

Men's Singles Age 15 / Simples pour hommes 15 ans
- ▲ Allan Lee — ON
- ● Adam Katz — BC/C.-B.
- ■ Charles Friedman — PQ/Qc.

Men's Singles Age 16-18 / Simples pour hommes 16-18 ans
- ▲ Harvey Ross — PQ/Qc.
- ● Brad Kruger — AB
-   Wendell Talaber — BC/C.-B.
-   Sherman Greenfield — MB

Men's Singles Age 19-25 / Simples pour hommes 19-25 ans
- ▲ William Boast — ON
- ● Robert Davidson — AB
- ■ John Kubasek — BC/C.-B.

Men's Singles Age 26-30 / Simples pour hommes 26-30 ans
- ▲ Rémy Larochelles — PQ/Qc.
-   Doug Youngson — MB
-   Michael Mooney — AB
-   Rob Napper — SK

Women's Singles Age 15 / Simples pour dames 15 ans
- ▲ Heather Stupp — PQ/Qc.
- ● Donna Allan — ON
- ■ Lisa Devine — PE/Î.-P.-É.

Women's Singles Age 16-18 / Simples pour dames 16-18 ans
- ▲ Reena Chawla — PQ/Qc.
-   Carol McFetridge — ON
-   Karen Furlong — NF/T.-N.

Women's Singles Age 19-25 / Simples pour dames 19-25 ans
- ▲ Lynn Murdoch — BC/C.-B.
- ● Barb Grant — ON
- ■ Margaret Calof — MB

Women's Singles Age 26-30 / Simples pour dames 26-30 ans
- ▲ Carol Dupuy — AB
- ● Susan Velleman — PQ/Qc.
- ■ Linda Forcade — MB

❄ **Rhythmic Gymnastics / Gymnastique rythmique**

1991

Hoop/Cerceau
- ▲ Lindsay Richards — ON
- ● Kim Johnson — ON
- ■ Jennifer Brenner — ON

Ball/Ballon
- ▲ Lindsay Richards — ON
- ● Jennifer Brenner — ON
-   Kim Johnson — ON

Ribbon/Ruban
- ▲ Kim Johnson — ON
- ● Lindsay Richards — ON
- ■ Joceline Léger — NB

Club/Massues
- ▲ Kim Johnson — ON
- ● Jennifer Brenner — ON
-   Lindsay Richards — ON

All Around/Résultat global
- ▲ Lindsay Richards — ON
- ● Jennifer Brenner — ON
- ■ Kim Johnson — ON

Group/Groupe
- ▲ SK*
- ● ON*
- ■ MB*

1987

Club/Massues
- ▲ Lisa Merrit — MB
- ● Susan Cushman — MB
- ■ Mary Fuzesi — ON

Ribbon/Ruban
- ▲ Lisa Merrit — MB
- ● Susan Cushman — MB
- ■ Mary Fuzesi — ON

Rope/Corde
- ▲ Lisa Merrit — MB
- ● Mary Fuzesi — ON
- ■ Susan Cushman — MB

Hoop/Cerceau
- ▲ Lisa Merrit — MB
- ● Mary Fuzesi — ON
- ■ Susan Cushman — MB

Group/Groupe
- ▲ ON*
- ● NB*
- ■ NS/N.-É.*

All Around/Résultat global
- ▲ Lisa Merrit — MB
- ● Susan Cushman — MB
- ■ Mary Fuzesi — ON

❄ **Ringette / Ringuette**

1991

Women's/Femmes
- ▲ T. Anderson/T. Janssens/ M. Jacobs/S. Hannay/J. Mercer/ J. Cook/N. Chapdelaine/ K. Fisher/J. Chomik/ C. Somerville/K. Wood/ L. Climie/C. Chapeski/ M. Bishop/J. Richards/ A. Coombe/A. Magnan — AB
- ● D.Price/L. Reynolds/C. Carroll/ S. Cox/J. Dozzi/K. Duguay/M. Eberhardt/C. Heaphy/K. Koch/ K. Marth/S. Miller/L. Peters/ E. Rourke/K. Sharples/ J. Connoly/A.M. Gliebe — ON
- ■ J. Halldorson/C. Felske/ M. McLeary/J. Rogers/ T. Sutherland/S. Tabler/ C. Singbeil/A. Gray/D. Alderson/ A. Hunter/D. McBeth/ D. Goodwin/A. Mutter/T. Crowe/ E. Mounski/S. Smeith/L. Ross — BC/C.-B.

✸ **Rowing / Aviron**

1989

Men's/Hommes 1 X
- ▲ Jake Hampson — ON
- ● Willem Zantvoort — BC/C.-B.
- ■ Carl Levasseur — PQ/Qc.

Men's/Hommes 2 -
- ▲ Jamie Cleveland/Jon Gogan — NB
- ● Chris Larsen/Daniel Wiren — BC/C.-B.
- ■ Scott Brodie/Leo Cada — ON

Men's/Hommes 2 X
- ▲ Jon Gogan/Jeffery Smith — NB
- ● Ken Oullette/Eric Stebenne — PQ/Qc.
- ■ Kevan Thin/Darcy Tresham — ON

Men's/Hommes 4 -
- ▲ ON*
- ● BC/C.-B.*
- ■ NB*

Men's/Hommes 4 X
- ▲ PQ/Qc.*
- ● BC/C.-B.*
- ■ ON*

Men's/Hommes 4 +
- ▲ BC/C.-B.*
- ● ON*
- ■ SK*

Men's/Hommes 8 +
- ▲ BC/C.-B.*
- ● SK*
- ■ ON*

Women's/Femmes 1 X
- ▲ Vanessa Wakil — ON
- ● A-R Thibault — PQ/Qc.
- ■ Jackie Root — MB

Women's/Femmes 2 -
- ▲ Jennifer Browett/ Claudia Fritzsche — BC/C.-B.
- ● Kirsten Oininen/Rachel Starr — ON
- ■ Kirsten Campbell/Erin Cusack — NB

Women's/Femmes 2 X
- ▲ Danielle Guertin/ Pamela Lesniak — ON
- ● Nicole Bradbury/ Natalie Miller — NF/T.-N.
- ■ Lisa Iverson/Mia Kalef — BC/C.-B.

Women's/Femmes 4 X
- ▲ ON*
- ● BC/C.-B.*
- ■ NF/T.-N.*

Women's/Femmes 4 +
- ▲ BC/C.-B.*
- ● ON*
- ■ SK*

Women's/Femmes 8 +
- ▲ BC/C.-B.*
- ● ON*
- ■ SK*

1985

Men's Pair/Paires – Hommes
- ▲ Chris Flood/Wayne McFarlane — NB
- ● Ian Kennedy/Ken O'Kennedy — BC/C.-B.
- ■ Curt Zigfstead/Cameron Kramer — AB

Men's Double Sculls / Deux rameurs – Hommes
- ▲ Neil Stothard/Martin Winkel — BC/C.-B.
- ● Eric Therrier/Mario Bizier — PQ/Qc.
- ■ Dave Dickison/Don Dickison — NB

Men's Quad / Quatre en couples – Hommes
- ▲ Dave Dickison/Don Dickison/ Peter Oxley/John Oxley — NB
- ● Neil Stothard/Erik Gotfredsen/Martin Winkel/ Gregory Candido — BC/C.-B.
- ■ Éric Therrien/Mario Bizier/ Michel Debelic/Ross Lizée — PQ/Qc.

Men's Single Sculls / Un rameur – Hommes
- ▲ Martin Winkel — BC/C.-B.
- ● Christopher Craig — NB
- ■ Éric Therrien — PQ/Qc.

Men's Four / Quatre sans barre – Hommes
- ▲ Richie Vanderwoude/ Todd Hinks/Bill Laidlaw/ Chris McLernon — ON
- ● Dren Duncan/Warren Beach/Ian Kennedy/ Ken O'Kennedy — BC/C.-B.
- ■ Chris Flood/Wayne MacFarlane/Doug Boyle/ Tim Oland — NB

Men's Four Cox / Quatre avec barre – Hommes
- ▲ Sean Croft/Andrew Bruce/ Steve Carols/Patrick Melvin/Darren Barber — BC/C.-B.
- ● David Bryden/A.G. Harper/ Curt Sigstead/A.A. Kaul/ Andrew Ross — AB
- ■ Sean Evoy/Rob Henson/ Gregg Loucks/Steve Stamp/ Andy Walker — ON

Men's Eight Cox / Huit avec barre – Hommes
- ▲ Scott Cooper/Richie Vanderwoude/Rob Henson/ Todd Hinks/Bill Laidlaw/ Gregg Loucks/Chris McLernon/ Steve Stamp/Andy Walker — ON
- ● Sean Croft/Andre Bruce/ Steve Carlos/Patrick Melvin/ Darren Barber/DrewDuncan/ Warren Beach/Ian Kennedy/ Ken O'Kennedy — BC/C.-B.

■ Eric Therrien/Mario Bizier/Michel Debelic/Ross Lizee/Bruno Roy/Martin Vanasse/Claude Sauvageau/Stephen Novosad/Thierry Proulix — NB

Women's Single Sculls/Un rameur – Femmes
▲ Karen Rothe — BC/C.-B.
● Michele Murphy — PQ/Qc.
■ Jane Vincent — ON

Women's Four Cox/Quatre avec Cox – Femmes
▲ Tricia Crawford/Fiona Marshall/Tina Montgomery/Vickie Reuvekamp/Lori Marucci — ON
● Dai Farlowe/Marianne Smedmark/Kirsten Barnes/Megan Andrews/Julie Jespersen — BC/C.-B.
■ Rhonda Netzel/Nicola Philip/Suelin Richards/Kathleen Kranenburg/Vivien Stillwell — AB

Women's Eight Cox/Huit avec barre – Femmes
▲ Dai Farlowe/Marianne Smedmark/Kirsten Barnes/Meagan Andrews/Julie Jespersen/KateGower/Katharine Pope/Janet Ingo/Tracey Wait — BC/C.-B.
● Tricia Crawford/Caryn Hubbard/Dorothy Kaczmarczyk/Fiona Marshall/Patty Marshall/Lori Marucci/Tina Montgomery/Vickie Reuvekamp/Jill Brokloff — ON
■ Angela Buck/Jill Blois/Tammy Denning/Leslie Fellows/Natalie Folster/JenniferKeddy/Paula Kendall/Traci Morrison/Pam Pickles — NB

Women's Pair/Paires – Femmes
▲ Kate Gower/Katharine Pope — BC/C.-B.
● Leslie Fellows/Natalie Folster — NB
■ Jill Brokloff/Patty Marshall — ON

Women's Double Sculls/Deux rameurs – Femmes
▲ Francis Maika/Karen Rothe — BC/C.-B.
● Michele Murphy/Katie Debelic — PQ/Qc.
■ Caren Loechner/Carol Loechne — MB

Women's Quad/Quatre en couples – Femmes
▲ Francis Maika/Signe Gotfredsen/Kelly Mahon/Karen Rothe — BC/C.-B.
● Fiona Marshall/Wendy O'Brien/Jane Vincent/Susanne Walker — ON

■ Lisa Kakoske/Caren Loechner/Carol Loechner/Corey Tottle — MB

1973 Single Sculls/Un rameur
▲ M. Cullin — BC/C.-B.
● J. Walker — ON
■ A. Renart — PQ/Qc.

Double Sculls/Deux rameurs
▲ A. Renart/M. Marcoux — ON
● J. Wilkinson/M. Cullin — BC/C.-B.
■ B. Sawler/J. Bogs — NS/N.-É.

Pairs without Cox/Paires sans barre
▲ J. Scott/J. Bodnar — BC/C.-B.
● A. Wiggins/J. Wiggins — PQ/Qc.
■ P. Courtney/W. Benko — ON

Pairs with Cox/Paires avec barre
▲ J. Bodnar/J. Scott/B. MacDougall (Cox) — BC/C.-B.
● G. Dubuc/P. Voisard/P. Conant (Cox) — PQ/Qc.
■ P. Courtney/W. Benko/J. Edmondstone (Cox) — ON

Fours without Cox/Quatre sans barre
▲ J. Allester/M. Moran/D. Mullins/S. Manson — BC/C.-B.
● R. Cove/G. Romak/L. Weinstein/G. Zalot — ON
■ A. Wiggins/J. Wiggins/P. Voisard/G. Dubuc — PQ/Qc.

Fours with Cox/Quatre avec barre
▲ J. Loggie/T. Webber/L. Payss/A. Pezemko/J. Edmondstone (Cox) — ON
● J. Burns/J. Henniger/J. Morgan/D. Van Eeuwen/B. MacDougall (Cox) — BC/C.-B.
■ C Laurin/M. LaLancette/R. Lachance/L. Prévost/P. Conant (Cox) — PQ/Qc.

Eights with Cox/Huit avec barre
▲ J. Burns/D. Mullins/Manson/J. Morgan/J. Henniger/D.V. Eeuwen/M. Moran/J.Allester/B. MacDougall (Cox) — BC/C.-B.S.
● G. Zalot/G. Romak/L. Weinstein/R. Cove/A. Pezemko/J. Loggle/L. Payss/T. Webber/J.Edmondstone (Cox) — ON
■ L. Prévost/A. Renart/M. Marcoux/R. Lachance/G. Dubuc/P. Voisard/A. Wiggins/J.Wiggins/P. Conant (Cox) — PQ/Qc.

1969 Singles/Simples
▲ G. Wright — ON
● G. White — MB
■ R. Sawler — NS/N.-É

Doubles
▲ J. Best/R. Fearn — ON
● R. Myra/R. Sawler — NS/N.-É.
■ G. White/F. Pritchard — MB

Fours without Cox/Quatre sans barre
▲ W. Ross/G. Macro/F. Nelson/J. Cecchi — ON
● P. Thorner/B. Clark/C. Delahunt/J. Neville — BC/C.-B.
■ H. Bailey/C. MacInnis/R. McCready/D. Thomas — NS/N.-É.

Fours with Cox/Quatre avec barre
▲ J. Lianga/R. McKibbon/A. Van Ruyden/J. Finlay/T. Neprily — ON
● R. Lennox/D. Young/W. Ramsy/W. McCance/D. Cawtin — MB
■ R. Advent/D. Akhurst/R. Belllrving/R. Best/S. Yew — BC/C.-B.

Eights with Cox/Huit avec barre
▲ W. Ross/G. Macro/F. Nelson/J. Cecchi/J. Lianga/R. McKibbon/A.Van Ruyden/J.Finlay/T. Neprily — ON
● R. Advent/D. Akhurst/R. Belllrving/R. Best/P. Thorner/B. Clark/C. Delahunt/J.Neville/S. Yew — BC/C.-B.
■ M. Shinnick/R. Wiggins/R. Jones/P. Milner/B. Fritz/D. Nickless/A. Izenberg/H. Pate/P. Kittredge — PQ/Qc.

Rugby

1985 Men/Hommes
▲ Jim Bradley/Steven Christianson/John Clyne/Jamie Cowan/Dan Cvitanovih/David Dungate/Ian Gordon/Travis Gregson/Andrew Heaman/Blair Hedley/Todd Knight/Randall McNair/Maria Orologio/Gareth Rees/Phil Shieldrop/Shaun Smith/Lawrence Tarasoff/Mike Tupper/Christopher Tynan — BC/C.-B.
● Ron Brown/Nick Daniels/James Dol/Andrew Finn/Paul Galbraith/Steve Hardie/Eric Kampe/Tim Messner/Alun Phillips/Jim Purchase/Doug Purdy/Oliver Schimppl/Tim Smith/Scott Switzer/David Taylor/Michael Woodbyrne/Bill Young/Richard Boyles/Bruce Gamble/MacDonald/MacKinnon — ON

■ Richard Boyd/Jim Brown/Christopher Buck/Jeff Cowley/Arnold Cullum/Andy Czymoch/Rene Forestier/Leonard Herchen/Graham Hogg/Reynoudt Jalink/Ian James/Dan Kazanoff/Rodney Kurylo/Dan Love/Richard Millar/Rick Overton/Aaron Regent/Paul St-Pierre/Jason Suppes/Nick Twyman/Miles Woofter — AB

1981 Men/Hommes
▲ Joey Best/David Skuy/Doug Birmingham/Dave Berto/John Melpassse/Chuck Jones/Pierre Duey/Greg Lockwood/Derek Bailey/Barney Wallace/Brian Smyth/Doug Paul/Cam King/Karl Swoboda/Randy McKellar/Larry Filler/Brian McIlroy/Terry Bennell/Robert Paul/Tony Stea — ON
● Jamie Yakimovich/Bob Palmer/Freddy Fedosenko/Kevin Matthews/Quentin Adrian/David Murray/Ian McKay/Ted Azevedo/Craig Ferris/Paul Sedun/Ron Vandenbrinck/Brian Simms/Leo Pouliot/Dominic Spooner/Kevin Shoemaker/Mark Desharnais/George Curran/Mike Potyrala/Rob Lee/Wes Polack — BC/C.-B.
■ Cal Famino/Kelly Brett/Don Fennerty/Tim Dewhurst/Dave Bernatchez/Brian Conway/Mike Bird/Tony Gordon/Jamie Norris/Gordon MacLeod/Harold Backer/Doug Fletcher/Rob Simpson/Dave Marsh/Joe McMillan/Brian Stredder/Parker Eberwein/Jerry Whittaker/Dave O'Connor/Andy Aubin — AB

Sailing / Voile

1989 Men's/Hommes laser
▲ Rod Davies — ON
● Brian Awad — NS/N.-É.
■ Duncan Pearce — BC/C.-B.

Men's/Hommes laser II
▲ Trevor Davis/Thilo Giese — BC/C.-B.
● Kenneth Bruce/Bruce Wells — ON
■ Jeff Brock/Peter McKenna — NS/N.-É.

Men's Sailboard/Planches à voile – Hommes
▲ Francis Morin — PQ/Qc.
● Greg Fenton — ON
■ Josh Green — BC/C.-B.

Women's/Femmes laser
▲ Shona Moss — ON
● Karen Degner — AB
■ Karen Dwyer — NS/N.-É.

Women's/Femmes laser II
▲ Nathalie Roy/Isabelle Royer — PQ/Qc.
● Kirsten Jones/Cathy Sapp — NS/N.-É.
■ Sharlene Hermiston/Michelle Loewen — MB

Women's Sailboard/Planches à voile – Femmes
▲ Caroline-Édithe Trépanier — PQ/Qc.
● Lisa Brix — BC/C.-B.
■ Ruth Forsdyke — ON

1985 Under Age 18/Moins de 18 ans laser I
▲ Richard Clarke — ON
● William Adams — NS/N.-É
■ Mathieu Trépanier — PQ/Qc.

Under Age 18/Moins de 18 ans laser II
▲ Penny Stamper/Duncan Stamper — BC/C.-B.
● Ian Eskritt/Mike Brown — ON
■ David Phelan/Jeff Brook — NS/N.-É.

Under Age 25/Moins de 25 ans laser I
▲ Kenneth MacKenzie — PQ/Qc.
● Dave Wells — ON
■ Ross MacDonald — BC/C.-B.

Under Age 25/Moins de 25 ans laser II
▲ Simon Reissman/Mark Reissman — ON
● Tim Stamper/Jeff Eckard — BC/C.-B.
■ Marc Robin/Stéphane Poirier-Defoy — PQ/Qc.

1981 Men's Laser Youth/Laser jeunes – Hommes
▲ — NS/N.-É.*
● — PQ/Qc.*
■ — AB*

Men's Laser Other/Laser autres – Hommes
▲ — ON*
● — NS/N.-É.*
■ — NF/T.-N.*

Men's/Hommes lightning
▲ — ON*
● — NS/N.-É.*
■ — NF/T.-N.*

1977 One-Quarter Ton/Quart de tonne
▲ D. Martin/P. Sallisbury/G. Wilkins — BC/C.-B.
● R. Barr/F. Rowell/S. McAuley — ON
■ H. Sullivan/R. Appleby/W. Nase — NB

1969 Laser Division # 1
▲ E. Martin — PQ/Qc.
● S. Fleckenstein — NB
■ F. Kennedy — NB

Laser Division # 2
▲ G. Mercier — PQ/Qc.
● J. Roy — NS/N.-É.
■ T. McDonald — BC/C.-B.

1969 O.K. dinghies
▲ W. de Niverville — NB
● P. MacDougall — PQ/Qc.
■ A. Latus — AB

Flying juniors
▲ D. Martin/A. Martin — BC/C.-B.
● B. Clinton/J. Corbet — ON
■ G. Dexter/P. Gurnham — NS/N.-É.

Soling
▲ H. Wells/J. MacKeigan/M. Oxner — NS/N.-É.
● T. Jones/L. Walker/F. Brodie — BC/C.-B.
■ I. Lavine/B. Bussin/D. Bussin — ON

Shooting / Tir

1991 Team Air Pistol/Pistolet équipe
▲ Stephen Howell/Alfred Fiedler — BC/C.-B.
● William Ast/Gordon MacMillan — AB
■ Andrew Delahunty/Mark Hynes — NF/T.-N.

Team Air Rifle/Carabine équipe
▲ Mike Regier/Mark Birdsell — BC/C.-B.
● Wes Beal/Jeff Vendramelli — MB
■ Norman Billard/Michael Gerein — SK

Men's Individual Air Pistol/Pistolet individuel – Hommes
▲ Scott Illingworth — SK
● Gordon Elder — MB
■ Stephen Howell — BC/C.-B.

Men's Individual Air Rifle/Carabine individuelle – Hommes
▲ Mike Regier — BC/C.-B.
● Mark Birdsell — BC/C.-B.
■ Michael Gerein — SK

Women's Team Air Rifle/Carabine équipe – Femmes
▲ Heather Donaldson/Angie Vermette — MB

● Tiffany Boon/Karol SK
  Ann Lamontagne
■ Cari Johnson/Jennifer Stovel BC/C.-B.

**Women's Team Air Pistol/
Pistolet équipe – Femmes**
▲ Stacey Flondra/Pam Posein AB
● Kristin Smith/Nicole Jans BC/C.-B.
■ Michelle Bickerton/ NB
  Leigh Ann Wheaton

**Women's Individual Air Pistol/
Pistolet individuel – Femmes**
▲ Rhonda Fleming NS/N.-É.
● Stacey Flundra AB
■ Kristin Smith BC/C.-B.

**Women's Individual Air Rifle/
Carabine individuelle – Femmes**
▲ Tiffany Boon SK
● Corey McDonald AB
■ Cari Johnson BC/C.-B.

1977
▲ C. Arscott/D. Breen/ ON
  M. Lewis/B. Robb/H. Saunders
● M. Adhloch/G. Dezelak/ PQ/Qc.
  L. Dubé/R. Robin/J.F. Sénécal/
  P. Vincent
■ R.N. Hartling/J.A. Mirdoch/ AB
  W. Richey/A.M. Sorensen/
  W. Sorensen

1973
▲ B. Pinney/B. Cheyne/ BC/C.-B.
  H. Larsen/B. Barnes/C. Brown
● E. Brown/K. Allen/P. Fortney/ AB
  R. Hobbs/C. Jackson
■ J. Incantalupo/J.C. Roy/ PQ/Qc.
  E. Warner/R. Zedwane/
  M.F. Bugnon

1967
**Team and Individual: Rifle/
Équipe et individuel – Carabine**
▲ F. Trace AB
●   ON *
■   PQ/Qc. *

**Team and Individual: Pistol/
Équipe et individuel – Pistolet**
▲ K. Elder MB
●   ON *
■   BC/C.-B. *

General/Général
▲ P.M. Golder/J. Paget/A. Lord/ ON
  D. Aiton/D. Aiton/T. Bisans/
  E. Mielsnen/R. Schulze/
  H. Weber/G. Found
● L. Hurst/J. Harrison/Q. Mar/ BC/C.-B.
  J. Lee/A. Tomsett/K. Chatt/
  B. Cheyne/C. Jahn/B. Shaw/
  R. McIlwaine
■ B. Airth/J. Clifford/J. Dewitte/ AB
  L. Smith/A. Weeks

C. Dahlstrom/R.E.G. Jackson/
R. Morton/A. Sorenson/F. Trac

Ski Jumping / Saut à skis

1975
▲ G. McMartin PQ/Qc.
● S. Desrochers ON
■ L. Cusson ON

1971
**Men's 50 M Individual/
50 M individuel – Hommes**
▲ P. Morris ON
● T. Reaper PQ/Qc.
■ P. Wilson ON

**Men's 50 M Team/
50 M équipe – Hommes**
▲   PQ/Qc.*
●   BC/C.-B.*
■   SK*

1967
Individual/Individuel
▲ J. Charland PQ/Qc.
● G. Gravel PQ/Qc.
■ M. Pelt PQ/Qc.

Team/Équipe
▲   PQ/Qc. *
●   ON *
■   AB *

Soccer

1989
Men/Hommes
▲ John Gouriotis/Jennison ON
  Watson/Domenico Giorgi/Glenn
  Goodman/Nigel Sparks/Patrick
  Sullivan/Giuseppe Corapi/Gary
  Deleon/Peter Gastis/Jorge
  Rodriguez/Darren Fernandes/
  Jeff Brown/Antonio Frederick/
  Carmello Sciortino/David
  Jeffries/Dana Peoples/
  Christopher Afonso
● Gennaro Angelillo/Philip PQ/Qc.
  Melo/Crescenzo Conte/
  Giuseppe Martucci/Franco
  Perrotta/Delduca Massimo/
  Denis Katravas/Dean Juliano/
  Jean-Marie Texteira/Robby
  Gasparini/Stephan Kennepohl/
  Philippe André Moreau/André
  Belotte/Flavio Iantomasi/George
  Papageorgopoulos/Stéphane
  Lequoc/John Pavlatos

■ Mark Junoven/Ronan O'Hagan/ MB
  Jeffery Peemoeller/Mario
  Audino/William Ezzard/Kevin
  Antonio/Derek Simpson/Russell
  Harder/Marcello Paolucci/Rob
  Gomercic/Nicola Sgambato/
  Brent Ward/Chittakone
  Lengsavath/Andrew King/
  Richard Duffy/Mark Arndt/
  Marno Olafson

1985
Men/Hommes
▲ Robert Biro/Salvatore AB
  Cammarata/Davor Domic/Curt
  Elchuk/David Hughes/Han Joo
  Kim/Dwayne Lang/Scott
  McGeogh/Maurice Morgan/
  Charles O'Toole/Giuseppe
  Parrotino/Roman Piekarczyk/
  Franco Saporito/Mario
  Sicolo/Dave Vriens/Paul
  Walters/Peter Wieninger
● Ethelbert Anthony/Paul PQ/Qc.
  Booth/Frank Cinque/Larry
  Corso/Daniel Courtois/Patrick
  Diotte/Rob Donaldson/Edouard
  Kilanowski/Wolfgang Rosner/
  Louis Konstantopoulos/Kurt
  Manal/Peter Rawlinson/Vince
  Teoli/Roldy Théodore/Jean-
  Robert Toussaint/Winsor
  Vertus/Frank Zitella
■ Seth Amoako/Dave Ashfield/ ON
  Loris Boiani/Steve Bramhall/
  Ernie Deluca/Steve Jansen/Billy
  Johnstone/Garry Morrow/Tom
  Panhuysen/Peter Roussis/Elmar
  Tannis/Cam Walker/Danny
  Wood/Marco Deluca/Ender
  Ebisiglu/Lyndon Hooper/
  Bobby Pretto

1981
Men/Hommes
▲   BC/C.-B.*
●   AB*
■   PQ/Qc.*

1977
Men/Hommes
▲ J. Attadia/I.C. Bridge/ BC/C.-B.
  E.R. Ciaccia/A.W. Ferguson/
  B.D. Gant/M.E. Hardy/
  B. McLeod/K.McKnight/
  B.P. Miller/G.J. Quilty/
  G. Reading/M. Skusek/
  M.G. Stein/D. Taylor/
  M.G.Templeton/D.H. Wellbourn/
  G.H. Wilson
● S. Atsaidis/N. Bradshaw/ PQ/Qc.
  G. Cornolo/R. Daigneault Jr./
  B. Decaire/C. Dubois/G. Gill/
  M.Powers/T. Koutsoukos/
  G. Lebuis/K. Lewis/P. Clarke/
  G. Morielli/J. Rivera/J. Takat/
  A. Vaccaro/P. Wallis

■ M. Achilleos/M. Burke/ ON
  N. Calabrese/C. Carey/
  P. D'Agostino/I. Davis/
  A. Dibenedetto/E. Dickson/
  E. Dipede/J. Djogovic/P. Epcoli/
  A. Dalfonso/D. Mescia/
  J. McLoughlin/R. Mueller/
  D. Palumbo/R. Westlake

1973
Men/Hommes
▲ G. Ayre/C. Bennet/K. Blank/ BC/C.-B.
  R. Bolitho/B. Budd/J. Connor/
  B. Christopher/T. Chursky/
  B. Gant/G. Hyne/D. Lomas/
  G. Manzini/D. Marshall/
  L. Passaglia/D. Samson/
  J. Sim/D. Wallace
● O. Arianello/C. Barbiere/ ON
  R. Barrell/F.F. Bazzul/J. Brand/
  C. Foster/K.I. Grant/D. Gray/
  V. Jonz/C. Marcantonio/
  J. McDonald/M. Ristich/
  P.J. Roe/C. Rose/E. Rose/
  F. Sauer/D.J. Senis
■ L.J.A. Vouriot/D.N. Kruk/ MB
  L.O. McIvor/G.R. Aubert/
  G.F. Gerlach/P. Kerr/
  C.W. McFall/G. Hildebrand/
  J.K. Beveridge/B. D'ambro/
  D.J. MacKenzie/W.D. Laurie/
  R.R. Westmacott/D. Sousa/
  I.C. Laurie/L.G. Oakes/M.R. Bern

1969
Men/Hommes
▲ J. Gardiner/G. Weber/ BC/C.-B.
  J. Ramsay/S. Lenarduzzi/
  T. Newman/D. Margerison/
  P. Arnett/S.Rogers/J. Hastings/
  R. Burkett/L. Louie/J. Langhorn/
  B. Young/D. Rosengran/
  P. Rigazzi
● J. Richardson/J. Richardson/ ON
  M. Cocking/S. Di Luca/
  J. Cirillo/B. Perri/M. Di Ianni/
  S. Dozzi/N. Pratas/J. Tearne/
  A. Duchart/D. Schiraldi/
  S. Coleman/W. Millar/F. Ceolin
■ R. Kerr/D. Rice/R. Howse/ NF/T.-N.
  E. Arnott/B. Wilkins/B. Murphy/
  J. Babstock/R. French/G.Reddy/
  B. Reddy/L. Davis/A. Giovannini/
  R. Lucas/D. Hodder/T. James

Softball

1989
Men/Hommes
▲ Bob Berg/Frank Cox/Tim Cox/ ON
  Craig Crawford/Craig Evans/
  Scott Evans/Bevin Flett/Andy

Jackson/Trevor Low/Randy
March/Richard Miaskowski/
David Rath/Ron White/Greg
Wight/Chris Williams
● Sylvain Allard/Claude Bernier/ PQ/Qc.
  Cory Cotnoir/Marco Dodier/
  Marco-Richard Dodier/Steve
  Garceau/Raynald Guay/Richard
  Jutras/Étienne Lessard/Patrick
  Marceau/Serge Paquet/Martin
  Proulx/Martin Racine/Patrice
  Robitaille/Alain St-Onge
■ Russell Barkman/Darcy MB
  Boguski/Brad Bouchard/Darren
  Brown/Blaine Campbell/Pat
  Chamberlin/Trevor Gesell/
  Nathan Giesbrecht/Jayson
  Hodgson/David Neufeld/Robert
  Olson/Kelly Pardoski/Paul
  Poirier/Trevor Salamondra/
  Edgar Stevenson

Women's/Femmes
▲ Roni-Ann Baechler/Denise ON
  Carrière/Cathy Durose/D. Marie
  Green/Michelle Gross/Stacy
  Halliday/Bonnie Matsubayashi/
  Michele McCaw/Laura Lee
  McCoy/Andrea Peters/Renee
  Sheldon/Julie Stevenson/
  Shannon Sturgeon/Shelayne
  Sturgeon/Colleen Thorburn
● Michelle Akizuki/Tammy BC/C.-B.
  Braithwaite/Judy D'Gal/Jackie
  Ellis/Laura Grabher/Janice
  Halls/Marnie Hill/Dallas
  Jorgenson/Katie Kynaston/
  Candace Murray/Kelly Parker/
  Shannon Sandberg/Casey
  Sauvé/Julie Winton/
  Kelley Wong
■ Tara Anderson/Brandi MB
  Chammartin/Charlene Chilton/
  Mikki Cochrane/Tracy
  Constable/Adriane Cote/Jennifer
  Gregg/Andrée Huberdeau/
  Candace Kolisnyk/Jody Lanyon/
  Sandra Newsham/Holly
  Reynolds/Jennifer Sager/
  Suzanne Trapp/Shelly Wood

1985
Women's/Femmes
▲ Elaine Devlin/Michelle Dupuis/ ON
  Gema Kramer/Angela Letterio/
  Holly Mair/Mary-Jo McCarthy/
  Lisa McLaren/Karen Miller/
  Jacqueline Oulahen/Kim
  Pedersen/Anne Prince/Adele
  Riley/Barb Snedden/Julie
  Starratt/Su-Anne Teepell/Karen
  Van GenteVoort/Cindy Higgs/
● Jolayne Anderson/Shelley AB
  Berube/Beth Davis/Jacqueline

Desilets/Lorri Doucette/Sheri
Erechook/Diane Fipke/Kelly
Griffith/Ruth Haire/Brenda
Head/Sharon Holubowich/Sherry
Lee/Carrie Lien/Patricia Pace/
Michele Patry/Jeralyn Waine/
Joanne Waine
■   NB*

1981
Men/Hommes
▲   NS/N.-É.*
●   ON*
■   SK*

1977
Men/Hommes
▲ S. Allard/R. Bergeron/ PQ/Qc
  C.A. Bowes/H. Brisson/
  C. Carufel/A. Chevalier/
  L. Daireaux/C. Dupéré/
  G. Gauthier/C. Hamel/S. Houle/
  L. Lamothe/C. Milette/J. Piché/
  C. Plante/M. Pouliot/C. Corcoran
● E.J. Davies/D.L. Goodwin/ BC/C.-B.
  D.A. Green/B. Higgs/
  K.A. Innes/J.C. Ronda/
  A.S. Lawrence/L. Lemessurier/
  L.M. McFadyen/C.A. Morgan/
  K.L. Olsen/G.L. Simpson/
  S.P.B. Sopel/S.A. Staples/
  L. Stephen/L.J. Stewart/
  J.M. Wong
■ L. Boyce/E.M. Bradley/ ON
  J. Carpenter/K. Cauley/
  D. D'Amico/ K. De Hoog/
  B.M. Deugo/P. Doucet/
  K J. Ferguson/S. Gibson/
  M. Grenon/P. Hogan/J. Lunney/
  M. McMonagle/C. McRae/
  L. Murdoch/B. Pilon

1973
Men/Hommes
▲ L. Berg/C. Bertsch/D.L. Dionne/ SK
  L. Fuller/C.E. Gervais/
  I.A. Glazier/P.A. Harrison/
  B. Mazurkewich/K. Messner/
  T.E. Nelson/M. O'Donnell/
  C. Rayburn/B.O. Skeoch/
  A.F. Tkachuck/S.V. Wright
● D. Blackstock/R. Clarkson/ BC/C.-B.
  W. Steeves/C. Burns/J. Crook/
  S. Ferguson/R. Fuller/
  J. Hunter/M. Longmore/
  S. Metcalf/J. Mick/F. Tuthill/
  C. Verdiel/D. Whittingham/
  D. Ross
■ F. Shaw/G.A. Greenlee/ AB
  S. Clark/S. MacDonald/
  T. Schofer/L. Martin/J. Miller/
  B. DeMagre/B. Jamieson/
  J. Brown/H. Swainson/
  N. Murphy/P. Johnstone/
  C. Hallgren/D. Gordon

1969

Men/Hommes
- ▲ T. Norris/B. Kochan/ — BC/C.-B.
  V. Moberg/J. Neufeld/
  B. Moberg/B. Carrick/
  D. Archibald/D. Lee/
  K. Campbell/F. Lepper/
  B. Adam/P. Depiesse/
  N. McLeod/B. McDonald
- ● R. Wright/R. March/ — ON
  W. Young/L. Marshall/
  H. Heydon/R. Davis/
  I. McNamee/J. Sneddon/
  P. Gibbens/P. Landers/
  P. Solomon/R. Solomon/
  P. Tilk/R. Burke/W.Cheeseman
- ■ P. Weston/P. Savinkoff/ — AB
  R. Sawatzky/H. Wankel/
  K. Savinkoff/T. McCool/K. Bell/
  O. Mailey/D. Craig/C. Powley/
  K. Chorney/J. McCool/
  L. Heath/K. Harrison

Women's/Femmes
- ▲ A. Best/H. Sedore/M. Harris/ — ON
  C. Fyfe/P. Hemingway/
  C. Parnell/D. McGraw/
  L. Messecar/I. Empey/
  H. Doberstein/P. Bomberry/
  C. Vaudry/J. Dibranon/L. Doyle
- ● A. Gathercole/J. Pittman/ — AB
  I. Karia/W. Carson/J. Leinweber/
  M. McKay/T. Diemert/
  B. MacNeil/H. Blackburn/
  D. Wazynick/S. Miller/
  B. Cumiford/C. Arctander/
  C. Wharren
- ■ J. Mathison/A. Dean/ — BC/C.-B.
  G. Archibald/C. McCarthy/
  M. Bostick/G. Gilmore/
  J. Robinson/A. Leigh/J. Schwab/
  G. Thomas/L. Wood/K. Fiedell/
  B. Sawchuck/D. Dewitt

Speed Skating
Patinage de vitesse

1991

Men's 3000 M Relay/
Relais 3000 M – Hommes
- ▲ — ON*
- ● — BC/C.-B.*
- ■ — PQ/Qc.*

Men's/Hommes 1500 M
- ▲ Derrick Campbell — ON
- ● Stephen Gough — NB
- ■ Patrick Sullivan — PQ/Qc.

Men's/Hommes 1000 M
- ▲ Derrick Campbell — ON
- ● Frédéric Tessier — PQ/Qc.
- ■ François Drolet — PQ/Qc.

Men's/Hommes 800 M
- ▲ Shawn Holman — ON
- ● Frédéric Tessier — PQ/Qc.
- ■ Dwayne Kraus — BC/C.-B.

Men's/Hommes 400 M
- ▲ Derrick Campbell — ON
- ● Frédéric Tessier — PQ/Qc.
- ■ Hughes LeClerc — PQ/Qc.

Men's 400 M Pursuit/
Poursuite 400 M – Hommes
- ▲ Shawn Holman — ON
- ● Derrick Campbell — ON
- ■ Kevin Marshall — BC/C.-B.

Women's 3000 M Relay/
Relais 3000 M – Femmes
- ▲ — PQ/Qc.*
- ● — ON*
- ■ — NB*

Women's/Femmes 1500 M
- ▲ Fanny Gougoux — PQ/Qc.
- ● Christine Boudrias — PQ/Qc.
- ■ Nathalie Beauvais — PQ/Qc.

Women's/Femmes 1000 M
- ▲ Fanny Gougoux — PQ/Qc.
- ● Christine Boudrias — PQ/Qc.
- ■ Nathalie Beauvais — PQ/Qc.

Women's/Femmes 800 M
- ▲ Fanny Gougoux — PQ/Qc.
- ● Christine Boudrias — PQ/Qc.
- ■ Sylvia Pryczek — PQ/Qc.

Women's/Femmes 400 M
- ▲ Nathalie Beauvais — PQ/Qc.
- ● Christine Boudrias — PQ/Qc.
- ■ Kathleen Jarosz — ON

Women's 400 M Pursuit/
Poursuite 400 M – Femmes
- ▲ Fanny Gougoux — PQ/Qc.
- ● Nathalie Beauvais — PQ/Qc.
- ■ Christine Boudrias — PQ/Qc.

1987

Men's 3000 M Relay/
Relais 3000 M – Hommes
- ▲ Marc Hamelin/Eric Pelletier/ — PQ/Qc.
  Roch Voyer/Laurent Daigneault
- ● Doug Comming/Sean Ireland/ — MB
  Joe Park/David Hildes
- ■ Neal Marshall/Kevin — BC/C.-B.
  Marshall/Jeff Kay/Jerome Fryer

Men's/Hommes 1500
- ▲ Éric Pelletier — PQ/Qc.
- ● Laurent Daigneault — PQ/Qc.
- ■ Mark Lackie — NB

Men's/Hommes 800 M
- ▲ Mark Lackie — NB
- ● Paul Evans — SK
- ■ Laurent Daigneault — PQ/Qc.

Men's/Hommes 400 M
- ▲ Laurent Daigneault — PQ/Qc.
- ● Roch Labelle — ON
- ■ Mark Lackie — NB

Men's/Hommes 1000 M
- ▲ Laurent Daigneault — PQ/Qc.
- ● Doug Cummings — MB
- ■ Tony Main — ON

Women's 3000 M Relay/
Relais 3000 M – Femmes
- ▲ Annie Perreault/Danielle — PQ/Qc.
  Gervais/Angela Cutrone/
  Cathy Morin
- ● Lisa Sablatash/Guylene — ON
  Rodrigue/Marlene Rodrigue/
  Heather Flett
- ■ Krista Lamboo/Stacey — MB
  Crockett/Tracey Leipsic/
  Kate Orlikow

Women's/Femmes 1500 M
- ▲ Krista Lamboo — MB
- ● Cathy Morin — PQ/Qc.
- ■ Nathalie Charest — PQ/Qc.

Women's/Femmes 800 M
- ▲ Annie Perreault — PQ/Qc.
- ● Angela Cutrone — PQ/Qc.
- ■ Catriona Lemay — SK

Women's/Femmes 400 M
- ▲ Annie Perreault — PQ/Qc.
- ● Catriona Lemay — SK
- ■ Daniele Gervais — PQ/Qc.

Women's/Femmes 1000 M
- ▲ Cathy Morin — PQ/Qc.
- ● Lisa Sablatash — ON
- ■ Angela Cutrone — PQ/Qc.

1983

Men's 500 M Outdoor/
500 M extérieur – Hommes
- ▲ Marcel Tremblay — PQ/Qc.
- ● Robert Tremblay — PQ/Qc.
- ■ François Grenier — PQ/Qc.

Men's 1500 M Outdoor/
1500 M extérieur – Hommes
- ▲ Robert Tremblay — PQ/Qc.
- ● Gordon Goplen — SK
- ■ Ken Nootebos — BC/C.-B.

Men's 3000 M Outdoor/
3000 M extérieur – Hommes
- ▲ Gordon Goplen — SK
- ● Robert Tremblay — PQ/Qc.
- ■ Ken Nootebos — BC/C.-B.

Men's 1000 M Indoor/
1000 M intérieur – Hommes
- ▲ Guy Thibeault — PQ/Qc.
- ● Benoît Lamarche — PQ/Qc.
- ■ Derek Auch — MB

Men's 400 M Pursuit/
Poursuite 400 M – Hommes
- ▲ Guy Thibeault — PQ/Qc.
- ● Michael Holmes — NB
- ■ Mark Lackie — NB

Men's 3000 M Relay/
Relais 3000 M – Hommes
- ▲ Robert Dubreuil/Benoît — PQ/Qc.
  Lamarche/Guy Thibeault
- ● Mark Lackie/Michael Murray/ — NB
  Michael Holmes
- ■ Tim Cooney/Steve Samek/ — SK
  M. Van Olst

Women's 500 M Outdoor/
500 M extérieur – Femmes
- ▲ Shelly Rhead — SK
- ● Nathalie Bourget — PQ/Qc.
- ■ Marg Stapley — MB

Women's 1000 M Outdoor/
1000 M extérieur – Femmes
- ▲ Chantal Côté — ON
- ● Ariane Loignon — PQ/Qc.
- ■ Shelly Rhead — SK

Women's 1500 M Outdoor/
1500 M extérieur – Femmes
- ▲ Chantal Côté — ON
- ● Ariane Loignon — PQ/Qc.
- ■ Nathalie Bourget — PQ/Qc.

Women's 800 M Indoor/
800 M intérieur – Femmes
- ▲ Susan Auch — MB
- ● Renée Dionne — PQ/Qc.
- ■ Marie-Pierre Lamarche — PQ/Qc.

Women's/Femmes 400 M
- ▲ Susan Auch — MB
- ● Tanis Crithley — SK
- ■ Nathalie Crevier — PQ/Qc.

Women's 3000 M Relay/
Relais 3000 M – Femmes
- ▲ Nathalie Crevier/Renée — PQ/Qc.
  Dionne/Marie-Pierre Lamarche
- ● Susan Auch/Brenda Clapham/ — MB
  Caren Loechner
- ■ Tanis Critchley/Catriona — SK
  Lemay/Lisa Hofer

1979

Men's/Hommes 500 M
- ▲ G. Kellett — SK
- ● J. Sallay — AB
- ■ P. Jamieson — ON

Men's/Hommes 1500 M
- ▲ J. Pichette — PQ/Qc.
- ● J. Brault — PQ/Qc.
- ■ B. Hudey — SK

Men's/Hommes 3000 M
- ▲ J. Pichette — PQ/Qc.
- ● M. Buss — MB
- ■ G. Paquin — PQ/Qc.

Men's/Hommes 5000 M
- ▲ J. Pichette — PQ/QC.
- ● G. Paquin — PQ/Qc.
- ■ M. Buss — MB

Men's Mass Start 1500 M/
1500 M départ en masse – Hommes
- ▲ M. Buss — MB
- ● J. Pichette — PQ/Qc.
- ■ W. Johnston — AB

Women's/Femmes 500 M
- ▲ S. Daigle — PQ/Qc.
- ● N. White — PE/Î.-P.-É.
- ■ S. Hicks — MB

Women's/Femmes 1000 M
- ▲ S. Daigle — PQ/Qc.
- ● N. White — PE/Î.-P.-É.
- ■ D. McMahon — AB

Women's/Femmes 1500 M
- ▲ S. Daigle — PQ/Qc.
- ● N. White — PE/Î.-P.-É.
- ■ A. Girard — PQ/Qc.

Women's/Femmes 3000 M
- ▲ N. White — PE/Î.-P.-É.
- ● A. Girard — PQ/Qc.
- ■ D. McMahon — AB

Women's Mass Start 1500 M/
1500 M départ en masse – Femmes
- ▲ S. Daigle — PQ/Qc.
- ● N. White — PE/Î.-P.-É.
- ■ D. McMahon — AB

1975

Men's/Hommes 500 M
- ▲ P. Guay — ON
- ● J. Johnson — MB
- ■ C. Webster — SK

Men's/Hommes 800 M
- ▲ D. Bumstead — BC/C.-B.
- ● S. Webster — SK
- ■ G. Goplen — SK

Men's/Hommes 1000 M
- ▲ D. Bumstead — BC/C.-B.
- ● P. Guay — ON
- ■ M. Heitman — AB

Men's 1500 M Mass Start/
1500 M départ en masse – Hommes
- ▲ P. Guay — ON
- ● S. Webster — SK
- ■ G. Goplen — SK

Men's/Hommes 1500 M
- ▲ G. Goplen — SK
- ● P. Guay — ON
- ■ M. Heitman — AB

Women's/Femmes 400 M
- ▲ K. Vogt — MB
- ● B. Johnston — MB
- ■ P. Durnin — MB

Women's/Femmes 500 M
- ▲ B. Johnston — MB
- ● P. Durnin — MB
- ■ S. Hicks — MB

Women's/Femmes 800 M
- ▲ B. Johnston — MB
- ● K. Vogt — MB
- ■ D. Caswell — SK

Women's/Femmes 1000 M
- ▲ P. Durnin — MB
- ● K. Vogt — MB
- ■ P. Hoch — ON

Women's 1500 M Mass Start/
1500 M départ en masse – Femmes
- ▲ P. Durnin — MB
- ● K. Vogt — MB
- ■ B. Johnston — MB

1971

Men's/Hommes 500 M
- ▲ R. McLeish — MB
- ● D. Coke — MB
- ■ T. Overend — BC/C.-B.

Men's/Hommes 800 M
- ▲ R. McLeish — MB
- ● G. Casson — ON
- ■ T. Overend — ON

Men's/Hommes 1000 M
- ▲ T. Overend — BC/C.-B.
- ● G. Casson — ON
- ■ D. Coke — MB

Men's/Hommes 1500 M
- ▲ G. Casson — ON
- ● M. Blouin — PQ/Qc.
- ■ R. McLeish — MB

Men's 1500 M Mass Start/
1500 M départ en masse – Hommes
- ▲ G. Casson — ON
- ● R. McLeish — MB
- ■ T. Overend — BC/C.-B.

Women's/Femmes 400 M
- ▲ C. Priestner — MB
- ● C. Carpenter — ON
- ■ J. Dietiker — ON

Women's/Femmes 500 M
- ▲ G. Gordon — MB
- ● C. Priestner — MB
- ■ J. Dietiker — ON

Women's/Femmes 800 M
- ▲ C. Carpenter — ON
- ● M. Wiles — BC/C.-B.
- ■ J. Dietiker — ON

Women's/Femmes 1000 M
- ▲ C. Carpenter — ON
- ● J. Dietiker — ON
- ■ C. Rey — MB

Women's 1500 M Mass Start/
1500 M départ en masse – Femmes
- ▲ G. Gordon — MB
- ● J. Dietiker — ON
- ■ C. Carpenter — ON

1967

Men's/Hommes 500 M
- ▲ R. Boucher — MB
- ● P. Williamson — MB
- ■ B. Hodges — SK

Men's/Hommes 1500 M
- ▲ P. Enoch — AB
- ● F. Ludke — AB
- ■ B. Hodges — SK

Men's/Hommes 3000 M
- ▲ P. Enoch — AB
- ● F. Ludke — AB
- ■ P. Williamson — MB

Men's/Hommes 5000 M
- ▲ P. Enoch — AB
- ● F. Ludke — AB
- ■ P. Zuibrycki — MB

Women's/Femmes 500 M
- ▲ D. McCannell — MB
- ● M. Parsons — AB
- ■ W. Thompson — MB

Women's/Femmes 1,000 M
- ▲ D. McCannell — MB
- ● N. Parsons — AB
- ■ C. Betker — MB

Women's/Femmes 1500 M
- ▲ D. McCannell — MB
- ● M. Parsons — AB
- ■ W. Thompson — MB

Women's/Femmes 3000 M
- ▲ D. McCannell — MB
- ● M. Parsons — AB
- ■ D. McCannell — MB

❄ **Squash**

1991

Men's Team/Équipe – Hommes
- ▲ Patrick Ryding/Duncan Peake/Ian Power/Taras Klymenko — ON
- ● Joey Forster/Stuart Skelton/Matthew Harley/Jeff Blumberg — BC/C.-B.
- ■ Gordon Baizley/Conrad Erb/Trevor Borland/Scott Murray — MB

Women's Team/Équipe – Femmes
- ▲ Tara Sharpe/Jo Thomas/Jan Wilson/Vicki Marrack — ON
- ● Anita Soni/Marnie Baizley/Sally Norgate/Sophie Metraux — MB
- ■ Karym Trombley/Katie Gustufson/Natasha Gordon/Sarina Head — BC/C.-B.

❄ **Swimming Natation**

1989

Men's 4X50 M Freestyle/
4X50 M nage libre – Hommes
- ▲ Erik Eide/Sean Baker/John Earle/Todd MacNeil — MB
- ● Jeff Welechuk/Ron Clark/David Bowie/Mark Phillips — AB
- ■ Ron Page/ Andrew Ross/Dave Higgins/Brett Regan — BC/C.-B.

Men's 4X100 M Freestyle/
4X100 M nage libre – Hommes
- ▲ Marc Daoust/Sebastien Goulet/Rick Cosgrove/Taras Pawlowsky — PQ/Qc.
- ● Erik Eide/Sean Baker/John Earle/Todd MacNeil — MB
- ■ Stan McLaurin/Baldev Ahluwalia/Chris Fenton/Derek De Jong — ON

Men's 4X200 M Freestyle/
4X200 M nage libre – Hommes
- ▲ Mark Phillips/Ron Clark/John Mohr/David Bowie — AB
- ● Stan McLaurin/Derek De Jong/Chris Fenton/Baldev Ahluwalia — ON
- ■ Taras Pawlowsky/Paul Deshaies/Sebastien Goulet/Marc Daoust — PQ/Qc.

Men's 4X100 M Medley/
Relais 4X100 M – Hommes
- ▲ Rick Cosgrove/Éric Chartre/Sébastien Goulet/Taras Pawlowsky — PQ/Qc.
- ● Stephen Hulford/Rodney Thomas/Andrew Boyd/Derek De Jong — ON
- ■ John Oram/Kelvin Mortimer/Ron Page/Andrew Ross — BC/C.-B.

Men's 100 M Backstroke/
100 M dos – Hommes
- ▲ Rick Cosgrove — PQ/Qc.
- ● John Oram — BC/C.-B.
- ■ Stephen Hulford — ON

Men's 200 M Backstroke/
200 M dos – Hommes
- ▲ Rick Cosgrove — PQ/Qc.
- ● Stephen Hulford — ON
- ■ Jason Pratt — AB

Men's 100 M Breaststroke/
100 M brasse – Hommes
- ▲ Rodney Thomas — ON
- ● Kelvin Mortimer — BC/C.-B.
- ■ Grey Fairley — ON

Men's 200 M Breaststroke/
200 M brasse – Hommes
- ▲ Rodney Thomas — ON
- ● Kelvin Mortimer — BC/C.-B.
- ■ Bryce Milsom — AB

Men's 100 M Butterfly/
100 M papillon – Hommes
- ▲ Sébastien Goulet — PQ/Qc.
- ● Tim Shneider — AB
- ■ Andrew Boyd — ON

Men's 200 M Butterfly/
200 M papillon – Hommes
- ▲ Paul Block — BC/C.-B.
- ● Jean-Pierre Côté — AB
- ■ John Mohr — AB

Men's 50 M Freestyle/
50 M nage libre – Hommes
- ▲ Erik Eide — MB
- ● Taras Pawlowsky — PQ/Qc.
- ■ Derek De Jong — ON

Men's 100 M Freestyle/
100 M nage libre – Hommes
- ▲ Derek De Jong — ON
- ● Mark Phillips — AB
- ■ Sébastien Goulet — PQ/Qc.

Men's 200 M Freestyle/
200 M nage libre – Hommes
- ▲ Mark Phillips — AB
- ● Brett Regan — BC/C.-B.
- ■ Ron Clark — AB

Men's 400 M Freestyle/
400 M nage libre – Hommes
- ▲ Paul Deshaies — PQ/Qc.
- ● Stan McLaurin — ON
- ■ Brett Regan — BC/C.-B.

Men's 200 M Individual Medley/
200 M nages individuelles – Hommes
- ▲ David Bowie — AB
- ● Grey Fairley — ON
- ■ Ron Watson — ON

Men's 400 M Individual Medley/
400 M nages individuelles – Hommes
- ▲ Jason Pratt — AB
- ● Jean-Pierre Côté — AB
- ■ Bernard Lapierre — PQ/Qc.

Women's 4X50 M Freestyle/
4X50 M nage libre – Femmes
- ▲ Gabriella Kuntz/Geneviève Paquette/Julie Barbeau/Patricia Levesque — PQ/Qc.
- ● Cindy Unruh/Karen Chow/Niki Dryden/Sharon Turner — BC/C.-B.
- ■ Brandee Alexander/Jill Lakusiak/Jennifer Crozier/Erin Murphy — MB

Women's 4X100 M Freestyle/
4X100 M nage libre – Femmes
- ▲ Gabriella Kuntz/Jennifer Hutchinson/Julie Barbeau/Patricia Levesque — PQ/Qc.
- ● Cindy Unruh/Karen Chow/Niki Dryden/Sharon Turner — BC/C.-B.
- ■ Jill Lakusiak/Brandee Alexander/Jennifer Crozier/Erin Murphy — MB

Women's 4X200 M Freestyle/
4X200 M nage libre – Femmes
- ▲ Julie Barbeau/Louise Venne/Geneviève Paquette/Jennifer Hutchinson — PQ/Qc.
- ● Erin Holland/Laura Pagnucco/Rose Vogelaar/Tara Seymour — AB
- ■ Andre Papamandjaris/Shelby Merritt/Kimberley Paton/Jocelyn Jay — ON

Women's 4X100 M Medley/
Relais 4X100 M – Femmes
- ▲ Geneviève Paquette/Chantal Pelland/Jennifer Hutchinson/Patricia Levesque — PQ/Qc.
- ● Niki Dryden/Carmen Boudreau/Catherine Schier/Sharon Turner — BC/C.-B.
- ■ Christine Harris/Lisa Flood/Elizabeth Hollihan/Kimberley Paton — ON

Women's 100 M Backstroke/
100 M dos – Femmes
- ▲ Niki Dryden — BC/C.-B.
- ● Geneviève Paquette — PQ/Qc.
- ■ Cindy Mabee — BC/C.-B.

Women's 200 M Backstroke/
200 M dos – Femmes
- ▲ Corinne Leidtke — BC/C.-B.
- ● Rebecca Glennie — ON
- ■ Rae Sears — NB

Women's 100 M Breaststroke/
100 M brasse – Femmes
- ▲ Marianne Limpert — NB
- ● Lisa Flood — ON
- ■ Chantal Pelland — PQ/Qc.

Women's 200 M Breaststroke/
200 M brasse – Femmes
- ▲ Lisa Flood — ON
- ● Tara Higgins — ON
- ■ Chantal Pelland — PQ/Qc.

Women's 100 M Butterfly/
100 M papillon – Femmes
- ▲ Jennifer Hutchinson — PQ/Qc.
- ● Elizabeth Hollihan — ON
- ■ Catherine Schier — BC/C.-B.

Women's 200 M Butterfly/
200 M papillon – Femmes
- ▲ Kristen Clark — SK
- ● Jennifer Hutchinson — PQ/Qc.
- ■ Catherine Schier — BC/C.-B.

Women's 50 M Freestyle/
50 M nage libre – Femmes
- ▲ Sharon Turner — BC/C.-B.
- ● Gabriella Kuntz — PQ/Qc.
- ■ Erin Murphy — MB

Women's 100 M Freestyle/
100 M nage libre – Femmes
- ▲ Erin Murphy — MB
- ● Sharon Turner — BC/C.-B.
- ■ Patricia Levesque — PQ/Qc.

Women's 200 M Freestyle/
200 M nage libre – Femmes
- ▲ Julie Barbeau — PQ/Qc.
- ● Kimberley Paton — ON
- ■ Erin Murphy — MB

Women's 400 M Freestyle/
400 M nage libre – Femmes
- ▲ Erin Holland — AB
- ● Jill Lakusiak — MB
- ■ Brigitte Davidson — ON

Women's 200 M Individual Medley/
200 M nages individuelles – Femmes
- ▲ Marianne Limpert — NB
- ● Jennifer Hutchinson — PQ/Qc.
- ■ Gail Lorentz — AB

Women's 400 M Individual Medley/
400 M nages individuelles – Femmes
- ▲ Tara Seymour — AB
- ● Kristen Clark — SK
- ■ Jocelyn Jay — ON

1985

Men's 200 M Freestyle/
200 M nage libre – Hommes
- ▲ Paul Szekula — PQ/Qc.
- ● Raymond Brown — ON
- ■ Scott Flowers — AB

Men's 100 M Back/100 M dos – Hommes
- ▲ Kevin Draxinger — BC/C.-B.
- ● Gary Anderson — ON
- ■ Mike Bushore — AB

Men's 200 M Butterfly/
200 M papillon – Hommes
- ▲ Mike Meldrum — AB
- ● Mike Gurzi — ON
- ■ Frédéric Chalut — PQ/Qc.

Men's 200 M Freestyle Relay/
Relais 200 M nage libre – Hommes
- ▲ Waring/Lightbody/Forsey/Stroyan — ON
- ● Henry/Goulet/Szekula/Dionne — PQ/Qc.
- ■ London/London/Delisle/Raafat — NB

Men's 100 M Breaststroke/
100 M brasse – Hommes
- ▲ Darcy Wallingford — ON
- ● Marco Carvazzoni — PQ/Qc.
- ■ Steve Verseghy — ON

Men's 400 M Individual Medley/
400 M quatre nages individuelles – Hommes
- ▲ Raymond Brown — ON
- ● Frédéric Chalut — PQ/Qc.
- ■ Mike Meldrum — AB

Men's 100 M Freestyle/
100 M nage libre – Hommes
- ▲ Tarek Raafat — NB
- ● François Dionne — PQ/Qc.
- ■ Steven Vandermeulen — BC/C.-B.

Men's 800 M Freestyle Relay/
Relais 800 M nage libre – Hommes

▲ Mork/Vandermeulen/ Williams/ Flowers — AB
● Wasylowich/McKinnon/ Lightbody/Brown — ON
■ Dionne/Cayouette/ Chalut/Szekula — PQ/Qc.

Men's 400 M Freestyle/
400 M nage libre – Hommes

▲ Scott Flowers — AB
● Brian Wasylowich — ON
■ Paul Szekula — PQ/Qc.

Men's 200 M Backstroke/
200 M dos – Hommes

▲ Kevin Draxinger — BC/C.-B.
● Gary Anderson — ON
■ Mike Bushore — AB

Men's 200 M Individual Medley/
200 M nages individuelles – Hommes

▲ Gary Anderson — ON
● Frédéric Chalut — PQ/Qc.
■ Mike Meldrum — AB

Men's 400 M Freestyle Relay/
Relais 400 M nage libre – Hommes

▲ Lightbody/McKinnon/ Forsey/ Stroyan — ON
● Mork/Williams/ Vandermeulen/Flowers — AB
■ Henry/Chalut/ Szekula/Dionne — PQ/Qc.

Men's 100 M Butterfly/
100 M papillon – Hommes

▲ Frédéric Chalut — PQ/Qc.
● Mike Gurzi — ON
■ Scott Flowers — AB

Men's 200 M Breaststroke/
200 M brasse – Hommes

▲ Darcy Wallingford — ON
● Glen Cairns — BC/C.-B.
■ Martin Tamme — PQ/Qc.

Men's 50 M Freestyle/
50 M nage libre – Hommes

▲ Steven Vandermeulen — BC/C.-B.
● Tarek Raafat — NB
■ Hébert Henry — PQ/Qc.

Men's 400 M Med. Relay/
Relais 400 M quatre nages individuelles – Hommes

▲ Anderson/Wallingford/ Gurzi/Stroyan — ON
● Draxinger/Cairns/ Vandermeulen/Skinde — BC/C.-B.
■ Bushore/Fedderson/ Flowers/Mork — AB

Women's 200 M Freestyle/
200 M nage libre – Femmes

▲ Patricia Noall — PQ/Qc.
● Lorraine Maisey — BC/C.-B.
■ Elisa Purvis — BC/C.-B.

Women's 100 M Backstroke/
100 M dos – Femmes

▲ Caroline Teskey — ON
● Manon Simard — PQ/Qc.
■ Robyn Gyrlevich — SK

Women's 200 M Butterfly/
200 M papillon – Femmes

▲ Sophie Dufour — PQ/Qc.
● Anne Taylor — AB
■ Linda Gardiner — ON

Women's 200 M Freestyle Relay/
Relais 200 M nage libre – Femmes

▲ Trempe/McLaren/ Higson/Schloegl — ON
● Rouleau/Noall/ Plante/Dufour — PQ/Qc.
■ Mayes/Byrne/ Roddie/Promislow — AB

Women's 400 M Individual Medley/
400 M quatre nages individuelles – Femmes

▲ Patricia Noall — PQ/Qc.
● Sara Frisby — BC/C.-B.
■ Linda Gardiner — ON

Women's 100 M Freestyle/
100 M nage libre – Femmes

▲ Sophie Dufour — PQ/Qc.
● Katherine Josey — PE/Î.-P.-É.
■ Andrea Schloegl — ON

Women's 100 M Breaststroke/
100 M brasse – Femmes

▲ Allison Higson — ON
● Krista Burris — NB
■ Geneviève Biron — PQ/Qc.

Women's 800 M Freestyle Relay/
Relais 800 M nage libre – Femmes

▲ Purvis/Marquardt/ Frisby/Maisey — BC/C.-B.
● Dufour/Ward/LeBrun/Noall — PQ/Qc.
■ Chmara/Smith/ Schloegl/Gardiner — ON

Women's 400 M Freestyle/
400 M nage libre – Femmes

▲ Sophie Dufour — PQ/Qc.
● Sara Frisby — BC/C.-B.
■ Elissa Purvis — BC/C.-B.

Women's 200 M Backstroke/
200 M dos – Femmes

▲ Caroline Teskey — ON
● Sophie Plante — PQ/Qc.
■ Janet McKetay — ON

Women's 200 M Individual Medley/
200 M quatre nages individuelles – Femmes

▲ Patricia Noall — PQ/Qc.
● Caroline Teskey — ON
■ Linda Gardiner — ON

Women's 400 M Freestyle Relay/
Relais 400 M nage libre – Femmes

▲ Trempe/McLaren/ Higson/ Schloegl — ON
● Noall/Lebrun/Plante/Dufour — PQ/Qc.
■ Sippola/Roddie/ Promislow/ Mayes — AB

Women's 100 M Butterfly/
100 M papillon – Femmes

▲ Ruth Horne — ON
● Anne Taylor — AB
■ Patricia Noall — PQ/Qc.

Women's 200 M Breaststroke/
200 M brasse – Femmes

▲ Allison Higson — ON
● Krista Burris — NB
■ Dina Demarchi — BC/C.-B.

Women's 50 M Freestyle/
50 M nage libre – Femmes

▲ Valerie McLean — ON
● Rhonda Mayes — AB
■ Chantal Rouleau — PQ/Qc.

Women's 400 M Medley Relay/
Relais 400 M quatre nages individuelles – Femmes

▲ Simard/Biron/Noall/Dufour — PQ/Qc.
● Mabee/DeMarchi/ Arandelovic/Maisey — BC/C.-B.
■ Daigle/Burris/Roberts/Seagrave — NB

1981

Men's 50 M Freestyle/
50 M nage libre – Hommes

▲ L. St. Laurent — PQ/Qc.
● D. Churchill — ON
■ B. Hicken — ON

Men's 100 M Freestyle/
100 M nage libre – Hommes

▲ J. Sheehan — AB
● B. Ansell — AB
■ W. Kelly — BC/C.-B.

Men's 200 M Freestyle/
200 M nage libre – Hommes

▲ B. Ansell — AB
● W. Kelly — BC/C.-B.
■ C. Daly — NF/T.-N.

Men's 400 M Freestyle/
400 M nage libre – Hommes

▲ S. Hayward — ON
● P. Blanchard — PQ/Qc.
■ K. Stapleton — BC/C.-B.

Men's 1500 M Freestyle/
1500 M nage libre – Hommes

▲ S. Hayward — ON
● A. Théoret — PQ/Qc.
■ S. Esau — AB

Men's 200 M Freestyle Relay/
Relais 200 M nage libre – Hommes

▲ — AB*
● — BC/C.-B.*
■ — ON*

Men's 400 M Freestyle Relay/
Relais 400 M nage libre – Hommes

▲ — AB*
● — BC/C.-B.*
■ — ON*

Men's 800 M Freestyle Relay/
Relais 800 M nage libre – Hommes

▲ — AB*
● — BC/C.-B.*
■ — ON*

Men's 100 M Backstroke/
100 M dos – Hommes

▲ D. Banman — AB
● S. Witton — ON
■ E. Salac — ON

Men's 200 M Backstroke/
200 M dos – Hommes

▲ D. Banman — AB
● J. Quimond — PQ/Qc.
■ S. Witton — ON

Men's 100 M Butterfly/
100 M papillon – Hommes

▲ D. Churchill — ON
● J. Lyall — ON
■ B. Ansell — AB

Men's 200 M Butterfly/
200 M papillon – Hommes

▲ S. Esau — AB
● D. Churchill — ON
■ B. L'Heureux — PQ/Qc.

Men's 100 M Breaststroke/
100 M brasse – Hommes

▲ A. Cole — NS/N.-É.
● P. Crehan — PQ/Qc.
■ T. Gray — ON

Men's 200 M Breaststroke/
200 M brasse – Hommes

▲ P. Crehan — PQ/Qc.
● R. Chernoff — SK
■ A. Cole — NS/N.-É.

Men's 200 M Individual Medley/
200 M quatre nages individuelles – Hommes

▲ J. Sheehan — AB
● D. Town — ON
■ S. Smith — AB

Men's 400 M Individual Medley/
400 M quatre nages individuelles – Hommes

▲ D. Town — ON
● D. Banman — AB
■ A. Wallingford — ON

Men's 400 M Medley Relay/
Relais 400 M quatre nages – Hommes

▲ — ON*
● — PQ/Qc.*
■ — AB*

Women's 50 M Freestyle/
50 M nage libre – Femmes

▲ P. Rai — BC/C.-B.
● C. Griffin — ON
■ J. Campbell — ON

Women's 100 M Freestyle/
100 M nage libre – Femmes

▲ J. Campbell — ON
● R. Thomasson — BC/C.-B.
■ L. Sanders — PQ/Qc.

Women's 200 M Freestyle/
200 M nage libre – Femmes

▲ C. McArton — ON
● J. Daigneault — PQ/Qc.
■ K. Bald — ON

Women's 400 M Freestyle/
400 M nage libre – Femmes

▲ C. McArton — ON
● K. Ward — PQ/Qc.
■ B. Beatty — SK

Women's 800 M Freestyle/
800 M nage libre – Femmes

▲ C. McArton — ON
● B. Beatty — SK
■ S. Honour — SK

Women's 200 M Freestyle Relay/
Relais 200 M nage libre – Femmes

▲ — ON*
● — BC/C.-B.*
■ — PQ/Qc.*

Women's 400 M Freestyle Relay/
Relais 400 M nage libre – Femmes

▲ — ON*
● — PQ/Qc.*
■ — BC/C.-B.*

Women's 800 M Freestyle Relay/
Relais 800 M nage libre – Femmes

▲ — ON*
● — PQ/Qc.*
■ — BC/C.-B.*

Women's 100 M Backstroke/
100 M dos – Femmes

▲ J. Campbell — ON
● B. McBain — BC/C.-B.
■ R. Abdo — ON

Women's 200 M Backstroke/
200 M dos – Femmes

▲ J. Campbell — ON
● R. Abdo — ON
■ L. Dixon — AB

Women's 100 M Butterfly/
100 M papillon – Femmes

▲ M. MacPherson — ON
● P. Rai — BC/C.-B.
■ K. Doolan — ON

Women's 200 M Butterfly/
200 M papillon – Femmes

▲ M. MacPherson — ON
● C. Venne — PQ/Qc.
■ K. Stafford — BC/C.-B.

Women's 100 M Breaststroke/
100 M brasse – Femmes

▲ A. Ottenbrite — ON
● K. Bald — ON
■ B. Tymko — AB

Women's 200 M Breaststroke/
200 M brasse – Femmes

▲ A. Ottenbrite — ON
● T. Balkwill — ON
■ K. Austin — BC/C.-B.

Women's 200 M Individual Medley/
200 M quatre nages individuelles – Femmes

▲ K. Bald — ON
● L. Dixon — AB
■ K. Vendette — ON

Women's 400 M Individual Medley/
400 M quatre nages individuelles – Femmes

▲ M. MacPherson — ON
● J. Campbell — ON
■ B. Beatty — SK

Women's 400 M Medley Relay/
400 M relais quatre nages – Femmes
- ▲ ON*
- ● BC/C.-B.*
- ■ PQ/Qc.*

1977

Men's 50 M Freestyle/
50 M nage libre – Hommes
- ▲ S. Ballantyne — BC/C.-B.
- ● A. Swanson — ON
- ■ D. McNeill — AB

Men's 100 M Freestyle/
100 M nage libre – Hommes
- ▲ P. Szmidt — PQ/Qc.
- ● C. Erickson — BC/C.-B.
- ■ G. Welbourne — PQ/Qc.

Men's 200 M Freestyle/
200 M nage libre – Hommes
- ▲ P. Szmidt — PQ/Qc.
- ● C. Erickson — BC/C.-B.
- ■ D. Dean — SK

Men's 400 M Freestyle/
400 M nage libre – Hommes
- ▲ P. Szmidt — PQ/Qc.
- ● D. Dean — SK
- ■ D. Corcoran — ON

Men's 100 M Backstroke/
100 M dos – Hommes
- ▲ D. Rogers — ON
- ● J. Tapp — ON
- ■ E. Flemons — BC/C.-B.

Men's 200 M Backstroke/
200 M dos – Hommes
- ▲ D. Rogers — ON
- ● W. Flemons — BC/C.-B.
- ■ J. Powers — PQ/Qc.

Men's 100 M Butterfly/
100 M papillon – Hommes
- ▲ Francis Skulsky — AB
- ● Gregory Hemstreet — ON
- ■ Danny Monfette — PQ/Qc.

Men's 200 M Butterfly/
200 M papillon – Hommes
- ▲ B. Tucker — NF/T.-N.
- ● G. Hemstreet — ON
- ■ D. Monfette — PQ/Qc.

Men's 100 M Breaststroke/
100 M brasse – Hommes
- ▲ D. Miller — ON
- ● G. Wurzback — PQ/Qc.
- ■ G. Luke — NS/N.-É.

Men's 200 M Breaststroke/
200 M brasse – Hommes
- ▲ Gregory Wurzbach — PQ/Qc.
- ● Steve Sproule — ON
- ■ Gareth Luke — NS/N.-É.

Men's 100 M Individual Medley/
100 M quatre nages
individuelles – Hommes
- ▲ S. Sproule — ON
- ● P. Szmidt — PQ/Qc.
- ■ R. Grunderson — BC/C.-B.

Men's 200 M Individual Medley/
200 M quatre nages
individuelles – Hommes
- ▲ C. Erickson — BC/C.-B.
- ● S. Sproule — ON
- ■ P. Rodeghiero — ON

Men's 200 M Freestyle Relay/
Relais 200 M nage libre – Hommes
- ▲ G. Welbourn/D. DuFour/ — PQ/Qc.
   P. Abraham/J. Houde
- ● D. Rogers/A. Swanston/ — ON
   J. Tapp/B. Young
- ■ D. McNeill/R. Neilsen/ — AB
   C. Marney/D. Freigang

Men's 400 M Freestyle Relay/
Relais 400 M nage libre – Hommes
- ▲ S. Ballantyne/R.Grunderson/ — BC/C.-B.
   M. Price/C. Erickson
- ● D. Rogers/A. Swanston/ — ON
   J. Tapp/D. Corcoran
- ■ D. Freigang/C. Marney/ — AB
   S. Smith/D. McNeill

Men's 800 M Freestyle Relay/
Relais 800 M nage libre – Hommes
- ▲ J. LeMay/D. DuFour/ — PQ/Qc.
   P. Abraham/P. Szmidt
- ● C. Erickson/R. Grunderson/ — BC/C.-B.
   R. Baylis/B. Smith
- ■ B. Bevan/D. Corcoran/ — ON
   B. Young/G. Samuel

Women's 50 M Freestyle/
50 M nage libre – Femmes
- ▲ J. Malloy — ON
- ● C. Klimpel — ON
- ■ D. Daigneault — PQ/Qc.

Women's 100 M Freestyle/
100 M nage libre – Femmes
- ▲ J. Malloy — ON
- ● S. Allen — AB
- ■ C. Klimpel — ON

Women's 200 M Freestyle/
200 M nage libre – Femmes
- ▲ S. Allen — AB
- ● S. Mason — NS/N.-É.
- ■ J. Boulianne — PQ/Qc.

Women's 400 M Freestyle/
400 M nage libre – Femmes
- ▲ S. Mason — NS/N.-É.
- ● L. Parks — ON
- ■ L. Matheson — SK

Women's 800 M Freestyle/
800 M nage libre – Femmes
- ▲ S. Mason — NS/N.-É.
- ● L. Parks — ON
- ■ C. Degrout — AB

Women's 100 M Backstroke/
100 M dos – Femmes
- ▲ L. Daigneault — PQ/Qc.
- ● J. Boulianne — PQ/Qc.
- ■ C. Sheehan — AB

Women's 200 M Backstroke/
200 M dos – Femmes
- ▲ J. Boulianne — PQ/Qc.
- ● S. Kwasny — ON
- ■ N. Nolan — BC/C.-B.

Women's 100 M Butterfly/
100 M papillon – Femmes
- ▲ L. O'Hara — ON
- ● D. Armstead — AB
- ■ T. Mazur — MB

Women's 200 M Butterfly/
200 M papillon – Femmes
- ▲ S. Mason — NS/N.-É.
- ● L. O'Hara — ON
- ■ M. Coulombe — PQ/Qc.

Women's 100 M Breaststroke/
100 M brasse – Femmes
- ▲ S. Dezeeuw — ON
- ● M.C. Beauchemin — PQ/Qc.
- ■ L. Corbella — BC/C.-B.

Women's 200 M Breaststroke/
200 M brasse – Femmes
- ▲ S. Dezeeuw — ON
- ● L. Corbella — BC/C.-B.
- ■ S. Allen — AB

Women's 200 M Individual Medley/
200 M quatre nages
individuelles – Femmes
- ▲ J. Malloy — ON
- ● L. Corbella — BC/C.-B.
- ■ S. Kwasny — ON

Women's 400 M Individual Medley/
400 M quatre nages
individuelles – Femmes
- ▲ J. McPhee — ON
- ● J. Boulianne — PQ/Qc.
- ■ S. Mason — NS/N.-É.

Women's 400 M Medley Relay/
Relais 400 M quatre nages
- ▲ L. Daigneault/M. Coulombe/ — PQ/Qc.
   M. Beauchemin/J. Boulianne
- ● S. Kwasny/J. Malloy/ — ON
   S. Dezeeuw/L. O'Hara
- ■ N. Nolan/V. Whyte/ — BC/C.-B.
   L. Corbella/S. Ramsell

Women's 400 M Freestyle Relay/
Relais 400 M nage libre – Femmes
- ▲ K. Bald/K. Kissick/ — ON
   C. Klimpel/J. Malloy
- ● H. Borner/L. Daigneault/ — PQ/Qc.
   J. Boulianne/M. Beauchemin
- ■ N. Nolan/R. Thomasson/ — BC/C.-B.
   L. Corbella/S. Ramsell

Women's 800 M Freestyle Relay/
Relais 800 M nage libre – Femmes
- ▲ L. Parks/P. Parris/J. Malloy/ — ON
   B. Carmichael
- ● M. Beattie/S. McGavin/ — MB
   V. Wells/M. Sacher
- ■ L. Davis/M. Coulombe/ — PQ/Qc.
   H. Borner/J. Boulianne

1973

Men's 50 M Freestyle/
50 M nage libre – Hommes
- ▲ R. Zajchowski — PQ/Qc.
- ● G. Steplock — ON
- ■ G. MacDonald — BC/C.-B.

Men's 100 M Freestyle/
100 M nage libre – Hommes
- ▲ R. Zajchowski — PQ/Qc.
- ● K. Olson — SK
- ■ B. Foster — AB

Men's 200 M Freestyle/
200 M nage libre – Hommes
- ▲ P. McCloskey — AB
- ● M. Kerr — BC/C.-B.
- ■ R. Duncan — BC/C.-B.

Men's 400 M Freestyle/
400 M nage libre – Hommes
- ▲ M. Kerr — BC/C.-B.
- ● J. Fowlie — BC/C.-B.
- ■ B. Rogers — ON

Men's 1500 M Freestyle/
1500 M nage libre – Hommes
- ▲ M. Kerr — BC/C.-B.
- ● B. Rogers — ON
- ■ G. Nagy — ON

Men's 100 M Backstroke/
100 M dos – Hommes
- ▲ S. Pickell — BC/C.-B.
- ● D. Hogg — BC/C.-B.
- ■ R.A. Frame — ON

Men's 200 M Backstroke/
200 M dos – Hommes
- ▲ S. Pickell — BC/C.-B.
- ● D. Lowe — AB
- ■ G. Gross — ON

Men's 100 M Butterfly/
100 M papillon – Hommes
- ▲ R. Duncan — BC/C.-B.
- ● J. Van Buren — BC/C.-B.
- ■ D. Martin — ON

Men's 200 M Butterfly/
200 M papillon – Hommes
- ▲ D. Martin — ON
- ● B. Rogers — ON
- ■ J. Van Buren — BC/C.-B.

Men's 100 M Breaststroke/
100 M brasse – Hommes
- ▲ M. Zajac — BC/C.-B.
- ● G. Smith — AB
- ■ D. Heinbuch — ON

Men's 200 M Breaststroke/
200 M brasse – Hommes
- ▲ M. Zajac — BC/C.-B.
- ● D. Heinbuch — ON
- ■ G. Smith — AB

Men's 200 M Individual Medley/
200 M quatre nages
individuelles – Hommes
- ▲ B. Shirley — BC/C.-B.
- ● J. Van Buren — BC/C.-B.
- ■ W. Woodley — ON

Men's 400 M Individual Medley/
400 M quatre nages
individuelles – Hommes
- ▲ G. MacDonald — BC/C.-B.
- ● J. Fowlie — BC/C.-B.
- ■ G. Gross — ON

Men's 400 M Medley Relay/
Relais 400 M quatre nages – Hommes
- ▲ BC/C.-B.*
- ● ON*
- ■ AB*

Men's 200 M Freestyle Relay/
Relais 200 M nage libre – Hommes
- ▲ BC/C.-B.*
- ● PQ/Qc.*
- ■ AB*

Men's 400 M Freestyle Relay/
Relais 400 M nage libre – Hommes
- ▲ BC/C.-B.*
- ● AB*
- ■ ON*

Men's 800 M Freestyle Relay/
Relais 800 M nage libre – Hommes
- ▲ BC/C.-B.*
- ● AB*
- ■ ON*

Women's 50 M Freestyle/
50 M nage libre – Femmes
- ▲ G.A. Amundrud — ON
- ● J. Quirk — PQ/Qc.
- ■ A. Kerr — MB

Women's 100 M Freestyle/
100 M nage libre – Femmes
- ▲ G. Amundrud — ON
- ● A. Kerr — MB
- ■ B. Clark — AB

Women's 200 M Freestyle/
200 M nage libre – Femmes
- ▲ G. Amundrud — ON
- ● W. Quirk — PQ/Qc.
- ■ B. Bourke — BC/C.-B.

Women's 400 M Freestyle/
400 M nage libre – Femmes
- ▲ W. Quirk — PQ/Qc.
- ● C. Price — AB
- ■ A. Decter — MB

Women's 800 M Freestyle/
800 M nage libre – Femmes
- ▲ W. Quirk — PQ/Qc.
- ● A.M. Latta — ON
- ■ B. Bourke — BC/C.-B.

Women's 100 M Backstroke/
100 M dos – Femmes
- ▲ B. Smith — AB
- ● M. Hartnell — BC/C.-B.
- ■ L. Chanard — PQ/Qc.

Women's 200 M Backstroke/
200 M dos – Femmes
- ▲ M. Hartnell — BC/C.-B.
- ● W. DePape — MB
- ■ B. Clark — AB

Women's 100 M Butterfly/
100 M papillon – Femmes
- ▲ B. Clark — AB
- ● J. Bonner — ON
- ■ L. Purdy — AB

Women's 200 M Butterfly/
200 M papillon – Femmes
- ▲ K. Nelson — AB
- ● J. DePape — MB
- ■ F. Latendresse — PQ/Qc.

Women's 100 M Breaststroke/
100 M brasse – Femmes
▲ S. Deschamps — PQ/Qc.
● K. Wimbush — ON
■ S. Seath — AB

Women's 200 M Breaststroke/
200 M brasse – Femmes
▲ S. Deschamps — PQ/Qc.
● W. Crane — MB
■ S. Seath — AB

Women's 200 M Individual Medley/
200 M quatre nages
individuelles – Femmes
▲ B. Smith — AB
● M. Dancy — ON
■ S. Deschamps — PQ/Qc.

Women's 400 M Individual Medley/
400 M quatre nages
individuelles – Femmes
▲ B. Smith — AB
● M. Dancy — ON
■ K. Nelson — AB

Women's 400 M Medley Relay/
Relais 400 M quatre nages – Femmes
▲ AB*
● MB*
■ ON*

Women's 200 M Freestyle Relay/
Relais 200 M nage libre – Femmes
▲ PQ/Qc.*
● AB*
■ MB*

Women's 400 M Freestyle Relay/
Relais 400 M nage libre – Femmes
▲ AB*
● ON*
■ PQ/Qc.*

Women's 800 M Freestyle Relay/
Relais 800 M nage libre – Femmes
▲ ON*
● PQ/Qc.*
■ BC/C.-B.*

1969

Men's 100 M Freestyle/
100 M nage libre – Hommes
▲ R. Hutton — BC/C.-B.
● C. Carson — ON
■ A. Fedko — ON

Men's 200 M Freestyle/
200 M nage libre – Hommes
▲ B. Casting — AB
● R. Jacks — BC/C.-B.
■ C. Carson — ON

Men's 400 M Freestyle/
400 M nage libre – Hommes
▲ R. Jacks — BC/C.-B.
● D. Buckboro — AB
■ P. Harrower — BC/C.-B.

Men's 100 M Backstroke/
100 M dos – Hommes
▲ B. Kennedy — ON
● B. Storey — AB
■ D. Hogg — PQ/Qc.

Men's 200 M Backstroke/
200 M dos – Hommes
▲ B. Kennedy — ON
● J. Haws — PQ/Qc.
■ B. Storey — AB

Men's 100 M Butterfly/
100 M papillon – Hommes
▲ G. Smith — AB
● R. Hutton — BC/C.-B.
■ A. Fedko — ON

Men's 200 M Butterfly/
200 M papillon – Hommes
▲ R. Jacks — BC/C.-B.
● S. Roxborough — BC/C.-B.
■ B. Walker — ON

Men's 100 M Breaststroke/
100 M brasse – Hommes
▲ B. Mahoney — BC/C.-B.
● M. Whitaker — AB
■ P. Cross — PQ/Qc.

Men's 200 M Breaststroke/
200 M brasse – Hommes
▲ B. Mahoney — BC/C. – B.
● M. Whitaker — AB
■ P. Cross — PQ/Qc.

Men's 200 M Individual Medley/
200 M quatre nages
individuelles – Hommes
▲ G. Smith — AB
● K. Campbell — BC/C.-B.
■ B. Storey — AB

Men's 400 M Individual Medley/
400 M quatre nages
individuelles – Hommes
▲ G. Smith — AB
● B. O'Sullivan — BC/C.-B.
■ P. Harrower — BC/C.-B.

Men's 400 M Medley Relay/
Relais 400 M quatre nages – Hommes
▲ R. Hutton/B. Mahoney/ R. Jacks/K. Campbell — BC/C.-B.
● B. Storey/M. Whitaker/ E. Fish/G. Smith — AB
■ B. Kennedy/K. Fowler/ A. Fedko/C. Carson — ON

Men's 400 M Freestyle Relay/
Relais 400 M nage libre – Hommes
▲ M. Guiness/B. Kennedy/ A. Fedko/C. Carson — ON
● B. O'Sullivan/R. Jacks/ S. Roxborough/R. Hutton — BC/C.-B.
■ B. Storey/E. Manning/ D. Jamieson/G. Smith — AB

Men's 800 M Freestyle Relay/
Relais 800 M nage libre – Hommes
▲ R. Hutton/P. Harrower/ K. Campbell/R. Jacks — BC/C.-B.
● E. Manning/D. Buckboro/ B. Storey/G. Smith — AB
■ M. Guiness/G. Gross/ A. Fedko/C. Carson — ON

Women's 100 M Freestyle/
100 M nage libre – Femmes
▲ A. Coughlan — ON
● S. Smith — AB
■ K. James — BC/C.-B.

Women's 200 M Freestyle/
200 M nage libre – Femmes
▲ A. Coughlan — ON
● K. James — BC/C.-B.
■ A. Henderson — MB

Women's 400 M Freestyle/
400 M nage libre – Femmes
▲ A. Coughlan — ON
● L. Cliff — BC/C.-B.
■ A. Henderson — MB

Women's 100 M Backstroke/
100 M dos – Femmes
▲ D. Gurr — BC/C.-B.
● A. Walton — MB
■ D. Wood — ON

Women's 200 M Backstroke/
200 M dos – Femmes
▲ D. Gurr — BC/C.-B.
● J. Warren — BC/C.-B.
■ S. Smith — AB

Women's 100 M Butterfly/
100 M papillon – Femmes
▲ S. Smith — AB
● L. Booth — ON
■ A.M. Pepe — BC/C.-B.

Women's 200 M Butterfly/
200 M papillon – Femmes
▲ J. Warren — BC/C.-B.
● L. Booth — ON
■ C. Smith — BC/C.-B.

Women's 100 M Breaststroke/
100 M brasse – Femmes
▲ J. Wright — ON
● S. Dockerill — BC/C.-B.
■ R. Pepe — BC/C.-B.

Women's 200 M Breaststroke/
200 M brasse – Femmes
▲ J. Wright — ON
● S. Dockerill — BC/C.-B.
■ R. Pepe — BC/C.-B.

Women's 200 M Individual Medley/
200 M quatre nages
individuelles – Femmes
▲ D. Gurr — BC/C.-B.
● M. Nelson — SK
■ K. James — BC/C.-B.

Women's 400 M Individual Medley/
400 M quatre nages
individuelles – Femmes
▲ J. Warren — BC/C.-B.
● S. Smith — AB
■ J. Wright — ON

Women's 400 M Medley Relay/
Relais 400 M quatre nages – Femmes
▲ D. Wood/J. Wright/ L. Booth/A. Coughlan — ON
● D. Gurr/S. Dockerill/ J. Warren/K. James — BC/C.-B.
■ S. Smith/P. Swart/ S. Smith/M. Carmody — AB

Women's 400 M Freestyle Relay/
Relais 400 M nage libre – Femmes
▲ S. Roulston/J. Warren/ K. James/D. Gurr — BC/C.-B.
● J. Wright/D. Fitzgerald/ L. Booth/A. Coughlan — ON
■ S. Smith/K. Cassidy/ M. Carmody/S. Smith — AB

Women's 800 M Freestyle Relay/
Relais 800 M nage libre – Femmes
▲ K. James/D. Gurr/ J. Warren/L. Cliff — BC/C.-B.
● D. Fitzgerald/A. Bays/ J. Wright/A. Coughlan — ON
■ S. Smith/K. Cassidy/ M. Carmody/S. Smith — AB

❄ 〰 **Synchronized Swimming**
Nage synchronisée

1991
Group/Groupe
▲ Lesley Ahara/Jill Barranger/ Janice Bremner/Martha Derry/ Cathy Maloney/Lesley Short/ Sheri Walter/Erin Woodley — ON

● Tina Ackermans/Jacinthe Brown/Nancy Doré/Sylvie Dumaine/Kathy Kusel/Jennifer Langlois/Isabelle McCann/ Cathy Wilby — PQ/Qc.
■ Lianne Cameron/Kate Fawcett/ Corinne Keddie/Ellen Kenny/ Allison MacQueen/Mary Joy Manning/Lisa Patterson/ Jan Robinson — AB

Duet/Duo
▲ Janice Bremner/Erin Woodley — ON
● Nancy Doré/Sylvie DuMaine — PQ/Qc.
■ Mary Joy Manning/ Jan Robinson — AB

Solo
▲ Erin Woodley — ON
● Nancy Doré — PQ/Qc.
■ Mary Joy Manning — AB

1987
Group/Groupe
▲ Julie Audet/Chantal Bédard/ Élaine Bellavance/Myriam Blais/Maria-Teresa Neumann/ Hélène Normand/Guylaine Richard/Paula Richard/Anne Rivard/Leah Ticktin/ Chantal Vallières — PQ/Qc.
● Kris Harley/Colleen Harvey/ Heather Johnston/Andrea Manning/Avryll Manning/ Carolyn Meraw/Jennifer Patterson/Nadine Pwolousky/ Cari Read/Jennifer Ringrose/ Melinda Ringrose — AB
■ Annie Brisbois/Andrea Brown/Michelle Butler/Karen Clark/Keri Clossan/Carrie Deguerre/Kim Dunn/Kelly Hogan/Lee-Ann Humby/Deana Inglis/Stephanie Smyth — ON

Duet/Duo
▲ Hélène Normand/Myriam Blais — PQ/Qc.
● Kris Harley/Cari Read — AB
■ Karen Clark/Keri Clossan — ON

Solo
▲ Heather Johnston — AB
● Myriam Blais — PQ/Qc.
■ Karen Clark — ON

1983
Solo
▲ Jennifer Land — MB
● Grey Heather — AB
■ Nancy Jackson — ON

Duet/Duo
▲ Marie Cameron/Tammi McNeil — AB
● Nancy Jackson/Victoria Howard — ON
■ Jennifer Land/Stephanie Alward — MB

Group/Groupe
▲ Marie Cameron/Tammi McNeil/ Heather Grey/Lisa Patterson/ Irene Vanderpyl/Tracy Hirsh/ Karen Sribney/Michelle Hossfeld/Cheryl Teel/Kim Seville — AB
● Lisa Alexander/Jennifer Black/ Louise Brisebois/Cathy Clark/ Susan Hainsworth/Victoria Howard/Sandra Inglis/Nancy Jackson/Cheryl Nicholson/Karen Robitaille/Jill Natuck — ON
■ Teresa Allen/Katherine Bishop/Lynn Dilley/Kathy Glen/Joy Harrison/Linda Jeaggle/Christine Larsen/Kathy Gill/Charlene Davies/Lee Ann McGhie/Pevon Gill — BC/C.-B.

1979
Solo
▲ P. Vilagos — PQ/Qc.
● B.A. Brennard — ON
■ S. Clarke — AB

Duet/Duo
▲ P. Vilagos/V. Vilagos — PQ/Qc.
● M. White/M. Mountjoy — ON
■ A. Arnold/J. Gruber — BC/C.-B.

Group/Groupe
▲ Monique Bureau/Manon Côté/Helen Dion/Carolyn Ellis/Kathleen Giguère/Anne Hébert/Nancy MacDermott/ Louise Perreault — PQ/Qc.
● Sharon Hambrook/Erin Todd/ Tracey Tellam/Suzy Moody/ Janet Kennedy/Myrna Hermanson/Susan Clarke/ Michelle Cameron/Gayle Arnold/ Louise Mikkelborg/Janet Arnold — AB
■ Diane Moore/Norma McBurney/Sheryl Coleman/ Margo Mountjoy/Lesely Morlock/Margaret White/ Theresa Adams/Lynn Murray/ Joann Garner/Betty Ann Brennand/Maureen Garner — ON

1975
Solo
▲ L. Carrier — PQ/Qc.
● M.J. Ling — ON
■ C. Stuart — AB

Duet/Duo
▲ K. Heath/L. Ringrose — AB
● M.J. Ling/J.A. Garner — ON
■ B. Arnold — BC/C.-B.

Group/Groupe
▲ L. Campbell/L. Court/ B. Drever/C. New/D. Schmidt/ J. Strautman/K. Heath/ L. Ringrose — AB

● J. Fletcher/N. Gray/ — BC/C.-B.
  J. Hankinson/S. Ibbott/
  J. McGillivray/S. Reeves/
  M. Stubbs/D. Wheatley
■ T. Adams/S. Campbell/ — ON
  S. Bosoni/J.A. Garner/
  M. Garner/M.J. King/
  E. Walmsley/L. Wilson

1971 Group/Groupe
▲ L. Konkin/A. Runcie/ — BC/C.-B.
  C. Stuart/D. Hampton/
  Fraser/J. Fraser/N. Robertson/
  D. Richardson
● J. Carrier/M. Ramsay/ — PQ/Qc.
  L. Paradis/S. Fortier/L. Bédard
■ D. Ringrose/C. McEwan/ — AB
  L. Nicholl/D. Humphrey/
  M. King/L. Wilkin/G. Page

Solo
▲ J. Carrier — PQ/Qc.
● M. Ramsay — PQ/Qc.
■ C.A. McEwan — AB

Duet/Duo
▲ J. Carrier/M. Ramsay — PQ/Qc.
● M. King/C. McEwan — AB
■ C. Stuart/A. Runcie — BC/C.-B.

1967 Team/Équipe
▲ L. Bédard/S. Bouchard/ — PQ/Qc.
  M. Malenfant/M. Verreault
● D. Rounding/M.L. Hawkins/ — ON
  A. Campbell/C. Clearhue/
  S. Rayson/D. Smith
■ B. Fields/K. Golling/ — BC/C.-B.
  M. Hampton/C. Hogan/
  C. Stevens

Solo
▲ M. Malenfant — PQ/Qc.
● S. Bouchard — PQ/Qc.
■ M. Verreault — PQ/Qc.

Duet/Duo
▲ S. Bouchard/M. Malenfant — PQ/Qc.
● K. Golling/C. Stevens — BC/C.-B.
■ M. Verreault/L. Bédard — PQ/Qc.

Team (4 member)/Équipe (4 membres)
▲ L. Bédard/S. Bouchard/ — PQ/Qc.
  M. Malenfant/M. Verreault
● D. Rounding/D. Smith/ — ON
  S. Rayson/M.L. Hawkins
■ D. Dickenson/M. Pardee/ — AB
  L. Winter/P. Winter

Table Tennis / Tennis de table

1991 Team/Équipe
▲ Xavier Therrien/Claude — PQ/Qc.
  Lacasse/David Jacques/Katie
  Laliberté/Philippe Lessard/
  Barbara Kontes/Jean-Philippe
  Champagne/Kimberly Robin
● Jonathon Nataraj/Elisa — SK
  Nataraj/Gordon Styles/Angela
  Rabut/Landon Pastushok/Julie
  Styles/Andrew Nataraj/
  Janna Novecosky
■ Norman Ngan/Naomi Ko/ — BC/C.-B.
  Clement Chan/Susan Tang/
  Jonathan Cartwright/Jennifer
  Dowdeswell/Ulrick Fung/
  Amy Chan

Men's Under Age 17/Moins de 17 ans – Hommes
▲ Jean-Philippe Champagne — PQ/Qc.
● David Jacques — PQ/Qc.
■ Clement Chan — BC/C.-B.

Men's Under Age 14/Moins de 14 ans – Hommes
▲ Jimmy Vu — AB
● Dennis Su — ON
■ Clarence Chu — AB

Women's Under Age 17/Moins de 17 ans – Femmes
▲ Michelle Cada — NS/N.-É.
● Yulia Lin — ON
■ Amy Chan — BC/C.-B.

Women's Under Age 14/Moins de 14 ans – Femmes
▲ Elisa Nataraj — SK
● Joyce Yee — AB
■ Claude Lacasse — PQ/Qc.

1987 Women's Under Age 22/Moins de 22 ans – Femmes
▲ Christine Traeger — SK
● Lyne Desjardins — PQ/Qc.
■ Daiva Koperski — ON

Men's Under Age 22/Moins de 22 ans – Hommes
▲ Robert Chin — BC/C.-B.
● Jean Bourget — PQ/Qc.
■ Claude Maillet — NB

Women's Under Age 17/Moins de 17 ans – Femmes
▲ Elizabeth Kecki — SK
● Carolyne Sylvestre — PQ/Qc.
■ Crystal Daniel — ON

Men's Under Age 17/Moins de 17 ans – Hommes
▲ Martin Ladouceur — PQ/Qc.
● Karl Bérubé — NB
■ Danny Polt — BC/C.-B.

Women's Under Age 15/Moins de 15 ans – Femmes
▲ Serena Mah — AB
● Judith Perron — PQ/Qc.
■ Michelle Manning — NF/T.-N.

Men's Under Age 15/Moins de 15 ans – Hommes
▲ Françis Trudel — PQ/Qc.
● Don Yee — AB
■ Johnny Ng — ON

Women's Under Age 13/Moins de 13 ans – Femmes
▲ Elizabeth Rutt — NS/N.-É.
● Shehla Chishti — PE/Î.-P.-É.
■ Yulia Lin — SK

Men's Under 13/Moins de 13 ans – Hommes
▲ David Jacques — PQ/Qc.
● Nelson Ferreira — ON
■ Johnny Kuan — BC/C.-B.

Team/Équipe
▲ David Jacques/Anyque — PQ/Qc.
  Nolet/Francis Trudel/Judith
  Perron/Martin Iadouceur/
  Caroline Sylvestrel/Jean
  Bouget/Lyne Desjardins
● Johnny Kuan/Anne Marie — BC/C.-B.
  Cheng/Wayne Eng/Seree
  Chan/Danny Poh/Stephanie
  Li/Robert Chin/Fong Seow
■ Nelson Fereira/Marcia — ON
  McLennan/Johnny Ng/Sonya
  Lyall/Gia Ly/Cristal Daniel/
  Gary Pantry/Daiva Koperski

1983 Men's Age 22 & Under/Hommes 22 ans et moins
▲ Derrick Black — MB
● Christopher Chu — AB
■ Richard Chin — ON

Women's Age 22 & Under/Femmes 22 ans et moins
▲ Sonia Duwel — ON
● Guylaine Bélanger — PQ/Qc.
■ Sandy Mah — AB

Men's Age 17 & Under/Hommes 17 ans et moins
▲ Peter Johnson — ON
● Tom Vuong — BC/C.-B.
■ Stéphane Ubiali — PQ/Qc.

Women's Age 17 & Under/Femmes 17 ans et moins
▲ Renata Crhak — ON
● Jennifer Rothfleisch — PQ/Qc.
■ Georgina Kecki — SK

Men's Age 15 & Under/Hommes 15 ans et moins
▲ Vibhav Kamble — ON
● John Mah — AB
■ Stéphane Fournier — PQ/Qc.

Women's Age 15 & Under/Femmes 15 ans et moins
▲ Michelle Qurrey — ON
● Erica Ziduliak — BC/C.-B.
■ Hélène Bédard — PQ/Qc.

Men's Age 13 & Under/Hommes 13 ans et moins
▲ Peter Ng — ON
● Danny Poh — BC/C.-B.
■ Karl Fournier-Bérubé — NB

Women's Age 13 & Under/Femmes 13 ans et moins
▲ Catharine Chu-Gay Yee — AB
● Nathalie Patel — PQ/Qc.
■ Elizabeth Kecki — SK

1979 Team/Équipe
▲ Micheline Aucoin/Diane — PQ/Qc.
  Bourdages/Sonia Duwel/
  Sylvie Léveillé/Alain
  Bourbonnais/Stéphane
  Charbonneau/René
  Lewandowski/Alain Tremblay
● Daiva Koperski/Ramona — ON
  Raguckas/Loretta Koperski/
  Becky McKnight/Joe Eng/
  Dave Williams/Paul
  Normanding/Steve Maunder
■ Alison Cheung/Sandy Mah/ — AB
  Corina Peterson/Magdalene
  Woo/Christopher Chu/Ben Mah/
  Richard Mah/Juggy Padda

1975 Team/Équipe
▲ D. O'Hara/G. Nesukaitis/ — ON
  S. Tompims/M. Jovanov/
  V. Skujins/P. Shanahan/
  H. Kelly/B. Skujins
● P. Agon/N. Athwal/A. Bajkov/ — BC/C.-B.
  B. Hendrickson/J. Woo/
  R. Woo/P. Smith/J. Owens
■ E. Sprak/F. Théoret/ — PQ/Qc.
  J. Bobet Jr./M. Lesiège/
  P. Normandin/C. Johnson/
  J. Duquette/M. Goyette

1971 Team/Équipe
▲ V. Nesukaitis/F. Nesukaitis/ — ON
  E. Caetano/D. Jovanov/
  P. Gonda/D. Braithwaite

● J. Bobet Sr./R. Young/ — PQ/Qc.
  A. Sharara/J. Bobet Jr./
  S. Gero/M. Domonkos/
  F. Charette
■ A. Nemeth/V. Lo/K. Leong/ — BC/C.-B.
  E. Lo/B. Hendrikson/
  J. Jenkins/D. Stelter/P. Craig

1967 Team/Équipe
▲ D. Hunnius/B. Tweedy/ — PQ/Qc.
  M. Bouchard/D. Guyjermain/
  R. Chapman/E. Schultz
● J. Nesukaitis/M. Zulps/ — ON
  H. Grossman/K. Kerr/
  V. Nesukaitis/V. Adminis/
  J. Marinko
■ W. Yee/L. Lee/T. Simnett/ — BC/C.-B.
  M. Yuen/J. Owens/N. Craig

Tennis

1989 Mixed Doubles/Doubles mixte
▲ Antoinette Grech/Gerard Ronan — ON
● Lindsay Matthews/ — PQ/Qc.
  Michel Tremblay
■ Keith Harrietha/ — NS/N.-É.
  Susan Hepburn

Men's Singles/Simple – Hommes
▲ Fabio Walker — BC/C.-B.
● Martin Dionne — PQ/Qc.
■ Roy Moscattini — ON

Men's Doubles/Doubles – Hommes
▲ Alain Camaraire/Eric Godin — PQ/Qc.
● Garett Prins/Coulter Wright — ON
■ Mark Andrew Ernst/ — BC/C.-B.
  Luke O'Loughlin

Women's Singles/Simple – Femmes
▲ Caroline Delisle — PQ/Qc.
● Mandy Wilson — ON
■ Michelle Bogaard — BC/C.-B.

Women's Doubles/Doubles – Femmes
▲ Heather Coburn/ — ON
  Monica Mraz
● Caroline Labrecque/ — PQ/Qc.
  Melanie St. Pierre
■ Heather Donovan/ — NF/T.-N.
  Daria O'Reilly

1985 Men's Singles/Simple – Hommes
▲ Christian Prescott — PQ/Qc.
● Gerald Young — BC/C.-B.
■ Gavin McMillan — AB

Men's Doubles/Doubles – Hommes
▲ Charles Gauthier/Pierre Lauzon — PQ/Qc.
● Eric Honing/Glen Richards — BC/C.-B.
■ Karl Hole/Robert Horwood — ON

Women's Singles/Simples – Femmes
▲ Carol Culik — ON
● Julie Labonté — PQ/Qc.
■ Helen Christiaanse — BC/C.-B.

Women's Doubles/Doubles – Femmes
▲ Cynthia Mitchell/ — ON
  Rene Simpson
● Anik Durocher/ — PQ/Qc.
  Brigitte St. Hilaire
■ Michele Bogaard/ — BC/C.-B.
  Vicki Giesen

Mixed Doubles/Doubles mixtes
▲ Tiffany Mack/Walter Hader — SK
● Carolyne Delisle/ — PQ/Qc.
  André Lambert
■ Sue Hatch/Charles Wright — ON

1981 Men's Singles/Simples – Hommes
▲ P. O'Donoghue — AB
● M. Lachapelle — PQ/Qc.
■ D. Mida — MB

Men's Doubles/Doubles – Hommes
▲ P. MacKen/T. MacKen — BC/C.-B.
● T. Cait/P. Ryan — ON
■ E. Bonneau/C. Gingras — PQ/Qc.

Ladies' Singles/Simples – Femmes
▲ S. Tétreault — PQ/Qc.
● S. Black — ON
■ J. Bland — ON

Ladies' Doubles/Doubles – Femmes
▲ D. Dubuc/T. Labonté — PQ/Qc.
● D. Barbiero/P. Henderson — ON
■ K. Kettenacker/R. Kilgour — BC/C.-B.

Mixed Doubles/Doubles mixtes
▲ K. MacDonald/M. Kelley — NS/N.-É.
● J. Daigneault/M. Plante — PQ/Qc.
■ M. Schachter/J. Sheppard — ON

1977 Men's Singles/Simple – Hommes
▲ N. Mohtadi — AB
● J. Brabenec — BC/C.-B.
■ J. Shachter — PQ/Qc.

Men's Doubles/Doubles – Hommes
▲ J. Doerr/S. Cox — ON
● G. Boire/E. Lapierre — PQ/Qc.
■ R. Bettauer/W. Geddes — BC/C.-B.

Mixed Doubles/Doubles mixtes
▲ H. Pelletier/G. Beaumier — PQ/Qc.
● M. Karis/D. Anderson — NS/N.-É.
■ J. Cobb/R. Nakon — ON

Women's Singles/Simples – Femmes
- ▲ W. Barlow — BC/C.-B.
- ● N. Marois — PQ/Qc.
- ■ P. Sinclair — ON

Women's Doubles/Doubles – Femmes
- ▲ N. Bland/S. Mathews — BC/C.-B.
- ● L. Myers/S. Prodham — ON
- ■ D. Brown/J. Gillis — NS/N.-É.

Men's Singles/Simples – Hommes
- ▲ P. Burwash — ON
- ● R. Genois — PQ/Qc.
- ■ R. Bardsley — BC/C.-B.

Men's Doubles/Doubles – Hommes
- ▲ D. Power/A. Villaneuva — ON
- ● R. Legendre/J. Herisset — PQ/Qc.
- ■ D. Johnson/V. Rollins — BC/C.-B.

Mixed Doubles/Doubles mixtes
- ▲ A. Bonsels/P. Pospisil — ON
- ● N. Boucher/J. Prévost — PQ/Qc.
- ■ L. O'Neill/D. Piers — NB

Women's Singles/Simples – Femmes
- ▲ J. Tindle — BC/C.-B.
- ● A. Martin — PQ/Qc.
- ■ J. O'Hara — ON

Women's Doubles/Doubles – Femmes
- ▲ S. Bardsley/S. Stone — BC/C.-B.
- ● V. Strong/I. Weber — ON
- ■ V. Novak/D. Gibeault — PQ/Qc.

Men's Singles/Simples – Hommes
- ▲ R. Bédard — PQ/Qc.
- ● T. Bardsley — BC/C.-B.
- ■ D. Brown — ON

Men's Doubles/Doubles – Hommes
- ▲ C. Burr/P. Burwash — ON
- ● D. McCormack/V. Rollins — BC/C.-B.
- ■ R. Piers/B. Shakespeare — NS/N.-É.

Mixed Doubles/Doubles – mixtes
- ▲ L. Strong/V. Strong — ON
- ● B. Moffat/P. Hunter — BC/C.-B.
- ■ L. McCurdy/M. Barnett — AB

Women's Singles/Simples – Femmes
- ▲ F. Urban — ON
- ● S. Green — BC/C.-B.
- ■ A. Martin — PQ/Qc.

Women's Doubles/Doubles – Femmes
- ▲ I. Weber/L. Brown — ON
- ● J. Peake/E. O'Gorman — MB
- ■ J. Tindle/S. Eager — BC/C.-B.

Track and Field / Athlétisme

Men's Discus/ Lancer du disque – Hommes
- ▲ Rob McManus — BC/C.-B.
- ● Robert Pilo — ON
- ■ Ian Maplethorpe — AB

Men's Javelin/ Lancer du javelot – Hommes
- ▲ Louis Brault — PQ/Qc.
- ● Larry Steinke — AB
- ■ Corey Lee Leonard — SK

Men's Hammer Throw/ Marteau – Hommes
- ▲ Ian Maplethorpe — AB
- ● Elden Pfeiffer — BC/C.-B.
- ■ Evan Brown — ON

Men's Shot Put/ Lancer du poids – Hommes
- ▲ Michael Reichert — ON
- ● Delore D. Lakusta — BC/C.-B.
- ■ Dean Andrews — SK

Men's Long Jump/ Saut en longueur – Hommes
- ▲ Emile John — ON
- ● Dane Pilgrim — ON
- ■ Mike Piercy — BC/C.-B.

Men's 4X100 M Relay/ Relais 4X100 M – Hommes
- ▲ — ON*
- ● — BC/C.-B.*
- ■ — PQ/Qc.*

Men's Triple Jump/Triple saut – Hommes
- ▲ Oral Ogilvie — AB
- ● Emile John — ON
- ■ Harry Blanc — PQ/Qc.

Men's 110 M Hurdles/ Haies 110 M – Hommes
- ▲ Yves McDavid — AB
- ● Colin Grant — ON
- ■ Stephen Yorston — ON

Men's 4X400 M Relay/ Relais 4X400 M – Hommes
- ▲ — AB*
- ● — ON*
- ■ — PQ/Qc.*

Men's/Hommes 100 M
- ▲ Derrick Sutherland — ON
- ● Desmond Griffiths — ON
- ■ Robert Clarke — PQ/Qc.

Men's 400 M Hurdles/ Haies 400 M – Hommes
- ▲ Colin Inglis — NB
- ● Laurent Birade — PQ/Qc.
- ■ Edward James — NS/N.-É.

Men's/Hommes 400 M
- ▲ Troy Jackson — PQ/Qc.
- ● Phillip Hughes — ON
- ■ Michael McLean — AB

Men's/Hommes 200 M
- ▲ Peter Ogilvie — BC/C.-B.
- ● Robert Clarke — PQ/Qc.
- ■ Derrick Sutherland — ON

Men's/Hommes 1500 M
- ▲ Colin Mathieson — SK
- ● Allan Klassen — BC/C.-B.
- ■ Henry Klassen — MB

Men's/Hommes 800 M
- ▲ Michael McLean — AB
- ● Colin Mathieson — SK
- ■ Scott Brinklow — SK

Men's/Hommes 10 KM
- ▲ Christian Weber — MB
- ● Philip Ellis — BC/C.-B.
- ■ Gary Westgate — ON

Men's/Hommes 5000 M
- ▲ Christian Weber — MB
- ● Darren Klassen — MB
- ■ Philip Ellis — BC/C.-B.

Men's 10 KM Race Walk/ Marche rapide 10 KM – Hommes
- ▲ James Kilburn — ON
- ● Ronald Ens — SK
- ■ Ronald Comeau — NB

Men's 3 KM Steeplechase/ Course à obstacles 3 KM – Hommes
- ▲ Henry Klassen — MB
- ● Stephen Conwell — AB
- ■ Zeba Crook — BC/C.-B.

Men's Pole Vault/ Saut à la perche – Hommes
- ▲ Rob Lindsay — SK
- ● Stuart Love — BC/C.-B.
- ■ Graham Cleghorn — SK

Men's High Jump/ Saut en hauteur – Hommes
- ▲ Patrick Renaud — PQ/Qc.
- ● Cory Siermachesky — AB
- ■ Garfield Crooks — MB

Men's 4X100 M Relay/ Relais 4X100 M Hommes
- ▲ — ON*
- ● — BC/C.-B.*
- ■ — PQ/Qc.*

Women's Discus/ Lancer du disque – Femmes
- ▲ Anna Mosdell — BC/C.-B.
- ● Shannon Dawn Kekula — SK
- ■ Lesa Mayes — ON

Women's Javelin/ Lancer du javelot – Femmes
- ▲ Valerie Tulloch — ON
- ● Isabelle Suprenant — PQ/Qc.
- ■ Stephanie Proctor — SK

Women's Long Jump/ Saut en longueur – Femmes
- ▲ Lana Jolly — BC/C.-B.
- ● Vanessa Monar — SK
- ■ Lavern Clarke — MB

Women's Shot Put/ Lancer du poids – Femmes
- ▲ Shannon Dawn Kekula — SK
- ● Georgette Reed — AB
- ■ Lesa Mayes — ON

Women's 4X100 M Relay/ Relais 4X100 M Femmes
- ▲ — ON*
- ● — BC/C.-B.*
- ■ — MB*

Women's 4X400 M Relay/ Relais 4X400 M Femmes
- ▲ — PQ/Qc.*
- ● — AB*
- ■ — BC/C.-B.*

Women's 100 M Hurdles/ Haies 100 M – Femmes
- ▲ Val Beckles — ON
- ● Ulrike Fischer — BC/C.-B.
- ■ Cheryl Maroniuk — SK

Women's/Femmes 100 M
- ▲ Stacy Bowen — ON
- ● Karen Clarke — AB
- ■ Nadine Halliday — ON

Women's/Femmes 10 KM
- ▲ Lisa Harvey — AB
- ● Lucy Smith — NS/N.-É.
- ■ Brenda Steenhoff — ON

Women's/Femmes 1500 M
- ▲ Tammy Salomon — AB
- ● Chris Wagner — BC/C.-B.
- ■ Nathalie Rouillard — PQ/Qc.

Women's/Femmes 200 M
- ▲ Stacy Bowen — ON
- ● Karen Clarke — AB
- ■ Nicole Devonish — ON

Women's 400 M Hurdles/ Haies 400 M – Femmes
- ▲ Lisa Kueneman — ON
- ● Michaela Colluney — BC/C.-B.
- ■ Althea Thomas — ON

Women's/Femmes 400 M
- ▲ Nicole Devonish — ON
- ● Nathalie Robitaille — PQ/Qc.
- ■ Althea Thomas — ON

Women's/Femmes 800 M
- ▲ Nathalie Rouillard — PQ/Qc.
- ● Chris Wagner — BC/C.-B.
- ■ Heather McDermid — AB

Women's/Femmes 3000 M
- ▲ Lucy Smith — NS/N.-É.
- ● Lisa Harvey — AB
- ■ Tammy Solomon — AB

Women's 5 KM Race Walk/ Marche rapide 5 KM – Femmes
- ▲ Pascale Grand — PQ/Qc.
- ● Lora Rigutto — ON
- ■ Tina Poitras — PQ/Qc.

Women's High Jump/ Saut en hauteur – Femmes
- ▲ Coralea Brown — AB
- ● Roberta Louise Thoen — SK
- ■ Shelley Morris — BC/C.-B.

Men's Hammer/Marteau – Hommes
- ▲ Ian Maplethorpe — AB
- ● Elden Pfeiffer — BC/C.-B.
- ■ Maurice Kellerman — BC/C.-B.

Men's/Hommes 10000 M
- ▲ Carey Nelson — BC/C.-B.
- ● Jean Lagarde — PQ/Qc.
- ■ Norman Tinkham — NS/N.-É.

Men's Shot Put/ Lancer du poids – Hommes
- ▲ Peter Dajia — ON
- ● Jeffrey Watson — NS/N.-É.
- ■ Peter Ingleton — ON

Men's/Hommes 1500 M
- ▲ Steve Bachop — BC/C.-B.
- ● Jean Lagarde — PQ/Qc.
- ■ Douglas Consiglio — ON

Men's/Hommes 100 M
- ▲ Andrew Boswell — AB
- ● Dave Wilkinson — BC/C.-B.
- ■ François Boudreault — PQ/Qc.

Men's/Hommes 400 M
- ▲ David Williams — ON
- ● Kevin Tyler — BC/C.-B.
- ■ Sylvain Lake — PQ/Qc.

Men's Triple Jump/ Triple saut – Hommes
- ▲ Edrick Floréal — PQ/Qc.
- ● Hugh Maguire — MB
- ■ Kerri Munro — ON

Men's 4X100 M Relay/ Relais 4X100 M Hommes
- ▲ David Williams/Andrew Mowatt/Bernard Whyte/ Everett Anderson — ON
- ● — BC/C.-B.*
- ■ — PQ/Qc.*

Men's 3000 M Steeplechase/ Course à obstacles 3000 M – Hommes
- ▲ Douglas Consiglio — ON
- ● John Cadorin — ON
- ■ Glen Charanduk — SK

Men's Decathlon/Décathlon – Hommes
- ▲ Dave Ostertag — SK
- ● David Jongsma — ON
- ■ Shawn Sereda — AB

Men's 400 M Hurdles/ Haies 400 M Hommes
- ▲ Phillip Hughes — ON
- ● Joseph Ross — ON
- ■ Rand Clement — BC/C.-B.

Men's Discus/ Lancer du disque – Hommes
- ▲ Franco Radin — ON
- ● Robert Bradley — BC/C.-B.
- ■ Rob McManus — BC/C.-B.

Men's 4X400 M Relay/ Relais 4X400 M – Hommes
- ▲ — ON*
- ● — BC/C.-B.*
- ■ — PQ/Qc.*

Men's/Hommes 5000 M
- ▲ Carey Nelson — BC/C.-B.
- ● Jean Lagarde — PQ/Qc.
- ■ Doug Dray — AB

Men's/Hommes 200 M
- ▲ Sylvain Lake — PQ/Qc.
- ● Andrew Boswell — AB
- ■ Kevin Tyler — BC/C.-B.

Men's 110 M Hurdles/ Haies 110 M Hommes
- ▲ Normand Loiselle — PQ/Qc.
- ● Joe Ross — ON
- ■ Marc Samson — PQ/Qc.

Men's High Jump / Saut en hauteur – Hommes
- ▲ Nathaniel Crooks — ON
- ● Kevin Harrison — ON
- ■ Grégoire Lafontaine — PQ/Qc.

Men's Long Jump / Saut en longueur – Hommes
- ▲ Edrick Floréal — PQ/Qc.
- ● Todd Crawford — ON
- ■ Nicholas Cromwell — NS/N.-É.

Men's Javelin / Lancer du javelot – Hommes
- ▲ Mike Olma — BC/C.-B.
- ● Louis Breault — PQ/Qc.
- ■ Ken Collins — ON

Men's/Hommes 800 M
- ▲ Wayne Moncrieffe — ON
- ● Michel Ponton — PQ/Qc.
- ■ Kevin Wiseman — SK

Men's 10 KM Racewalk / Marche rapide 10 KM – Hommes
- ▲ Daniel Levesque — PQ/Qc.
- ● Paul Turpin — PQ/Qc.
- ■ Donald Birkhimer — NF/T.-N.

Women's Discus / Lancer du disque – Femmes
- ▲ Liz Polyak — ON
- ● Guylaine Lanoie — PQ/Qc.
- ■ Shannon Kekula — SK

Women's 5 KM Racewalk / Marche rapide 5 KM Femmes
- ▲ Sian Spacey — BC/C.-B.
- ● Louise Aubin — ON
- ■ Elizabeth Peters — PQ/Qc.

Women's 4X100 M Relay / Relais 4X100 M Femmes
- ▲ ON*
- ● PQ/Qc.*
- ■ AB*

Women's High Jump / Saut en hauteur – Femmes
- ▲ Jeannie Cockcroft — BC/C.-B.
- ● Catherine Bond — ON
- ■ Tammy Lutz — BC/C.-B.

Women's Long Jump / Saut en longueur – Femmes
- ▲ Tracy Smith — ON
- ● Lana Jolly — BC/C.-B.
- ■ Hester Westenberg — ON

Women's 400 M Hurdles / Haies 400 M – Femmes
- ▲ Carmelle Hunka — AB
- ● Ruth Hadden — MB
- ■ Clara Wall — SK

Women's/Femmes 3000 M
- ▲ Jill Purola — ON
- ● Brenda Shackleton — BC/C.-B.
- ■ Pam Klassen — MB

Women's/Femmes 800 M
- ▲ Carolyn Comeau — MB
- ● Rita Urbisci — PQ/Qc.
- ■ Chris Wagner — BC/C.-B.

Women's Shot Put / Lancer du poids – Femmes
- ▲ Suzanne Pecht — AB
- ● Marisa Venier — ON
- ■ Nathalie Dumont — PQ/Qc.

Women's/Femmes Heptathlon
- ▲ Catherine Bond — ON
- ● France Nault — PQ/Qc.
- ■ Erika Tye — SK

Women's 4X400 M Relay / Relais 4X400 M Femmes
- ▲ ON*
- ● AB*
- ■ BC/C.-B.*

1981

Men's/Hommes 100 M
- ▲ M. Dwyer — ON
- ● B. Daku — SK
- ■ J. Suggett — AB

Men's/Hommes 200 M
- ▲ M. Dwyer — ON
- ● C. Langford — MB
- ■ B. Daku — SK

Men's/Hommes 400 M
- ▲ W. Williamson — BC/C.-B.
- ● W. Francis — BC/C.-B.
- ■ J.L. Bouch — PQ/Qc.

Men's/Hommes 800 M
- ▲ W. Francis — BC/C.-B.
- ● T. Coplin — BC/C.-B.
- ■ T. Walchuk — NB

Men's/Hommes 1500 M
- ▲ D. Stark — ON
- ● R. Cox — BC/C.-B.
- ■ L. Christ — SK

Men's/Hommes 5000 M
- ▲ D. Stark — ON
- ● R. Lonergan — BC/C.-B.
- ■ R. Earl — ON

Men's/Hommes 10000 M
- ▲ R. Lonergan — BC/C.-B.
- ● R. Chilton — BC/C.-B.
- ■ P. McCloy — NF/T.-N.

Men's 3000 M Steeplechase / Course à obstacles 3000 M Hommes
- ▲ K. Dillon — ON
- ● R. Desjardins — PQ/Qc.
- ■ C. Nelson — SK

Men's 4X100 M Relay / Relais 4X100 M Hommes
- ▲ PQ/Qc.*
- ● MB*
- ■ AB*

Men's 4X400 M Relay / Relais 4X400 M Hommes
- ▲ BC/C.-B.*
- ● AB*
- ■ SK*

Men's 110 M Hurdles / Haies 110 M – Hommes
- ▲ C. Dallin — AB
- ● W. Lee — BC/C.-B.
- ■ Y. Leduc — PQ/Qc.

Men's 400 M Hurdles / Haies 400 M – Hommes
- ▲ J. Woolly — ON
- ● J. Glass — ON
- ■ P. Léveillé — PQ/Qc.

Men's 10 KM Walk / Marche rapide 10 KM – Hommes
- ▲ J. Greffard — PQ/Qc.
- ● D. White — ON
- ■ P. Meagher — NB

Men's Discus / Lancer du disque – Hommes
- ▲ L. Poirier — PQ/Qc.
- ● J. Nielsen — ON
- ■ S. Ross — BC/C.-B.

Men's Javelin / Lancer du javelot – Hommes
- ▲ M. Mahovlich — BC/C.-B.
- ● S. Feraday — ON
- ■ K. Flanagan — BC/C.-B.

Men's Shot Put / Lancer du poids – Hommes
- ▲ J. Nielsen — ON
- ● F. Balkovec — ON
- ■ I. Dickson — BC/C.-B.

Men's Hammer / Marteau – Hommes
- ▲ D. Matte — PQ/Qc.
- ● L. Szoke — BC/C.-B.
- ■ J. Findlay — BC/C.-B.

Men's Long Jump / Saut en longueur – Hommes
- ▲ G. Wright — ON
- ● C. Taylor — ON
- ■ M. Boutet — PQ/Qc.

Men's Triple Jump / Triple saut – Hommes
- ▲ I. James — ON
- ● D. Trottier — PQ/Qc.
- ■ L. Golding — ON

Men's High Jump / Saut en hauteur – Hommes
- ▲ D. Vicic — BC/C.-B.
- ● A. Metellus — PQ/Qc.
- ■ A. Boisvert — PQ/Qc.

Men's Pole Vault / Saut à la perche – Hommes
- ▲ M. Bradley — ON
- ● B. Walley — BC/C.-B.
- ■ G. Worden — BC/C.-B.

Men's Decathlon/Décathlon – Hommes
- ▲ M. Popadich — ON
- ● R. Lapierre — PQ/Qc.
- ■ G. Orlikow — MB

Women's/Femmes 100 M
- ▲ T. Brothers — MB
- ● C. Galloway — PQ/Qc.
- ■ J. Richardson — AB

Women's/Femmes 200 M
- ▲ T. Brothers — MB
- ● J. Richardson — AB
- ■ S. Gilkes — MB

Women's/Femmes 400 M
- ▲ J. Richardson — AB
- ● A. Liuzzo — ON
- ■ C. McKay — ON

Women's/Femmes 800 M
- ▲ C. Slythe — PQ/Qc.
- ● A. Chalmers — MB
- ■ R. Clark — AB

Women's/Femmes 1500 M
- ▲ A. Wiley — ON
- ● A. Chalmers — MB
- ■ S. Neil — BC/C.-B.

Women's/Femmes 3000 M
- ▲ A. Wiley — ON
- ● B. Bush — AB
- ■ S. Rettie — MB

Women's 4X100 M Relay / Relais 4X100 M Femmes
- ▲ MB*
- ● PQ/Qc.*
- ■ ON*

Women's 4X400 M Relay / Relais 4X400 M Femmes
- ▲ PQ/Qc.*
- ● AB*
- ■ SK*

Women's 100 M Hurdles / Haies 100 M Femmes
- ▲ K. Nelson — ON
- ● C. Polman-Tuin — BC/C.-B.
- ■ K. Bowen — ON

Women's 400 M Hurdles / Haies 400 M Femmes
- ▲ I. Boutet — PQ/Qc.
- ● G. Wall — SK
- ■ A. Taylor — AB

Women's 5 KM Walk / Marche rapide 5 KM Femmes
- ▲ A. Peel — ON
- ● J. Bender — ON
- ■ J. Turner — AB

Women's Discus / Lancer du disque – Femmes
- ▲ S. Ketterer — AB
- ● J. Toporowski — ON
- ■ S. Curik — ON

Women's Javelin / Lancer du javelot – Femmes
- ▲ M. Lapres — PQ/Qc.
- ● C. Chartrand — PQ/Qc.
- ■ M. McCandless — BC/C.-B.

Women's Shot Put / Lancer du poids – Femmes
- ▲ C. Crapper — ON
- ● A. Jack — ON
- ■ S. Ketterer — AB

Women's Long Jump / Saut en longueur – Femmes
- ▲ K. Nelson — ON
- ● Y. Coelho — BC/C.-B.
- ■ C. Gibson — BC/C.-B.

Women's High Jump / Saut en hauteur – Femmes
- ▲ C.A. Leslie — PQ/Qc.
- ● J. Cockcroft — BC/C.-B.
- ■ D. Prosser — NB

Women's/Femmes Heptathlon
- ▲ C. Polman-Tuin — BC/C.-B.
- ● A. Potvin — PQ/Qc.
- ■ A. Armstrong — ON

1977

Men's/Hommes 100 M
- ▲ D. Williams — ON
- ● A. Barrière — PQ/Qc.
- ■ R. Sealey — PQ/Qc.

Men's/Hommes 200 M
- ▲ D. Williams — ON
- ● A. Barrière — PQ/Qc.
- ■ Z. Stankovik — BC/C.-B.

Men's/Hommes 400 M
- ▲ M. Forgrave — ON
- ● Z. Stankovic — BC/C.-B.
- ■ L. Guss — BC/C.-B.

Men's/Hommes 800 M
- ▲ B. Reindl — SK
- ● T. Lobsinger — ON
- ■ D. Heughan — ON

Men's/Hommes 1500 M
- ▲ T. Lobsinger — ON
- ● P. Favell — BC/C.-B.
- ■ R. Reindl — SK

Men's/Hommes 5000 M
- ▲ P. Butler — AB
- ● S. Housley — ON
- ■ R. Cook — MB

Men's 2000 M Steeplechase / Course à obstacles 2000 M Hommes
- ▲ B. Evans — AB
- ● D. Childs — AB
- ■ B. Blamey — BC/C.-B.

Men's 100 M Hurdles / Haies 100 M Hommes
- ▲ P. Forgarty — PQ/Qc.
- ● D. Battershill — AB
- ■ B. Segman — ON

Men's 400 M Hurdles / Haies 400 M Hommes
- ▲ L. Guss — BC/C.-B.
- ● M. Forgrave — ON
- ■ V. Quan — AB

Men's 4x100 M Relay / Relais 4X100 M Hommes
- ▲ B. Seigman/M. Forgrave/ D. Hinds/D. Williams — ON
- ● R. Sealey/R. Lacombe/ A. Barrière/P. Forgarty — PQ/Qc.
- ■ A.Sheridan/J. Pankratz/ L. Guss/Z. Stankovik — BC/C.-B.

Men's 4X400 M Relay / Relais 4X400 M Hommes
- ▲ D. Williams/D. Hinds/ L. Thomas/M. Forgrave — ON
- ● T. Coplin/S. Lawrence/ L. Guss/Z. Stankovik — BC/C.-B.
- ■ R. Sealey/D. Barrett/ B. Roberts/A. Thibault — PQ/Qc.

Men's Long Jump / Saut en longueur – Hommes
- ▲ P. Forgarty — PQ/Qc.
- ● D. Steen — BC/C.-B.
- ■ O. Sargeant — ON

Men's High Jump/
Saut en hauteur – Hommes
▲ S. Lemée — PQ/Qc.
● P. Wells — ON
■ P. Denabassis — SK

Men's Pole Vault/
Saut à la perche – Hommes
▲ D. Ross — SK
● M. Bradley — ON
■ P. Estrada — BC/C.-B.

Men's Shot Put/
Lancer du poids – Hommes
▲ M. Catalano — ON
● P. Rummell — ON
■ Y. Vaillancourt — PQ/Qc.

Men's Discus/
Lancer du disque – Hommes
▲ M. Clarke — ON
● Y. Vaillancourt — PQ/Qc.
■ D. Staller — BC/C.-B.

Men's Javelin/
Lancer du javelot – Hommes
▲ L. Babits — BC/C.-B.
● T. Gawinski — ON
■ M. Mahovlich — BC/C.-B.

Men's Hammer/Marteau – Hommes
▲ C. Lafontaine — PQ/Qc.
● G. Thomas — ON
■ H. Willers — BC/C.-B.

Men's Triple Jump/
Triple saut – Hommes
▲ O. Sargeant — ON
● A. Simms — ON
■ R. Lalande — PQ/Qc.

Men's Decathlon/Décathlon – Hommes
▲ D. Steen — BC/C.-B.
● R. Lacombe — PQ/Qc.
■ R. Town — ON

Men's 10 KM Walk/
Marche 10 KM – Hommes
▲ R. Bruneau — PQ/Qc.
● H. Beaulieu — PQ/Qc.
■ G. Follett Jr. — NF/T.-N.

Women's/Femmes 100 M
▲ C. Moore — ON
● A. Bailey — ON
■ C. Desrosiers — PQ/Qc.

Women's/Femmes 200 M
▲ C. Chrusch — AB
● A. Bailey — ON
■ C. Moore — ON

Women's/Femmes 400 M
▲ J. Wood — ON
● D. Campbell — BC/C.-B.
■ C. Rathie — SK

Women's/Femmes 800 M
▲ S. Neil — BC/C.-B.
● K. Jeffery — AB
■ U. Hansen — BC/C.-B.

Women's/Femmes 1500 M
▲ S. Neil — BC/C.-B.
● U. Hansen — BC/C.-B.
■ D. Cameron — AB

Women's/Femmes 3000 M
▲ D. Cameron — AB
● P. Baxtes — PQ/Qc.
■ A.M. Malone — ON

Women's 100 M Hurdles/
Haies 100 M – Femmes
▲ A. Wachter — ON
● C. Brisebois — PQ/Qc.
■ A. Crump — BC

Women's 400 M Hurdles/
Haies 400 M – Femmes
▲ A. Wachter — ON
● C. McCarthy — BC/Qc.
■ M.C. Kelly — ON

Women's 4X100 M Relay/
Relais 4X100 M Femmes
▲ L. Chaki/K. Wilkinson/ — AB
 T. More/C. Crusch
● C. Moore/C. Topatich/ — ON
 J. Wood/A. Bailey
■ J. Tobacco/C. Gibson/ — BC/C.-B.
 J. Cox-Rogers/T. Lenardin

Women's 4X400 M Relay/
Relais 4X400 M Femmes
▲ C. Topatich/B. Douglas/ — ON
 A. Wachter/M. Woods
● D. Campbell/J. Tobacco/ — BC/C.-B.
 S. Vandenbos/C. McCarthy
■ C. Whalen/S. Herring/ — AB
 K. Jeffery/C. Nelson

Women's Long Jump/
Saut en longueur – Femmes
▲ T. Lenardon — BC/C.-B.
● C. Elliott — AB
■ M. Deserres — PQ/Qc.

Women's High Jump/
Saut en hauteur – Femmes
▲ M. Woods — ON
● S. Vandebos — BC/C.-B.
■ J. MacLeod — ON

Women's Shot Put/
Lancer du poids – Femmes
▲ B. Sjare — AB
● A. Grainger — AB
■ B. Kindrat — SK

Women's Discus/
Lancer du disque – Femmes
▲ B. Anderson — AB
● A. Grainger — AB
■ J. Toporowski — ON

Women's Javelin/
Lancer du javelot – Femmes
▲ C. Chartrand — PQ/Qc.
● S. Thorn — SK
■ B. Sjare — AB

Women's/Femmes Pentathlon
▲ J. Ross — ON
● C. Brisbos — PQ/Qc.
■ A. Crump — BC/C.-B.

Women's 3000 M Walk/
Marche 3000 M – Femmes
▲ S. Fortin — PQ/Qc.
● J. Theberge — PQ/Qc.
■ G. Gislason — AB

1973

Men's/Hommes 100 M
▲ M. Delorme — ON
● V. Rimpel — ON
■ H. Haley — BC/C.-B.

Men's/Hommes 200 M
▲ V. Rimpel — ON
● D. Biocchi — PQ/Qc.
■ B. Kennedy — ON

Men's/Hommes 400 M
▲ E. Bigelow — NS/N.-É.
● D. Biocchi — PQ/Qc.
■ B. Kennedy — ON

Men's/Hommes 800 M
▲ D. Karila — ON
● P. Richardson — NB
■ D. LaForges — ON

Men's/Hommes 1500 M
▲ P. Richardson — NB
● M. Randall — ON
■ P. Spir — BC/C.-B.

Men's/Hommes 3000 M
▲ W. Britten — ON
● R. James — PQ/Qc.
■ P. Quance — PQ/Qc.

Men's 1500 M Steeplechase/
Course à obstacles 1500 M – Hommes
▲ L. Lewis — MB
● R. James — PQ/Qc.
■ P. Walker — ON

Men's 110 M Hurdles/
Haies 110 M – Hommes
▲ G. Pinsonneault — ON
● G. Graham — BC/C.-B.
■ M. Warbinek — BC/C.-B.

Men's 400 M Hurdles/
Haies 400 M – Hommes
▲ G. Graham — BC/C.-B.
● G. Rhéault — PQ/Qc.
■ T. Page — BC/C.-B.

Men's 4X100 M Relay/
Relais 4X100 M – Hommes
▲ M. Delorme/B. Kennedy/ — ON
 R. Stella/V. Rimpel
● T. Stanley/M. Chasholm/ — NS/N.-É.
 J. Skeir/E. Bigelow
■ C. Wrigley/G. U'Ren/ — BC/C.-B.
 Seninere/H. Haley

Men's 4X400 M Relay/
Relais 4X400 M – Hommes
▲ D. LaForges/B. Kennedy/ — ON
 K. Karils/R. Moss
● S. Biocchi/C. Worrall/ — PQ/Qc.
 D. Hassall/R. Raymond
■ T. Mitchell/P. Theodore/ — BC/C.-B.
 J. Gage/G. Graham

Men's Long Jump/
Saut en longueur – Hommes
▲ D. Burton — AB
● S. Shung — ON
■ J. MacAndrew — ON

Men's High Jump/
Saut en hauteur – Hommes
▲ G. Joy — BC/C.-B.
● R. Forget — PQ/Qc.
■ P. Running — ON

Men's Pole Vault /
Saut à la perche – Hommes
▲ R. Lacombe — PQ/Qc.
● I. Campbell — BC/C.-B.
■ D. Herron — SK

Men's Shot Put/
Lancer du poids – Hommes
▲ J. Poirier — PQ/Qc.
● L. McKenney — BC/C.-B.
■ K. Thompson — ON

Men's Triple Jump/
Triple saut – Hommes
▲ J. Rutka — ON
● W. Huber — ON
■ D. Cochrane — NS/N.-É.

Men's Decathlon/Décathlon – Hommes
▲ R. Lacombe — PQ/Qc.
● S. Leduc — PQ/Qc.
■ I. Campbell — BC/C.-B.

Men's Discus/
Lancer du disque – Hommes
▲ C. Sigfusson — MB
● L. Vinette — PQ/Qc.
■ W. Kniginyzky — ON

Men's Hammer/Marteau – Hommes
▲ S. Neilson — BC/C.-B.
● J. Taylor — MB
■ L. Vinette — PQ/Qc.

Men's Javelin/
Lancer du javelot – Hommes
▲ P. Olsen — BC/C.-B.
● W. Kniginyzky — ON
■ D. Lajeunesse — PQ/Qc.

Women's/Femmes 100 M
▲ J. Sparling — BC/C.-B.
● C. Robinson — BC/C.-B.
■ C. Attard — ON

Women's/Femmes 200 M
▲ T. Robinson — BC/C.-B.
● E. Mahal — ON
■ A. Bryan — ON

Women's/Femmes 400 M
▲ B. Cox — BC/C.-B.
● R. Campbell — ON
■ L. Halvorson — SK

Women's/Femmes 800 M
▲ L. Halvorson — SK
● B. Cox — BC/C.-B.
■ L. Stubbs — BC/C.-B.

Women's/Femmes 1500 M
▲ L. Stubbs — BC/C.-B.
● L. Declerq — AB
■ L. McCarthy — MB

Women's 100 M Hurdles/
Haies 100 M – Femmes
▲ J. Sparling — BC/C.-B.
● C. Saull — PQ/Qc.
■ L. Robertson — BC/C.-B.

Women's 200 M Hurdles/
Haies 200 M – Femmes
▲ J. Sparling — BC/C.-B.
● L. Harvey — ON
■ C. Saull — PQ/Qc.

Women's 4X100 M Relay/
Relais 4X100 M – Femmes
▲ A. Keatley/A. Bryan/ — ON
 E. Mahal/C. Attard
● C. Blevins/J. Laughton/ — BC/C.-B.
 Bebinron/J. Sparling
■ D. Doraty/K. Dubnik/ — SK
 M. MacIntosh/P. Kayln

Women's 4X400 M Relay/
Relais 4X400 M – Femmes
▲ C. Blevins/P. Medland/ — BC/C.-B.
 J. Laughton/B. Cox
● K. Bliss/S. Traynor/ — PQ/Qc.
 D. Reddy/F. Gendron
■ R. Campbell/D. Mitchell/ — ON
 B. Krotowski/D. Churchill

Women's Long Jump/
Saut en longueur – Femmes
▲ A. Bryan — ON
● D. Summerland — ON
■ J. Shrimpton — BC/C.-B.

Women's High Jump/
Saut en hauteur – Femmes
▲ B. Bittner — ON
● A. Filion — PQ/Qc.
■ D. Story — BC/C.-B.

Women's Shot Put/
Lancer du poids – Femmes
▲ M. Kleptic — BC/C.-B.
● P. Scothorn — ON
■ J.A. Calverley — BC/C.-B.

Women's Discus/
Lancer du disque – Femmes
▲ J. Calverley — BC/C.-B.
● D. Tittley — PQ/Qc.
■ D. Barkley — AB

Women's Javelin/
Lancer du javelot – Femmes
▲ L. Kern — BC/C.-B.
● C. Van Der Knapp — PQ/Qc.
■ E. Ramymakers — NS/N.-É.

Women's/Femmes Penthathlon
▲ D. Barker — ON
● C. Branch — NS/N.-É.
■ S. Short — PQ/Qc.

1969

Men's/Hommes 100 M
▲ B. McKinnon — PE/T.-N.
● I. Gordon — BC/C.-B.
■ T. McDonough — AB

Men's/Hommes 200 M
▲ T. Powell — ON
● I. Gordon — BC/C.-B.
■ C. Blackman — ON

Men's/Hommes 400 M
▲ T. Powell — ON
● C. Blackman — ON
■ B. MacDonald — BC/C.-B.

Men's/Hommes 800 M
▲ B. Cunningham — BC/C.-B.
● B. MacDonald — BC/C.-B.
■ R. Storrey — ON

Men's/Hommes 1500 M
▲ M. McCann — ON
● D. Surman — BC/C.-B.
■ R. Haswell — AB

Men's/Hommes 5000 M
▲ G. McLaren — ON
● G. Tighe — BC/C.-B.
■ B. Legge — ON

Men's/Hommes 10 000 M
▲ B. Bisson — ON
● J. Dextras — PQ/Qc.
■ B. Legge — ON

**Men's 100 M Hurdles/
Haies 100 M – Hommes**
▲ G. Neeland — ON
● B. Donnelly — ON
■ T. Nelson — PQ/Qc.

**Men's 400 M Hurdles/
Haies 400 M – Hommes**
▲ B. Donnelly — ON
● B. Aynsley — BC/C.-B.
■ C. Sayers — ON

**Men's 4X100 M Relay/
Relais 4X100 M – Hommes**
▲ C. Blackman/T. Powell/
D. McCann/J. Swainson — ON
● L. Leprohon/T. Nelson/
M. Charland/B. Knight — PQ/Qc.
■ G. Yorke/D. Chapman/
I. Gordon/L. Barton — BC/C.-B.

**Men's 4X400 M Relay/
Relais 4X400 M – Hommes**
▲ T. Powell/J. Swaison/
R. Storrey/C. Blackman — ON
● G. Yorke/L. Barton/
A. Anderson/B. Aynsley — BC/C.-B.
■ T. Thorsteinson/M. Morrison/
L. Tarasoff/E. Horgson — SK

**Men's Long Jump/
Saut en longueur – Hommes**
▲ M. Mason — ON
● B. Greenough — BC/C.-B.
■ M. Charland — PQ/Qc.

**Men's High Jump/
Saut en hauteur – Hommes**
▲ W. Wedhann — BC/C.-B.
● R. Cuttell — BC/C.-B.
■ B. Ring — SK

**Men's Pole Vault/
Saut à la perche – Hommes**
▲ L. Woolfe — ON
● A. Kane — BC/C.-B.
■ R. Burrows — BC/C.-B.

**Men's Shot Put/
Lancer du poids – Hommes**
▲ S. Hunnings — BC/C.-B.
● B. Caulfield — ON
■ E. Polselli — ON

**Men's Discus/
Lancer du disque – Hommes**
▲ A. Roost — ON
● E. Polselli — ON
■ R. Bracken — MB

Men's Hammer/Marteau – Hommes
▲ M. Cairns — AB
● T. Tenisci — BC/C.-B.
■ P. McManaman — ON

**Men's Javelin/
Lancer du javelot – Hommes**
▲ B. Heikkila — ON
● A. Lajoie — PQ/Qc.
■ E. Polselli — PQ/Qc.

**Men's 3000 M Steeplechase/
Course à obstacles 3000 M – Hommes**
▲ G. McLaren — ON
● B. Bisson — ON
■ L. Rogers — SK

Men's Triple Jump/Triple saut – Hommes
▲ D. Vine — ON
● B. Johnson — BC/C.-B.
■ J. Konihowski — SK

**Men's 20 000 M Walk/
Marche 20 000 M – Hommes**
▲ F. Capella — ON
● M. Jobin — PQ/Qc.
■ F. Johnson — ON

Men's Decathlon/Décathlon – Hommes
▲ G. Stewart — ON
● S. Spencer — BC/C.-B.
■ B. Lange — AB

Men's/Hommes Marathon
▲ J. Haddon — AB
● D. Lach — PQ/Qc.
■ R. Forel — PQ/Qc.

Women's/Femmes 100 M
▲ S. Berto — BC/C.-B.
● J. Hendry — PQ/Qc.
■ I. Piotrowski — BC/C.-B.

Women's/Femmes 200 M
▲ A. Langdale — BC/C.-B.
● I. Piotrowski — BC/C.-B.
■ J. Hendry — PQ/Qc.

Women's/Femmes 400 M
▲ G. Olinek — ON
● A. Covell — BC/C.-B.
■ K. McCune — AB

Women's/Femmes 800 M
▲ D. Llepins — BC/C.-B.
● G. Olinek — ON
■ J. Dyke — BC/C.-B.

Women's/Femmes 1500 M
▲ D. Liepins — BC/C.-B.
● L. James — MB
■ C. Spowager — BC/C.-B.

**Women's 100 M Hurdles/
Haies 100 M – Femmes**
▲ W. Taylor — BC/C.-B.
● P. May — BC/C.-B.
■ J. Ober — AB

**Women's 200 M Hurdles/
Haies 200 M – Femmes**
▲ K. Pirnie — MB
● P. May — BC/C.-B.
■ P. Busch — BC/C.-B.

**Women's 4X100 M Relay/
Relais 4X100 M Femmes**
▲ S. Berto/L. Banter/
I. Piotrowski/A. Langdale — BC/C.-B.
● L. Wilson/B. McAleer/
L. Burley/D. Miller — ON
■ F. Provencher/J. Turcotte/
C. Maille/J. Hendry — PQ/Qc.

**Women's Long Jump/
Saut en longueur – Femmes**
▲ B. Eisler — BC/C.-B.
● J. Hendry — PQ/Qc.
■ J. Ober — AB

**Women's High Jump/
Saut en hauteur – Femmes**
▲ D. Brill — BC/C.-B.
● D. Jones — SK
■ L. Vanderstan — AB

**Women's Shot Put/
Lancer du poids – Femmes**
▲ J. Pavelich — BC/C.-B.
● J. Dahlgren — BC/C.-B.
■ C. Martin — ON

**Women's Discus/
Lancer du disque – Femmes**
▲ C. Martin — ON
● J. Dahlgren — BC/C.-B.
■ E. Rung — AB

**Women's Javelin/
Lancer du javelot – Femmes**
▲ J. Dahlgren — BC/C.-B.
● W. Hainschwang — ON
■ V. Peterson — MB

Women's/Femmes Pentathlon
▲ D. Jones — SK
● A. Verduyn — ON
■ P. May — BC/C.-B.

Volleyball

1989

Men's/Hommes
▲ Stéphane Gosselin/Bruno
Lambert/Jean-François
Gosselin/Gilbert Rémillard/
Ghyslain Rémillard/Bernard
Lemieux/Éric Girard/Simon
Berleur/Éric Ouellette/Dany
Sirois/Yohan Michaud/
Sylvain Hamel — PQ/Qc.
● Paul Janzen/Christopher
Janzen/Kenton Scott/Ryan
Dzioba/Gareth Rowlands/Derrick
Englot/Mark Gronsdahl/Chad
Sekundiak/Scott Dunn/Travis
Johnson/Robert Kennedy/
Jay Magus — SK
■ Andrew White/Shawn Smith/
Todd Christie/Jason Mulholland/
Christopher Schwarz/Kevin
Graham/Mike Chaloupka/
Andreas Schirm/David
St-Helene/Barry Teplicky/
Ken Davies/Ron O'Hare — ON

Women's/Femmes
▲ Kim Kowpak/Leanne Sander/
Catherine Davidson/Lori Ann
Mundt/Rea Peters/Barb
McLeod/Julie Scarlett/Kerri
Buchberger/Jennifer Block/
Sherri Theis/Lisa Henderson/
Leah Dorian — SK
● Eve St-Cyr/Annie Parisien/
Marjorie Veilleux/Elizabeth
Raby/Mylène Pelletier/Sophie
Dandois/Stéphanie Roy/Karyne
St-Amant/Magalie Béchard/
Isabelle Trépanier/Carmen
Plante/Nancy Andrews — PQ/Qc.
■ Jennifer Gradt/Tracie
Goertzen/Lisa Kachkowsky/
Valerie Onishko/Lynne Geisel/
Shelly Zubert/Robyn Plett/Judy
Gradt/Christine Toews/Michelle
Sawatzky/Laura Menheer/
Dana Iwanoczko — MB

1987

Men's/Hommes
● Brent Brezinski/Boris
Dragicevic/Travis Koch/Dion
Pfeifer/Conley Pura/Terry
Pylot/Mark Stebner/Brad — SK

Surjik/Darren Swanson/Darran
Teneycke/Paul Thoroughgood/
Allen Tkachuk
● Benoit Caouette/Philippe
Caron/Michel Cazes/Yves
Gamache/Sylvain Hamel/Éric
Laberge/Christian Larivière/
Jean-François Marchand/David
Ouellet/Gervais Perron/Michel
Rainville/Martin Roy — PQ/Qc.
■ Glenn Chubaty/Carl Enns/
Jayson Gard/Dale Iwanoczko/
Kevin Loewen/Robert Loiselle/
Jason Meltzer/Peter Sdrolias/
Joe Thiessen/James Toews/
Steve Welch/Brian Wiwcharuk — MB

Women's/Femmes
▲ Leesa Fast/Paulette Jerrard/
Leanne Minarik/Val Onishko/
Jo-Anne Onishko/Susan
Ormiston/Sheila Picklyk/Marni
Rauhaus/Linda Shwetz/April
Stephenson/Christine Toews/
Debbie Wasilewski — MB
● Colleen Cupido/Audrey
Dipronio/Heather Hollands/Ann
Marie Lucanie/Monica Lueg/Dee
MacCauley/Crystal Maracle/
Renée Savoie/Theresa Sulatycki/
Elizabeth Sulatycki/
Marg Van Soelen — ON
■ Nancy Andrews/Ann Bertrand/
Magaly Charbonneau/Griselde
Delahaie/Johanne Demers/
Diane Harvey/Anie Labrecque/
Yolaine Labrecque/Gisèle
Lachance/France Poirier/Manon
Raby/Mélanie Watson — PQ/Qc.

1985

Men's/Hommes
▲ R. Pasishnik/B. Blomquist/
J. Linnell/D. Daae/D. Teneycke/
B. Tendler/J. Hepfner/S. Yeo/
D. Swanson/M. Stebner/
M. Olfert/B. Dusyk — SK
● R. Keller/D. Iwanoczko/R. Dyck/
R. Paddock/G. Hannan/
T. Geddert/B. Coubrough/
T. Neufeld/J.P. Perron/
G. Boulet/I. Shaw/J. Thiessen — MB
■ P. Keefe/B. Johnstone/
S. Drysdale/T. Doucette/
E. Hawley/R. MacGillvray/
B. Bourke/J. Batt/W. Wrixon/
J. McIver/R. Weld — NS/N.-É.

1983

Women's/Femmes
▲ Sylvie Cantin/Catherine
Dallaire/Paule Lafond/Martine
Lavoie/Josée Lebel/Louise
Lespérance/Lise Martin/Nathalie
Pelletier/Barbara Percich/Lori- — PQ/Qc.
Ann Rowe/Annie Simard/
Manon Villeneuve
● Bard Broen/Lou Thompson/
Angela Wildemann/Shelley
Watson/Canaud Olson/Ally
Greig/Tricia Robertson/Karen
Tourigny/Shawn Bryan/Lisa
Depaoli/Lesley Cosgrove — AB
■ Mary Ann Boyles/Kristine
Drakich/Lisa Henderson/Leslie
Irie/Neli Lozej/Kaia Nielsen/
Andrea Pedrick/Heather
Sawyer/Kelly Swales/Dena
Thebarge/Sylvia Weihrer/
Leslie Strickler — ON

1979

Men's/Hommes
▲ Loris Campagnolo/
Christopher Frehlick/Cary
Gatzke/John Haugseng/Brent
Kynoch/John Lussier/Joseph
Mazurkewich/Mario Russo/Paul
Thiessen/Marcel Therrien — BC/C.-B.
● James Berg/David Chambers/
Jim Claveau/Fred Gingrich/
Dave Jones/John Dervin/
Tom Loucks/Vilis Ozols/Martin
Raymond/Bill Stanger — ON
■ Louis Bélanger/Michel
Bélanger/Nicolas Duval/Jocelyn
Leclerc/Georges Blain/Eugene
Dostoievsky/Sylvain Joseph/
Sylvain Houde/Patrick
Lafrenière/Yves Vignola — PQ/Qc.

Women's/Femmes
▲ Lisa Balagus/Susan Boroski/
Jennifer Callander/Ida Clemons/
Bonnie Gessner/Jamie
Hancharyk/Susan Hurley/Ruth
Klassen/Janet Ledyard/
Lois Yallowega — MB
● Sharon Dhillon/Belinda
Ehling/Diana Gatzke/Allison
Knight/Mary-Ann McNichol/
Janice Paxton/Mary Robertson/
Rhonda Sampson/Elyn
Underhill/Loretta Zavarise — BC/C.-B.
■ Rachel Béliveau/Anna
Bergeron/Chantal Boisvert/
Louise Bouchard/Lucie
Cavanagh/Denise Guay/Louise
Lanoix/Andrée Ledoux/Françoise
Noel/France Vigneault — PQ/Qc.

1975

Men's/Hommes
▲ G. Burell/T. Graham/
W. Hamm/C. Jenkins/
T. Jones/J. Markwart/
W. Neufeld/W. Ward/
G. Warner/A. Kostiuk — BC/C.-B.

R. Anderson/T. Denesyk/ MB
B. Fast/R. Glacken/P. Hudson/
G. Kachkowski/M. McDonald/
R Mitenko/B. Ottenbreit/
D. Unruh/D. Nord/J. Harrison
■ L. Haber/S. Hadwen/ ON
G. Ihnatowycz/J. Toanidis/
M. Karklins/C. Kerstens/
T. Kerstens/J. Ozolins/
B. Rodin/B. Schoenmakers

Women's/Femmes
▲ M. Branson/L. Chiv/C. Cole/ BC/C.-B.
K. Connaughton/K. Egger/
M. Godfrey/P. Ponich/
P. Schalfen/R. Armonas/
D. Pendray
● D. Baydock/V. Campbell/ MB
B. Gill/S. Klassen/D. Mitchell/
D. Richardson/M. Stolk/
M. Stroet/B. Taylor/
S. Zylich/L. Ransby
■ J. Abbey/R. Balanko/K. Cpwitz/ AB
H. Franz/S. Haight/B. Hans/
V. Hillman/R. Stobbe/
N. Sutton/K. Vouri

1971
Men's/Hommes
▲ V. Nishi/W. Christensen/ MB
C. Bell/R. Lawson/B. Tyzuk/
R. Watts/J. Matthews/
S. Braun/Geryld/Vogels/Coluin
● Ansons/Eliasheusky/ ON
MacKinnon/Mees/Obuchowski/
Romet/Sawrantschuk/Silins/
Stanko/Stefaniuk
■ M. Hulyd/D. Dley/ BC/C.-B.
M. Cummings/S. Coleman/
A. Musso/G. Chamberlain/
L. Plenert/D. Kepler/
R. Ewing/K. Gallicano

Women's/Femmes
▲ A. Johnson/D. Shiloff/ MB
B. Francis/L. Hanford/L. Day/
C. Lloyd/C. Cable/G. Ramsey/
D. Macey/B. Pennell
● T. Cauchon/S. Munn/ PQ/Qc.
J. Fortier/N. Paquin/C. Piché/
D. Lukstins/M. Brunet/
L. Savoie/M.C. Lunardi/
E. Tanguay
■ L. Busenius/S. Hollard/ BC/C.-B.
C. Quinn/D. Murray/B. Baxter/
K. Girvan/M. Giaconni/
R. Kreuger/S. O'Hern/M. Prade

1967
Men's/Hommes
▲ M. Bell/D. Doyle/K. Fortune/ BC/C.-B.
R. Graves/R. Ireland/
D. Ohman/J. Phillips/
D. Reimer/M. Rockwell/
M. Spike/J. Vosburgh/
K. Witske

● B. Syko/W. Woroby/ MB
J. Kreutzer/G. Hladki/
B. Harrison/T. Rosener/
L. Kich/B. Benoit/D. Kowal/
W. Reimer/T. Stastook
■ B. Daiken/J.P. Delisle/ ON
T. Drummelsmith/R. Hadash/
M. Hemlow/L. Ketcheson/
B. Mutrie/P. O'Neil/B. Speers/
V. O'Neil/A. Stanko/V. Treiguts

Women's/Femmes
▲ A. Alberts/A. Bibbey/ ON
C. Eliashevsky/L. Eliashevsky/
L. Kennedy/J. Kucharchuck/
M.L. Munro/L. Olesnycky/
E.M. Ross/L. Syrotynsky/
M. Tarnavskyi/C. Tomkiw
● B. Burron/M. Craigie/ MB
L. James/G. Koskie/
S. Latournerie/G. Rosner/
E. Taylor/L. Ransby/B. Waugh/
L. Karsgaard/H. Sedun
■ S. Adams/G. Berry/ AB
D. Campbell/P. Collings/
L. Cooke/G. Chrystian/N. Fay/
S. Kent/C. Mowat/M. Pot/
T. Smith/B. Whitley

Water Polo
Water-polo

1983
Men's/Hommes
▲ Robert Dallago/Stéphane PQ/Qc.
Croft/Jean-Philippe Simon/Éric
Pelland/Robert Denis/Denis
Brissette/Tony Bacile/Roland
Reigner/Gaetan Langlois/Jean-
Marc Bouchard/Charles Reigner
● Daniel Arnott/John Dawdy/ ON
Geoff White/Andrew Neuillis/
Peter Gauld/Philip Hines/Craig
Lypko/Greg Bidinosti/Ken
Puskas/Ken Pool/Radko Bundala
■ Shawn Kenny/Ian Crane/ NF/T.-N
Scott Burt/Mike Lilly/Stuart
Baird/Keith Burt/Lawrence
Karasek/Doug Cloustan/Marty
Bulcock/Jim Whelan/
Glenn Crane

Women's/Femmes
▲ Chantal Larocque/Marie- PQ/Qc.
Claude Deslières/Catherine
Despatis/Claire Roy/Sonia
Pizzamiglio/Josée Boutin/
Dominique Lecours/Vicki
Nickless/Sylvie Morin/Nathalie
Létourneau/Nathalie Auclair

● Sherri Hein/Kathy Davis/ MB
Chris Fisher/Wendy Martens/Liz
Girling/Sue Tanner/Tammy
Schiltz/Karen Benjaminson/
Debbie Baker/Kelly Konechny/
Kristin Todd
■ Erika Dutz/Valerie Bremner/ ON
Glenys Cavers/Leigh Brady/
Janet Selby/Kathleen Hurst/
Sheila Dezeeuw/Julia Braun/
Julie Lyons/Heidi Moore

1981
Women's/Femmes
▲ Vivian Noonan/Anne Bédard/ PQ/Qc.
Christine Larose/Claire Roy/
Martine Picard/Josée
Monast/Liette Préfontaine/
Michelle Mathews/Danielle
Tétreault/Marie-Claude
Robert/Lyne Montette
● Ruth Zastre/Marie Mullally/ NS/N.-É.
Wendy Thompson/Ashael
Cooke/Jennifer Lane/Ruth
Goodwin/Lisa Stewart/Ann
Scheibelhut/Cara Fraser/Linda
Peddle/Heather Kaulbach
■ Sherry Lynn Hein/Marilyn MB
Chaboyer/Christine Fisher/
Wendy Martens/Susan
Kirk/Susan Tanner/Tammy
Schultz/Karen Benjaminson/
Deborah Baker/Michelle
Seidel/Melanie Brydon

1977
Men's/Hommes
▲ C. Dougherty/W.B. Maguire/ ON
B. Hart/L. Druiven/W. Myers/
M. Dent/A. Juhasz/P. Arnott/
M. Gulyas/G. Kivisto/J. Hill
● P. Bergeron/D. Borgia/ PQ/Qc.
R. Couillard/A. Ferland/
J. Gosselin/L. Lebeau/
C. Levesque/M. Ouellet/F. Pare/
J. Saabas/S. Turcotte
■ S. Dotto/G. Drew/ BC/C.-B.
P. Farrent/G.P. Holm/
M. Krzus/R. McCluskie/
J.D. Russell/R.Scheafer/
R.M. Stewart/G.S. Weltzin/
R.W. Zayonc

1973
Men's/Hommes
▲ J.P. Lapointe/I. Gladstone/ PQ/Qc.
J. Ducharme/P. Chouinard/
C. Nolin/R. Bérubé/
D. Berthelette/J. Thivierge/
G. Turcotte/J.L. Dion/
A. Lajeunesse/G. Garaghiaur
● R. Vollema/R. Fallow/ AB
K. Gilroyed/L. McElwain/
G. Packer/D. Ewanchuck/
B. Kennedy/R. Ollefers/
J. Brophy/D. McRobbie/
D. Lore/G. Ross

■ F. Conry/T.J. Conry/R.J. Edge/ ON
J.R. Fox/G.E. Francis/H. Gills/
P. Hart/W. Jourdrie/
A.D. McLintock/P. Pottier/
J.D. Thornton/B.W. Wielgosz

1969
Men's/Hommes
▲ J. Ats/M. Gagné/R. Veilleux/ PQ/Qc.
A. Enkin/G. Zinner/J.L. Thomas/
R. Sarkozy/I. Rosenberg/
J. Roboz/P. Hart/M. Byer/
J. Brenhouse/C. Barry
● L. Whiteman/W. Vanderpool/ ON
R. Pugliese/R. Stamp/
R. Thompson/J. MacVicar/
D. Tomlinson/G. Steplock/
R. Gunell/D. Hart/R. Britton/
Z. Urbanovits/K. Thompson
■ A. Feidalla/E. Weiss/ AB
R. Kirstein/D. Martin/J. Byme/
D. Packer/D. MacDonald/
D. Richards/S. Kovac/
G. Rosich/V. Kumpula/
C. Hincz/G. Whetstone

Water Skiing
Ski nautique

1985
Men's Tricks/Figures – Hommes
▲ Jaret Llewellyn AB
● Pierre Villeneuve PQ/Qc.
■ Benoit Villeneuve PQ/Qc.

Men's/Hommes – Slalom
▲ Morgan Wood ON
● Benoît Villeneuve PQ/Qc.
■ Jaret Llewellyn AB

Men's Jumps/Sauts – Hommes
▲ Morgan Wood ON
● Andy Mattice ON
■ Michael Wilman MB

Men's Overall/Combiné – Hommes
▲ Pierre Villeneuve PQ/Qc.
● Jaret Llewellyn AB
■ Andy Mattice ON

Women's/Femmes – Slalom
▲ Kim De Macedo BC/C.-B.
● Terri Gibbons ON
■ Roni Evans MB

Women's Tricks/Figures – Femmes
▲ Kim De Macedo BC/C.-B.
● Anne Labrie PQ/Qc.
■ Melanie Perrault PQ/Qc.

Women's Jumping/Sauts – Femmes
▲ Terri Gibbons ON
● Roni Evans MB
■ Kari Fox AB

Women's Overall/Combiné – Femmes
▲ Roni Evans MB
● Anne Labrie PQ/Qc.
■ Terri Gibbons ON

1981
Men's Jumping/Sauts – Hommes
▲ P. Nemeth MB
● R. Hartmann PQ/Qc.
■ B. Janzen MB

Men's/Hommes – Slalom
▲ J. Graham ON
● B. Hartmann PQ/Qc.
■ R. Hartmann PQ/Qc.

Men's Tricks/Figures – Hommes
▲ K. Llewellyn AB
● M. Hartmann PQ/Qc.
■ J. Graham ON

Women's Jumping/Sauts – Femmes
▲ M. Graham ON
● D. Charest PQ/Qc.
■ S. Graham ON

Women's/Femmes – Slalom
▲ M. Graham ON
● H. Braniff ON
■ L. Chalut PQ/Qc.

Women's Tricks/Figures – Femmes
▲ M. Graham ON
● D. Charest PQ/Qc.
■ S. Graham ON

1977
Men's/Hommes – Slalom
▲ J. McClintock ON
● J. McClintock ON
■ L.R. Bélanger PQ/Qc.

Men's Jumping/Sauts – Hommes
▲ J. Derome PQ/Qc.
● J. McClintock ON
■ G. Athans BC/C.-B.

Men's Tricks/Figures – Hommes
▲ J. McClintock ON
● E. Prall MB
■ L.R. Bélanger PQ/Qc.

Women's/Femmes – Slalom
▲ L. Sokolowski ON
● J. McClintock ON
■ C. Grégoire PQ/Qc.

Women's Jumping/Sauts – Femmes
▲ M. Houde PQ/Qc.
● J. Cody BC/C.-B.
■ C. Grégoire PQ/Qc.

1973
Women's Tricks/Figures – Femmes
▲ J. McClintock ON
● M. Houde PQ/Qc.
■ L Sokolowski ON

Men's/Hommes – Slalom
▲ D. Ashley BC/C.-B.
● E. Bagnall PQ/Qc.
■ G. Athans BC/C.-B.

Men's Jumping/Sauts – Hommes
▲ E. Bagnall PQ/Qc.
● G. Athans BC/C.-B.
■ D. Ashley BC/C.-B.

Men's Tricks/Figures – Hommes
▲ G. Athans BC/C.-B.
● E. Bagnall PQ/Qc.
■ S. Sugden ON

Women's/Femmes – Slalom
▲ C. Sicotte PQ/Qc.
● C. Pickell ON
■ J. Glanert ON

Women's Jumping/Sauts – Femmes
▲ C. Sicotte PQ/Qc.
● C. Pickell ON
■ S.M. Daniels MB

Women's Tricks/Figures – Femmes
▲ D. Codere PQ/Qc.
● P. Reid MB
■ K. Mossman NS/N.-É.

1969
Men's/Hommes – Slalom
▲ R. Principe ON
● M. Vidruk MB
■ J. Preston ON

Men's Jump/Sauts – Hommes
▲ R. Gruneau ON
● M. Vidruk MB
■ J. Preston ON

Men's Tricks/Figures – Hommes
▲ J. Preston ON
● R. Gruneau ON
■ P. Plouffe PQ/Qc.

Women's/Femmes – Slalom
▲ A. Klager ON
● H. Grégoire PQ/Qc.
■ P. Messner ON

Women's Jump/Sauts – Femmes
▲ H. Grégoire PQ/Qc.
● A. Klager ON
■ B. Augustine MB

Women's Tricks/Figures – Femmes
- ▲ A. Klager — ON
- ● H. Grégoire — PQ/Qc.
- ■ P. Messner — ON

❄ Weightlifting / Haltérophilie

1991

Men's Snatch 0-52 KG / Arraché 0-52 KG Hommes
- ▲ François LaGacé — PQ/Qc.
- ● David Petit — PQ/Qc.
- ■ Matthew Elliott — NS/N.-É.

Men's Clean & Jerk 0-52 KG / Épaulé-jeté 0-52 KG Hommes
- ▲ Francois LaGacé — PQ/Qc.
- ● David Petit — PQ/Qc.
- ■ Matthew Elliott — NS/N.-É.

Men's/Hommes Total 0-52 KG
- ▲ François LaGacé — PQ/Qc.
- ● David Petit — PQ/Qc.
- ■ Matthew Elliott — NS/N.-É.

Men's Snatch 52-56 KG / Arraché 52-56 KG Hommes
- ▲ Jean Lavertue — PQ/Qc.
- ● Luc Bergeron — PQ/Qc.
- ■ Patrick Lindsay — AB

Men's Clean & Jerk 52-56 KG / Épaulé-Jeté 52-56 KG Hommes
- ▲ Jean Lavertue — PQ/Qc.
- ● Luc Bergeron — PQ/Qc.
- ■ Patrick Lindsay — AB

Men's/Hommes Total 52-56 KG
- ▲ Jean Lavertue — PQ/Qc.
- ● Luc Bergeron — PQ/Qc.
- ■ Patrick Lindsay — AB

Men's Snatch 56-60 KG / Arraché 56-60 KG Hommes
- ▲ Sébastien Groulx — PQ/Qc.
- ● Satwinder Ghatarora — BC/C.-B.
- ■ Rob Lockwood — AB

Men's Clean & Jerk 56-60 KG / Épaulé-jeté 56-60 KG Hommes
- ▲ Sébastien Groulx — PQ/Qc.
- ● Rob Lockwood — AB
- ■ Peter Rohne — MB

Men's/Hommes Total 56-60 KG
- ▲ Sébastien Groulx — PQ/Qc.
- ● Rob Lockwood — AB
- ■ Satwinder Ghatarora — BC/C.-B.

Men's Snatch 60-67.5 KG / Arraché 60-67.5 KG Hommes
- ▲ Claude Cauette — PQ/Qc.
- ● Duc-Thai Vu — PQ/Qc.
- ■ Jason Kolber — AB

Men's Clean & Jerk 60-67.5 KG / Épaulé-jeté 60-67.5 KG Hommes
- ▲ Claude Cauette — PQ/Qc.
- ● Duc-Thai Vu — PQ/Qc.
- ■ Jason Kolber — AB

Men's/Hommes Total 60-67.5 KG
- ▲ Claude Caouette — PQ/Qc.
- ● Duc-Thai Vu — PQ/Qc.
- ■ Jason Kolber — AB

Men's Snatch 67.5-75 KG / Arraché 67.5-75 KG Hommes
- ▲ Serge Tremblay — PQ/Qc.
- ● Scott McCarthy — YT/Yn.
- ■ Shea Bertrand — ON

Men's Clean & Jerk 67.5-75 KG / Épaulé-jeté 67.5-75 KG Hommes
- ▲ Serge Tremblay — PQ/Qc.
- ● Scott McCarthy — YT/Yn.
- ■ Tom Davidson — ON

Men's/Hommes Total 67.5-75 KG
- ▲ Serge Tremblay — PQ/Qc.
- ● Scott McCarthy — YT/Yn.
- ■ Shea Bertrand — ON

Men's Snatch 75-82.5 KG / Arraché 75-82.5 KG Hommes
- ▲ Jim-Dan Corbett — NS/N.-É.
- ● Yan Jubinville — PQ/Qc.
- ■ Patrick Chute — ON

Men's Clean & Jerk 75-82.5 KG / Épaulé-jeté 75-82.5 KG Hommes
- ▲ Jim-Dan Corbett — NS/N.-É.
- ● Dalas-John Santavy — ON
- ■ Yan Jubinville — PQ/Qc.

Men's/Hommes Total 75-82.5 KG
- ▲ Jim-Dan Corbett — NS/N.-É.
- ● Yan Dubinville — PQ/Qc.
- ■ Dalas-John Santavy — ON

Men's Snatch 82.5-90 KG / Arraché 82.5-90 KG Hommes
- ▲ Martin Côté — PQ/Qc.
- ● Rick Friesen — ON
- ■ John Charette — ON

Men's Clean & Jerk 82.5-90 KG / Épaulé-jeté 82.5-90 KG Hommes
- ▲ John Charette — ON
- ● Martin Côté — PQ/Qc.
- ■ Rick Friesen — ON

Men's/Hommes Total 82.5-90 KG
- ▲ Martin Côté — PQ/Qc.
- ● Rick Friesen — ON
- ■ John Charette — ON

Men's Snatch 90-100 KG / Arraché 90-100 KG Hommes
- ▲ Manny SanDiego — MB
- ● Rocque Gameiro — MB
- ■ Charles Demers — YT/Yn.

Men's Clean & Jerk 90-100 KG / Épaulé-jeté 90-100 KG Hommes
- ▲ Rocque Gameiro — MB
- ● Manny SanDiego — MB
- ■ Robert Taylor — AB

Men's/Hommes Total 90-100 KG
- ▲ Rocque Gameiro — MB
- ● Manny SanDiego — MB
- ■ Charles Demers — YT/Yn.

Men's Snatch 100-110 KG / Arraché 100-110 KG Hommes
- ▲ Shawn Ward — SK
- ● Shane Larabie — BC/C.-B.
- ■ Dale Barnych — MB

Men's Clean & Jerk 100-110 KG / Épaulé-jeté 100-110 KG Hommes
- ▲ Shawn Ward — SK
- ● Dale Barnych — MB
- ■ Shane Larabie — BC/C.-B.

Men's/Hommes Total 100-110 KG
- ▲ Shawn Ward — SK
- ● Shane Larabie — BC/C.-B.
- ■ Dale Barnych — MB

Men's Snatch 110 + KG / Arraché 110 + KG Hommes
- ▲ Scott Perreault — SK
- ● Trevor Neumann — MB
- ■ Travis Lang — SK

Men's Clean & Jerk 110 + KG / Épaulé-jeté 110 + KG Hommes
- ▲ Trevor Neumann — MB
- ● Scott Perreault — SK
- ■ Travis Lang — SK

Men's/Hommes Total 110 + KG
- ▲ Trevor Neumann — MB
- ● Scott Perreault — SK
- ■ Travis Lang — SK

Women's Snatch 0-52 KG / Arraché 0-52 KG Femmes
- ▲ France Brouillard — PQ/Qc.
- ● Martine Thibault — PQ/Qc.
- ■ Valerie Hamp — MB

Women's Clean & Jerk 0-52 KG / Épaulé-jeté 0-52 KG Femmes
- ▲ Martine Thibault — PQ/Qc.
- ● France Brouillard — PQ/Qc.
- ■ Valerie Hamp — MB

Women's/Femmes Total 0-52 KG
- ▲ France Brouillard — PQ/Qc.
- ● Martine Thibault — PQ/Qc.
- ■ Valerie Hamp — MB

Women's Snatch 52-56 KG / Arraché 52-56 KG Femmes
- ▲ Dolores Brien — PQ/Qc.
- ● Loretta Brown — ON
- ■ Shelley Giggs — AB

Women's Clean & Jerk 52-56 KG / Épaulé-jeté 52-56 KG Femmes
- ▲ Dolores Brien — PQ/Qc.
- ● Loretta Brown — ON
- ■ Sylvie Beaulieu — ON

Women's/Femmes Total 52-56 KG
- ▲ Dolores Brien — PQ/Qc.
- ● Loretta Brown — ON
- ■ Sylvie Beaulieu — ON

Women's Snatch 56-60 KG / Arraché 56-60 KG Femmes
- ▲ Julie Malenfant — ON
- ● Tammy Olmstead — SK
- ■ Danielle Dawn Mitchell — AB

Women's Clean & Jerk 56-60 KG / Épaulé-jeté 56-60 KG Femmes
- ▲ Julie Malenfant — ON
- ● Tammy Olmstead — SK
- ■ Danielle Dawn Mitchell — AB

Women's/Femmes Total 56-60 KG
- ▲ Julie Malenfant — ON
- ● Tammy Olmstead — SK
- ■ Danielle Dawn Mitchell — AB

Women's Snatch 60-67.5 KG / Arraché 60-67.5 KG Femmes
- ▲ France Boucher — PQ/Qc.
- ● Trena Irving — YT/Yn.
- ■ Staci Martin — BC/C.-B.

Women's Clean & Jerk 60-67.5 KG / Épaulé-jeté 60-67.5 KG Femmes
- ▲ France Boucher — PQ/Qc.
- ● Trena Irving — YT/Yn.
- ■ Staci Martin — BC/C.-B.

Women's/Femmes Total 60-67.5 KG
- ▲ France Boucher — PQ/Qc.
- ● Trena Irving — YT/Yn.
- ■ Staci Martin — BC/C.-B.

Women's Snatch 67.5 + KG / Arraché 67.5 KG + Femmes
- ▲ Isabelle Bouffard — PQ/Qc.
- ● Andrea Hoyt — YT/Yn.
- ■ Noreena Bodaglo — MB

Women's Clean & Jerk 67.5 + KG / Épaulé-jeté 67.5 KG + Femmes
- ▲ Isabelle Bouffard — PQ/Qc.
- ● Andrea Hoyt — YT/Yn.
- ■ Juli Elders — MB

Women's/Femmes Total 67.5 + KG
- ▲ Isabelle Bouffard — PQ/Qc.
- ● Andrea Hoyt — YT/Yn.
- ■ Noreena Bodaglo — MB

1987

Men's/Hommes 52 KG
- ▲ Dennise Aumais — PQ/Qc.
- ● Guynh Nguyen — MB
- ■ Jim Dan Corbett — NS/N.-É.

Men's/Hommes 56 KG
- ▲ Garry Brydges — ON
- ● Perry Grindle — AB
- ■ Xavier Roblain — PQ/Qc.

Men's/Hommes 60 KG
- ▲ Réjean Clerc — PQ/Qc.
- ● Hardial Bhabra — BC/C.-B.
- ■ Guy Desgranges — PQ/Qc.

Men's/Hommes 67.5 KG
- ▲ Stéphane Côté — PQ/Qc.
- ● Marco Loyer — PQ/Qc.
- ■ Paul Bourgeault — MB

Men's/Hommes 75 KG
- ▲ Benoît Gagné — PQ/Qc.
- ● Troy Durand — YT/Yn.
- ■ Joey Swiergosz — ON

Men's/Hommes 82.5 KG
- ▲ Pierre Bergeron — PQ/Qc.
- ● Marc Poretti — AB
- ■ Garry McFarland — BC/C.-B.

Men's/Hommes 90 KG
- ▲ Paul Aubé — PQ/Qc.
- ● Rob Brossard — AB
- ■ Pierre Charest — PQ/Qc.

Men's/Hommes 100 KG
- ▲ Brad Brososky — AB
- ● Matt Clarke — BC/C.-B.
- ■ John Barkauskas — ON

Men's/Hommes 110 KG
- ▲ Bajon Paunovic — MB

Men's/Hommes 110 KG +
- ▲ Charles Henderson — NS/N.-É.
- ● David Stackiw — MB

1983

Men's/Hommes Total 110 KG +
- ▲ Graham Mauger — NS/N.-É.
- ● Kevin Wellwood — SK
- ■ Vince Palace — MB

Men's/Hommes Total 110 KG
- ▲ Rajan Santiago — MB
- ● Luc Lefebvre — PQ/Qc.
- ■ Paul Lemoine — MB

Men's/Hommes Total 100 KG
- ▲ Mike McDonald — BC/C.-B.
- ● Eugene Paterson — AB
- ■ Jamie Kelenen — BC/C.-B.

Men's/Hommes Total 90 KG
- ▲ Parmajit Gill — BC/C.-B.
- ● Robert Marineau — PQ/Qc.
- ■ Paul Corbett — NS/N.-É.

Men's/Hommes Total 82.5 KG
- ▲ Marc Thibault — PQ/Qc.
- ● Glen Dodds — ON
- ■ Rob Best — SK

Men's/Hommes Total 75 KG
- ▲ Marc Couture — PQ/Qc.
- ● Clint Shokoples — AB
- ■ Stuart Shydlowski — AB

Men's/Hommes Total 67.5 KG
- ▲ Yvan Darsigny — PQ/Qc.
- ● Louis Payer — PQ/Qc.
- ■ David Burt-Gerrans — ON

Men's/Hommes Total 60 KG
- ▲ Robert Choquette — PQ/Qc.
- ● Paul Farquhar — ON
- ■ Langis Côté — PQ/Qc.

Men's/Hommes Total 56 KG
- ▲ Alain Bilodeau — PQ/Qc.
- ● Andy Young — NS/N.-É.
- ■ Pat Menard — ON

Men's/Hommes Total 52 KG
- ▲ Mario Robitaille — PQ/Qc.
- ● Richard Lecocq — MB
- ■ Alex Kennedy — NS/N.-É.

1979

52 KG
- ▲ G. Desmarais — PQ/Qc.
- ● V. Sharma — NS/N.-É.
- ■ T. Bogle — NS/N.-É.

56 KG
- ▲ M. Viau — PQ/Qc.
- ● H. Green — NS/N.-É.
- ■ R. Stripp — ON

60 KG
- ▲ Y. Lefebvre — PQ/Qc.
- ● I. Webb — ON
- ■ S. Lumsden — NS/N.-É.

67.5 KG
- ▲ C. Dallaire — PQ/Qc.
- ● J. Demers — PQ/Qc.
- ■ B. Slipchen — ON

75 KG
- ▲ F. St. Cyr — PQ/Qc.
- ● P. Redweik — AB
- ■ J. Phillips — ON

82.5 KG
- ▲ S. St. Cyr — PQ/Qc.
- ● A. Corriveau — PQ/Qc.
- ■ R. Haggar — ON

90 KG
- ▲ K. Roy — ON
- ● N. Decloître — PQ/Qc.
- ■ M. Zerr — SK

100 KG
- ▲ S. Diotte — ON
- ● B. Duquette — PQ/Qc.
- ■ L. Shewchuk — SK

110 KG
- ▲ R. MacDonald — NS/N.-É.

+ 110 KG
- ▲ J. Laforest — NB

1975

Flyweight/Poids mouches
- ▲ M. Lapointe — NB
- ● G. Greavette — BC/C.-B.
- ■ Z. Grzelewski — ON

Lightweight/Poids légers
- ▲ T. Hadlow — ON
- ● R. Hayes — ON
- ■ A. Rioux — NB

Bantamweight/Poids coqs
- ▲ R. Lapierre — PQ/Qc.
- ● E. Farrell — BC/C.-B.
- ■ R. Hussey — NF/T.-N.

Middleweight/Poids moyens
- ▲ D. Robitaille — ON
- ● J. Biln — BC/C.-B.
- ■ O. Markiw — AB

Featherweight/Poids plumes
- ▲ M. Mercier — PQ/Qc.
- ● R. Rudek — BC/C.-B.
- ■ R. Derouin — PQ/Qc.

Light Heavyweight/Poids mi-lourds
- ▲ R. Macklem — AB
- ● D. Pyke — NS/N.-É.
- ■ R. Charlebois — ON

Middle Heavyweight/Poids lourds – moyens
- ▲ G. Eldridge — NS/N.-É.
- ● G. Matthew — ON
- ■ A. Fisher — BC/C.-B.

Heavyweight/Poids lourds
- ▲ J. Legault — PQ/Qc.
- ● S. James — BC/C.-B.
- ■ R. Davidson — ON

Super Heavyweight/Poids lourds – super
- ▲ B. Samborsky — PQ/Qc.
- ● M. Cardinal — ON

1971

114 1/4 lb.
- ▲ D. Schutz — AB
- ● R. Hayes — ON
- ■ C. Harvey — PQ/Qc.

123 1/4 lb.
- ▲ C. Hamilton — NB
- ● B. Cunningham — MB
- ■ D. Dunn — MB

132 1/4 lb
- ▲ D. Robertson — BC/C.-B.
- ● J. Van Brunt — ON
- ■ A. MacDonald — NS/N.-É.

148 1/4 lb.
- ▲ P. Charbonneau — PQ/Qc.
- ● D. Gauthier — PQ/Qc.
- ■ D. Hanson — NS/N.-É.

165 lb.
- ▲ J. P. Wilson — ON
- ● D. Hébert — PQ/Qc.
- ■ M. Gomes — AB

181 lb
- ▲ A. Watt — ON
- ● G. Voisard — PQ/Qc.
- ■ A. Nowak — MB

198 1/4 lb.
- ▲ W. Wilson — BC/C.-B.
- ● C. April — PQ/Qc.
- ■ R. Malt — ON

242 1/2 lb.
- ▲ R. Prior — ON
- ● G. McLelland — BC/C.-B.
- ■ D. MacNeil — ON

242 1/2 lb. +
- ▲ A. Yanko — ON
- ● C. Darby — ON
- ■ W. Pearce — NS/N.-É.

Wrestling / Lutte

1989

Men's/Hommes 48 KG
- ▲ Travis Bellarose — BC/C.-B.
- ● Gene Buhler — MB
- ■ Chad Keens-Douglas — PQ/Qc.

Men's/Hommes 52 KG
- ▲ Wade Spelrem — PQ/Qc.
- ● Cory Dobrowolski — SK
- ■ Serge Tardif — PQ/Qc.

Men's/Hommes 57 KG
- ▲ Donovan Young — ON
- ● Todd Ketteringham — BC/C.-B.
- ■ Dennis Paglinawan — AB

Men's/Hommes 62 KG
- ▲ Mike Richard — AB
- ● Scott Austin — BC/C.-B.
- ■ Steve St. Germain — PQ/Qc.

Men's/Hommes 68 KG
- ▲ John Selby — ON
- ● Cameron Johnson — BC/C.-B.
- ■ Stephan McLelland — SK

Men's/Hommes 74 KG
- ▲ Christopher English — ON
- ● Heath Bolster — BC/C.-B.
- ■ Yosef Mendelsohn — PQ/Qc.

Men's/Hommes 82 KG
- ▲ Justin Micha Abdou — SK
- ● Sean McIsaac — BC/C.-B.
- ■ Brent Beauparlant — ON

Men's/Hommes 90 KG
- ▲ Mike Green — SK
- ● Darren Maywood — BC/C.-B.
- ■ Richard Pryszlak — PQ/Qc.

Men's/Hommes 100 KG
- ▲ Jason Geris — ON
- ● Vincent Ashmeade — SK
- ■ Robbie Johl — BC/C.-B.

Men's/Hommes 130 KG
- ▲ Jeff Thue — SK
- ● Ari Taub — ON
- ■ Mike Roselli — BC/C.-B.

Team/Équipe
- ▲ Jody Nimegeers/Cory Dobrowolski/Cory Sayer/Damon Samoleski/Stephan McLellan/Troy Nazarewicz/Justin Abdou/Mike Green/Vincent Ashmeade/Jeff Thue — SK
- ● Travis Bellarose/Todd Smith/Todd Ketteringham/Scott Austin/Cameron Johnson/Heath Bolster/Sean MacIssac/Darren Maywood/Robbie Johl/Mike Roselli — BC/C.-B.
- ■ Altaf Stationwala/Paul Ragusa/Donovan Young/Andrew Hansford/John Selby/Christopher English/Brent Beauparlant/Ian Sinclair/Jason Geris/Ari Taub — ON

1987

Men's/Hommes 100 + KG
- ▲ Andrew Borodow — PQ/Qc.
- ● Chris Valardo — NB
- ■ David Heap — AB

Men's/Hommes 100 KG
- ▲ Jeff Thue — SK
- ● Yogi Johl — BC/C.-B.
- ■ Dave Shaver — ON

Men's/Hommes 90 KG
- ▲ Alf Wurr — MB
- ● Dean Ogorman — NF/T.-N.
- ■ Frank Suchodolski — PQ/Qc.

Men's/Hommes 82 KG
- ▲ Sang Kim — ON
- ● Gordon Bergey — SK
- ■ Rob Dalton — BC/C.-B.

Men's/Hommes 74 KG
- ▲ Justin Abdou — SK
- ● Nick Gibson — ON
- ■ Andy Parker — AB

Men's/Hommes 68 KG
- ▲ Heath Bolster — BC/C.-B.
- ● Roger Arsenault — SK
- ■ Wayne Diduck — AB

Men's/Hommes 62 KG
- ▲ Sean Malone — ON
- ● Mike Meekins — SK
- ■ Cory Kwak — BC/C.-B.

Men's/Hommes 57 KG
- ▲ Anthony Merlo — PQ/Qc.
- ● Kevin Kezama — AB
- ■ Grant Meyers — ON

Men's/Hommes 52 KG
- ▲ Darrell Donstad — AB
- ● Guy Fraser — BC/C.-B.
- ■ Joe Mair — ON

Men's/Hommes 48 KG
- ▲ Sheldon Weatherby — AB
- ● Nick Apostolakis — SK
- ■ Swlwyn Tam — BC/C.-B.

Team/Équipe
- ▲ — SK*
- ● — AB*
- ■ — BC/C.-B.*

1983

Men's/Hommes 48 KG
- ▲ Christopher Wilson — MB
- ● Kevin Chase — AB
- ■ Norm Spence — BC/C.-B.

Men's/Hommes 52 KG
- ▲ Rob Carrière — ON
- ● Shane McDonald — SK
- ■ Faustino Dibauda — BC/C.-B.

Men's/Hommes 57 KG
- ▲ Phil Spate — SK
- ● Gary Brassart — BC/C.-B.
- ■ Peter Constable — MB

Men's/Hommes 62 KG
- ▲ Rick Marshall — SK
- ● François Tétreault — PQ/Qc.
- ■ Glenn Kruger — ON

Men's/Hommes 68 KG
- ▲ Pat Pine — BC/C.-B.
- ● Rob Sturrock — ON
- ■ Mike Dawood — AB

Men's/Hommes 74 KG
- ▲ Lloyd Hanlan — ON
- ● Ben Pettit — BC/C.-B.
- ■ Mario Demarinis — NB

Men's/Hommes 82 KG
- ▲ David Mottram — ON
- ● Greg Edgelow — BC/C.-B.
- ■ David Bessey — NB

Men's/Hommes 90 KG
- ▲ Paul Clatney — ON
- ● Larry Thacher — BC/C.-B.
- ■ Gerald Lashyn — SK

Men's/Hommes 100 KG
- ▲ Kelly Patzer — SK
- ● Rod Suprenault — BC/C.-B.
- ■ Wally Kauzen — ON

Men's/Hommes 100 KG+
- ▲ Dan Payne — BC/C.-B.
- ● Joel Barton — ON
- ■ Peter Allen — NF/T.-N.

1979

48 KG
- ▲ Allan Harman — AB
- ● Michael Payette — ON
- ■ Brent Parisien — SK

52 KG
- ▲ Wayne Yeasting — BC/C.-B.
- ● Norm Barton — ON
- ■ Keith Lightfoot — SK

57 KG
- ▲ James Keeley — AB
- ● Michael Wilson — MB
- ■ Roberto Raimondo — PQ/Qc.

62 KG
- ▲ Mike Takemori — BC/C.-B.
- ● Claude Daoust — ON
- ■ Charles Haskins — AB

68 KG
- ▲ Daniel Hartviksen — ON
- ● David McKay — MB
- ■ Kevin Weston — PQ/Qc.

74 KG
- ▲ André Derguy — PQ/Qc.
- ● Christopher Rinke — BC/C.-B.
- ■ Michael Warbanski — MB

82 KG
- ▲ Roy Kasuya — BC/C.-B.
- ● Edward Slabikowski — ON
- ■ Jan Alfheim — PQ/Qc.

90 KG
- ▲ Gus Rassias — ON
- ● Ron Luciak — SK
- ■ Jeff Weinstein — PQ/Qc.

100 KG
- ▲ Dan Kocia — ON
- ● Steve Marshall — BC/C.-B.
- ■ Daryl Zamko — SK

100 KG +
- ▲ Richard Alloi — ON
- ● Sandy McKimmie — BC/C.-B.
- ■ Peter Cummings — PQ/Qc.

1975

105 1/2 lb.
- ▲ R. Takahashi — ON
- ● F. Patton — SK
- ■ R. Walmsley — BC/C.-B.

114 1/2 lb.
- ▲ A. Longpre — ON
- ● J. Davidson — BC/C.-B.
- ■ M. McKenzie — SK

123 lb.
- ▲ V. Fedorak — BC/C.-B.
- ● D. Yeats — PQ/Qc.
- ■ D. Eason — NS/N.-É.

132 lb.
- ▲ G. Gardiner — BC/C.-B.
- ● R. Pawlyk — AB
- ■ R. Moore — ON

143 lb.
- ▲ H. Stupp — BC/C.-B.
- ● N. Cipriano — ON
- ■ F. LaPointe — NS/N.-É.

154 lb.
- ▲ N. Marrello — BC/C.-B.
- ● S. Tisberger — ON
- ■ J. Hanbidge — SK

165 lb.
- ▲ B. Renken — ON
- ● M. Mongeon — BC/C.-B.
- ■ P. Mazevet — PQ/Qc.

178 1/2 lb.
- ▲ J. Neufeld — BC/C.-B.
- ● G. Koza — ON
- ■ T. Molnar — SK

191 1/2 lb.
- ▲ J. Gnap — ON
- ● M. Miller — BC/C.-B.
- ■ B. Tomchuk — MB

Heavyweight/Poids Lourds
- ▲ M. Mavros — ON
- ● R. Caulfield — BC/C.-B.
- ■ D. Patsack — MB

1971

105 1/2 lb.
- ▲ A. Connel — ON
- ● J. Hallis — AB
- ■ N. Shelton — PQ/Qc.

114 1/2 lb.
- ▲ E. Gogol — ON
- ● G. Wist — SK
- ■ R. Stefani — BC/C.-B.

123 lb.
- ▲ W. Axent — ON
- ● G. Brow — AB
- ■ R. Burnett — SK

132 lb.
- ▲ T. Wenzel — ON
- ● J. Southall — BC/C.-B.
- ■ A. McLuskie — PQ/Qc.

143 lb.
- ▲ G. Adams — BC/C.-B.
- ● C. Crête — PQ/Qc.
- ■ R. Boyle — AB

154 lb.
- ▲ S. Martin — BC/C.-B.
- ● M. Mudry — SK
- ■ J. Emery — PQ/Qc.

165 lb.
- ▲ T. Paice — SK
- ● R. Godwin — PQ/Qc.
- ■ J. Lotimer — ON

178 1/2 lb.
- ▲ T. Hryb — BC/C.-B.
- ● B. Mudry — SK
- ■ F. Kalbsleisch — ON

191 1/2 lb.
- ▲ T. Chiasson — NF/T.-N.
- ● R. Harwood — NB
- ■ D. Breckenridge — ON

Heavyweight/Poids Lourds
- ▲ T. Sharpe — BC/C.-B.
- ● G. Weir — ON
- ■ G. Dearborn — SK

1967

Team/Équipe
- ▲ E. Cunningham/A. Graham/ — ON
  C. Szymczak/P. Bolger/D. Hilt/
  C. Hall/J. Solose/E. Millard
- ● R. Helmig/R. Rushworth/ — BC/C.-B.
  R. Turner/W. Dave/
  R. Watson/W. Goddard/
  D. Paulson/C. Nemeth
- ■ E. Adamson/K. Bamford/ — AB
  J. Marchand/D. Meisinger/
  J. Nicholas/C. Olson/
  R. Rozylo/G. Sutherland

115 lb.
- ▲ R. Helmig — BC/C.-B.
- ● R. Bertie — PQ/Qc.
- ■ E. Cunningham — ON

125 lb.
- ▲ A. Graham — ON
- ● R. Rushworth — BC/C.-B.
- ■ J. Nicholas — AB

136 lb.
- ▲ E. Adamson — AB
- ● C. Szymczak — ON
- ■ D. Rombough — BC/C.-B.

147 lb.
- ▲ R. Rosylo — AB
- ● P. Bolger — ON
- ■ P. Lancaster — PQ/Qc.

160 lb.
- ▲ G. Jones — NS/N.-É.
- ● P. Liamchin — PQ/Qc.
- ■ D. Hilt — ON

175 lb.
- ▲ V. Kerluke — BC/C.-B.
- ● C. Hall — ON
- ■ R. Bastien — PQ/Qc.

191 lb.
- ▲ D. Seaman — SK
- ● D. Paulsen — BC/C.-B.
- ■ J. Marchand — AB

Heavyweight/Poids lourds
- ▲ E. Millard — ON
- ● C. Nemeth — BC/C.-B.
- ■ F. Arbou — SK

* Names of team members not available.
* Noms des membres de l'équipe non
   disponibles.

Members of the Canada Games Council
Membres du Conseil des Jeux du Canada

Mr. John Pelech
Chairman/Président

Mr. Lane MacAdam
President and CEO/PDG

Government of Canada
Gouvernement du Canada

Mr. Lyle Makosky

Mr. Bob Valcov

Virginia Miller

Provinces

Mr. Lee Southern
(BC/C.-B.)

Mr. Joe Halstead
(Ontario)

Mr. Murray Finnerty
(Alberta)

National Sport Organization Reps.
Représentants des organismes
Nationaux de sport

Mme. Lise Simard

Mr. Al Rae

Canadians at Large
Membres à titre individuelle

Mr. Tony Dagnone

Monsieur Richard Denis

Mr. Lloyd Piercey

Darlene Weir

Canada Summer Games: Final Point Standings
Jeux d'été du Canada: Classement final des points

 Canada Winter Games: Final Point Standings
Jeux d'hiver du Canada: Classement final des points

	1969	1973	1977	1981	1985	1989
Alberta	127.5 (5)	128 (4)	134.4 (4)	149 (4)	176 (4)	156.5 (5)
British Columbia Colombie-Britannique	169 (2)	176.5 (1)	193.6 (3)	191 (3)	202 (3)	207.5 (3)
Manitoba	125.5 (6)	123.5 (5)	133.6 (5)	120 (6)	134 (6)	137.5 (6)
New Brunswick Nouveau-Brunswick	85.5 (8)	78 (8)	77.6 (9)	75.5 (9)	119.5 (7)	134 (7)
Newfoundland Terre-Neuve	58 (9)	54 (9)	96 (7)	88.5 (8)	80.5 (9)	99.5 (9)
NWT/T.N.-O.	8 (11)	10 (11)	6.4 (12)	7.5 (11)	8.5 (11)	9 (11)
Nova Scotia Nouvelle-Écosse	129 (4)	118.5 (6)	114.4 (6)	142 (5)	143.5 (5)	124.2 (8)
Ontario	180 (1)	170.5 (2)	218.4 (1)	209 (1)	225 (1)	229 (1)
Prince Edward Island Île-du-Prince-Édouard	42 (10)	41 (10)	36.8 (10)	43.5 (10)	38.5 (10)	37.7 (10)
Québec	136 (3)	152 (3)	212.8 (2)	195 (2)	203.5 (2)	211.5 (2)
Saskatchewan	87.5 (7)	112 (7)	95.2 (8)	111 (7)	119 (8)	167.5 (4)
Yukon	8 (11)	10 (11)	13.6 (11)	1.5 (12)	2.5 (12)	7 (12)

Note: Number in brackets () indicates rank
N.B.: Le numéro entre crochets () indique le rang

	1967	1971	1975	1979	1983	1987	1991
Alberta	107 (3)	203 (4)	197 (4)	134.5 (5)	169 (4)	147 (5)	214.5 (3)
British Columbia Colombie-Britannique	111 (2)	235 (2)	216 (2)	156 (3)	173.5 (3)	179 (3)	213 (4)
Manitoba	97 (5)	186 (5)	176 (5)	136 (4)	135.5 (5)	134.5 (6)	179 (6)
New Brunswick Nouveau-Brunswick	53 (8)	125 (7)	110 (8)	92 (8)	94.5 (8)	117 (7)	108 (8)
Newfoundland Terre-Neuve	38 (9)	95 (9)	86 (10)	77 (9)	92.5 (9)	91 (9)	86.5 (9)
NWT/T.N.-O.	21 (11)	42 (11)	34 (11)	19 (11)	22 (12)	18 (12)	31 (12)
Nova Scotia Nouvelle-Écosse	65 (7)	107 (8)	146 (7)	98 (7)	101.5 (7)	101.5 (8)	114 (7)
Ontario	129 (1)	253 (1)	215 (3)	185.5 (2)	224 (1)	211 (1)	257.5 (1)
Prince Edward Island Île-du-Prince-Édouard	28 (10)	74 (10)	91 (9)	58 (10)	44.5 (10)	35.5 (11)	74.5 (10)
Québec	100 (4)	210.5 (3)	219 (1)	186.5 (1)	209.5 (2)	210 (2)	256.5 (2)
Saskatchewan	83 (6)	165.5 (6)	153 (6)	101.5 (6)	133.5 (6)	150 (4)	188 (5)
Yukon	18 (12)	36.5 (12)	20 (12)	27.5 (10)	27 (11)	36 (10)	39.5 (11)

Note: Number in brackets () indicates rank
N.B.: Le numéro entre crochets () indique le rang

191

The Jack Pelech Award
Le Prix Jack Pelech

The Pelech Award is named in honour of Jack Pelech who has been Chairman of the Canada Games Council since 1971.

This award is presented to recognize the province whose mission staff, coaches, managers, and athletes best combine competitive performance, good sportsmanship and a spirit of fair play, cooperation and friendship. It is determined by ballots received from the Chef-de-Mission from each province/territory.

The award instituted in 1985, will be presented at the Games' Closing Ceremony by the provincial Minister of Sport in the host province.

Previous winners:

1985	New Brunswick
1987	Nova Scotia and Newfoundland
1989	New Brunswick
1991	Prince Edward Island

Le Prix Jack Pelech est nommé en honneur de Jack Pelech qui est le Président du Conseil des Jeux du Canada depuis 1971.

Le prix est présenté à chaque rencontre des Jeux du Canada pour honorer la province dont le personnel de la mission, les entraîneurs, les gérants et les athlètes combinent le mieux la performance, un bon esprit sportif, la loyauté, la collaboration et l'amitié. Le prix est déterminé par bulletin de vote reçu du chef de mission de chaque province/territoire.

Le prix est présenté à la cérémonie de clôture par le ministre provincial du sport de la province hôte.

Les gagnants précédents:

1985	Nouveau-Brunswick
1987	Nouvelle-Écosse et Terre-Neuve
1989	Nouveau-Brunswick
1991	Île-du-Prince-Édouard

Centennial Cup Winners
Gagnants de la Coupe du Centenaire

The Centennial Cup is awarded to the Province or Territory showing the greatest improvement in its final standing from the previous Canada Games, with the comparison being made on a winter-to-winter and summer-to-summer basis.

Previous winners:

1971	Prince Edward Island
1973	Northwest Territories
1975	Nova Scotia
1977	Newfoundland
1979	Yukon
1981	Nova Scotia
1983	Saskatchewan
1985	Manitoba
1987	Québec
1989	Saskatchewan
1991	Manitoba

Ce trophée est décerné à la province/territoire dont le classement final s'est le plus amélioré depuis les Jeux précédents, la comparaison étant établie de Jeux d'hiver à Jeux d'hiver et de Jeux d'été à Jeux d'été.

Les gagnants précédents:

1971	Île-du-Prince-Édouard
1973	Territoires du Nord-Ouest
1975	Nouvelle-Écosse
1977	Terre-Neuve
1979	Yukon
1981	Nouvelle-Écosse
1983	Saskatchewan
1985	Manitoba
1987	Québec
1989	Saskatchewan
1991	Manitoba

Games Flag Winners
Gagnants du Drapeau des Jeux

The Official Games Flag, the official logo of the Canada Games Council, is composed of twelve segments representing the ten provinces and the two territories. The "C" enclosing the Maple Leaf symbolizes the union of these segments in Canada.

In order to stress team spirit and to encourage maximum participation in the Games, the current Host Society presents the Games Flag to the Province/Territory aggregating the largest number of points from all the events, and at the same time, announces the runner up.

Previous winners:

1967	Ontario
1969	Ontario
1971	Ontario
1973	British Columbia
1975	Québec
1977	Ontario
1979	Québec
1981	Ontario
1983	Ontario
1985	Ontario
1987	Ontario
1989	Ontario
1991	Ontario

Le Drapeau officiel des Jeux, qui est en même temps le logo du Conseil des Jeux du Canada, se compose de douze segments représentant les dix provinces et les deux territoires. Le "C" se refermant sur la feuille d'érable symbolise l'union de ces segments au sein du Canada.

L'objectif étant de stimuler l'esprit d'équipe et d'encourager la plus grande participation possible aux Jeux du Canada, le Comité organisateur en cause remet le Drapeau des Jeux à la province/territoire qui a accumulé le plus grand nombre de points dans toutes les épreuves des Jeux. Il annonce en même temps le nom de l'équipe qui s'est classée deuxième.

Les gagnants précédents:

1967	Ontario
1969	Ontario
1971	Ontario
1973	Colombie-Britannique
1975	Québec
1977	Ontario
1979	Québec
1981	Ontario
1983	Ontario
1985	Ontario
1987	Ontario
1989	Ontario
1991	Ontario

Printed in Canada